JN105474

改訂版 例題で学ぶ Excel VBA入門

加地 太一 編著／大堀 隆文・穴沢 務 著

国立大学法人 小樽商科大学出版会

編集にあたって

プログラミング教育は，小学校で2020年度から，中学校で2021年度から，高等学校で2022年度から，それぞれ必修化され始まった。その是非はともかくプログラミング教育の必要性が迫られているのは事実であろう。しかし，各学校におけるプログラム学習のための環境は不十分極まりないものである。また，その内容も直感的なレベルにしか過ぎず，実用的なプログラミングにはほど遠いものとなっている。

そこで，誰もがすぐに使え，プログラムの本質をつかまえると同時に，実用性のあるプログラムを作成できるプログラミングの教育用図書を作ることを目的とし本図書の編集にあたった。この目的を実現するプログラム言語の一つとしてExcel VBAがある。Excel VBAは，パソコンにExcelがインストールされていれば誰でも利用が可能であり，実務に幅広く利用可能なプログラム言語の一つである。

このExcel VBAを用いた分かりやすいプログラミングの教科書を作成するために，今回，私を含め3人の方々の援助をいただき作成に臨んだわけである。3人の知恵を絞り，数多くの分かりやすい例題，プログラムを整え，モチベーションが下がらないような工夫を施しているわけである。この3人の著者の方々の協力がなければ完成には至らなかったであろう。「三人寄れば文殊の知恵」とはよく言ったものである。

編者　加地太一

まえがき

プログラミングは，多くの学生が受講する必修科目となりつつあり，全員が必要とする最低限の能力，技量とみなされてくるであろう。しかし，「プログラミングに王道なし」といわれ，どんな教え方をしても学生本人のモチベーションが無ければ，プログラミングのスキルを修得することはできない。重要な要素は，初めてプログラミングに接する学生が興味や面白さを継続して感じ，学習への意欲を保持できるか否かにある。しかし，学生のプログラミングへのモチベーションを保ち，継続して興味を湧き立たせる例題や課題を用意することは難しい。

本書は，文系理系を問わず，プログラミングの基本を初歩から身につけたい読者を対象にしている。入門教育に用いるプログラミング言語として，身近なExcelをベースとして，プログラムが容易に作成できるExcel VBAを用いる。Excel VBAは，①Excelがインストールされているパソコンならば手軽にトライすることができる，②入出力インターフェイスとして目に見える「セル」を利用できる，などの理由からプログラミング初学者には馴染みやすい言語と考える。しかし，Excel VBAを使い，プログラミングの一般論を教育する教科書は少ない。従来の教科書は，Excel機能のパワーアップとして，VBAマクロにより実務的なシステムの作成を主な目的に作成している。これは確かに実践的だがプログラミングの基礎を体系的に身につけることは難しい。

それを実現するために，本書は次の方針で作成する。

(1) C言語などの教科書で見られる標準的な順番（入出力・演算・変数→条件分岐→繰り返し処理→配列→副プログラム→……）で構成する。
(2) 各章・節ごとに文法事項を説明し，その理解の確認のために平易な例題を用意する。
(3) 文系の学生でも取り組みやすいように，数学的な題材は極力避け，日常的・娯楽的な題材を多く盛り込む。

(4) 文法の説明が必要な章・節は，冒頭に「デモンストレーション」コーナーを設け，デモ用のマクロ有効ファイルを多数用意する。

(5) 大学，専門学校，高校などの授業の使用のために利用しやすい構成とする。

本書は以下の13章から構成される。1章では，VBAの概要を述べる。VBAを学ぶ意義，VBAの起動，入出力，四則演算などを説明する。2章では，VBAの変数について述べる。変数宣言，データ型，入出力ボックスなどを説明する。3章では，セルの操作を述べる。セル範囲の表し方とプロパティ，セルのメソッドなどを説明する。4章では，条件分岐について述べる。基本条件から複雑条件，If構文と入れ子，関係演算子や論理演算子などを説明する。5章では，繰り返し処理を述べる。繰り返し回数が既知と未知の場合の書き方，For Next文やDo Loop文などを説明する。6章では，配列について述べる。配列宣言と一次元，二次元配列などを説明する。7章では，ユーザ定義型について述べる。ユーザ定義型宣言，メンバや構造体配列などを説明する。8章では副プログラムについて述べる。ユーザ定義関数，引数，サブプロシージャ，値渡しと参照渡しなどを説明する。9章では，コントロールの活用について述べる。コントロールを含むワークシート，ユーザフォーム，イベントプロシージャなどを説明する。10章では，システム制作の実践について述べる。マクロ記録，データ範囲の自動検出などを説明する。11章では，VBAによる統計解析について述べる。平均分散などの統計量，確率とシミュレーション，乱数とゲーム応用を説明する。12章では，アルゴリズムについて述べる。線形探索，二分探索およびクイックソートなどの整列アルゴリズムを説明する。13章では，データベース処理について述べる。マクロによる売上分析，分割保存表データベース処理などを説明する。また付録では，Excelデータベース機能について述べる。集計・整列・探索，売上分析，フィルタ，ピボットテーブル，VLOOKUP関数などを説明する。

授業構成においては，初心者向けの基礎的な前半の章を用いるのも良く，さらに深めるために後半の実践的な章を利用するのも良いであろう。また，Excel VBAを使うため，本書を利用しプログラミングを独学で勉学可能であるようにも心がけたつもりである。実践的な利用が必要な方々も，基本知識を整理するために本書を先に読破しておくことを薦めたい。いずれの読者層にとっても，プログラミングの基礎知識がしっかり身につくと同時にExcel VBAを用いて自由自在にExcelでデータを扱える仕事力がつくであろう。

なお，本書は小樽商科大学研究成果刊行経費により出版される。本書の作成にあたって，企画から完成まで様々の面でご助力いただいた，小樽商科大学，および論創社の関係者の皆様に改めて感謝の意を表したい。

著者を代表して　加地太一
2018年7月

サンプルプログラム、課題解答例のダウンロードサイト
（新URL）https://sites.google.com/view/anotheranazawa/top/vba

目　次

例題で学ぶExcel VBA入門

1——はじめてのVBA

本書では，Microsoft Excelの上で動作する「マクロ」と呼ばれるプログラムを作る方法を学ぶ。Excelのワークシートに作成した数表やデータベースに，簡単なマクロを組み込むだけで，驚くほど手軽で実用的な「システム」に改良することができる。マクロを作るためのプログラミング言語が，Excel VBA（Visual Basic for Applications）である。

この章では，「VBAって何？」「プログラミングは初めて！」という読者を，VBAという魅惑の世界へと誘う。

1.1　プログラムとは

プログラムとは，一言で言えば，コンピュータに対する命令書である。

プログラム＝ソフトウェア

と理解してよい。コンピュータ（ハードウェア）は，プログラム（ソフトウェア）が無ければ，何の仕事もできない「ただの箱」である。プログラムを作ることを**プログラミング**という。プログラムを書き表すための言語を**プログラミング言語**という。

プログラムは次のように大別できる。

プログラム
- **●基本ソフト（OS）**
  WindowsやLinuxなど，次の応用ソフトの土台となるソフト
- **●応用ソフト（アプリケーション）**
  Word, Excel, Internet Explorerなど，実際に仕事や生活で活用するソフト
- **●マクロ**
  応用ソフトの中で実行できるプログラム

我々は本書を通じて

> Excelという応用ソフトの中で実行できるマクロを，
> Excel VBAというプログラミング言語で作成する

ということを練習していく。

1.2　なぜExcel VBAを学ぶのか

マクロではなく，（Windowsパソコンで動く）応用ソフトを作成するには，Visual Basic（VB）やVisual C++（VC++）などのプログラミング言語を使用する。よって，それらを勉強する方が世の中に役に立ちそうな気がする。しかし，Excel VBAを学ぶことには，次のようなメリットがある。

1. Excel VBAは，VBやVC++に比べて文法が理解しやすい。
2. Excelがインストールされているすべてのパソコンで，Excel VBAによるプログラミングができる。
3. VBAは「Visual Basic for Applications」の略で，VBの文法に近く，後でVBを学ぶ際にすんなりと入り込みやすい。また，Excel VBAで学ぶことは他の言語（VC++, Java, PHP, …）でプログラミングする際にも共通して役立つ。
4. Excel VBAを使うと，高度な事務処理システムを安く短時間に作ることができる。よって，多くの事務処理の現場で，Excel VBAでプログラミングができる人材のニーズは高い。

1.3　とにかく始めてみよう

〈準備1.1〉　Excelを起動せよ（Excelのアイコンをダブルクリックして起動後「空白のブック」を選択）。

■ マクロ使用の準備（[開発] タブがない場合）

〈準備1. 2〉 リボン内に「開発」タブを表示するには

①「ファイル」タブをクリック

②「オプション」→「リボンのユーザ設定」をクリック

③「メインタブ」欄の「開発」をチェックして「OK」

※この作業は，個人で使うパソコンならば，最初に1回だけ行えばよい。しかし，大学のパソコンのように利用環境が毎回初期化されるような場合は，この作業を電源ONのたびに行わなければならないことがある。

■ VBEの起動

〈準備1. 3〉 Excelのマクロを作るための画面（Visual Basic Editor; VBE）を起動するには

① リボンの「開発」タブをクリック

②「Visual Basic」をクリック

※図1-1のようなVBEが起動しただろうか？

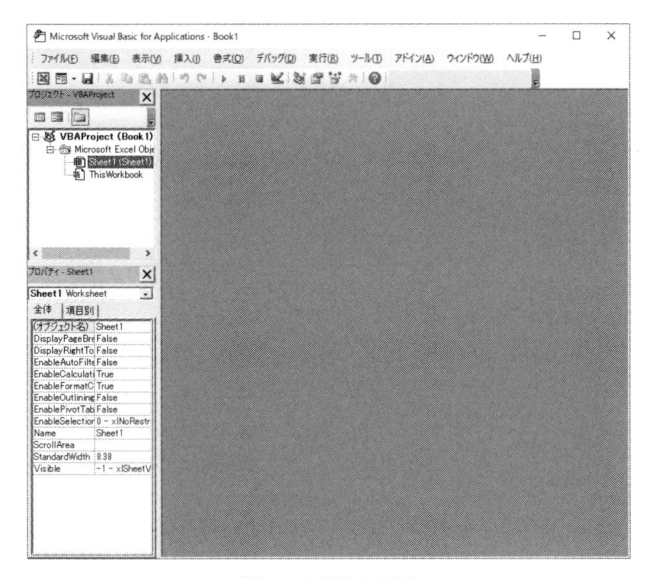

図1-1　VBEの画面

〈ポイント1. 1〉 VBEとワークシートの切り替えは，**図1-2**のようにディスプレイの一番下にあるタスクバーで行う。

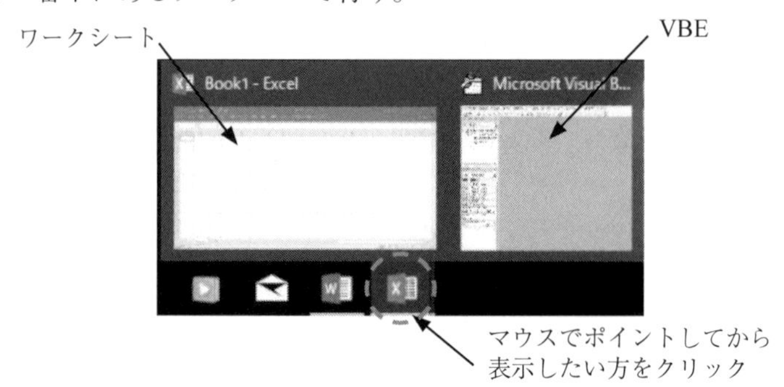

図1-2　VBEとワークシートの切り替え

※画面をVBEに戻しておこう。

コードウィンドウの新規作成

〈準備1. 4〉 マクロを書き込むウィンドウ（**コードウィンドウ**）を新規作成するには

①（VBEで）「挿入」→「標準モジュール」の順にクリック

※**図1-3**のようなウィンドウが追加されただろうか？

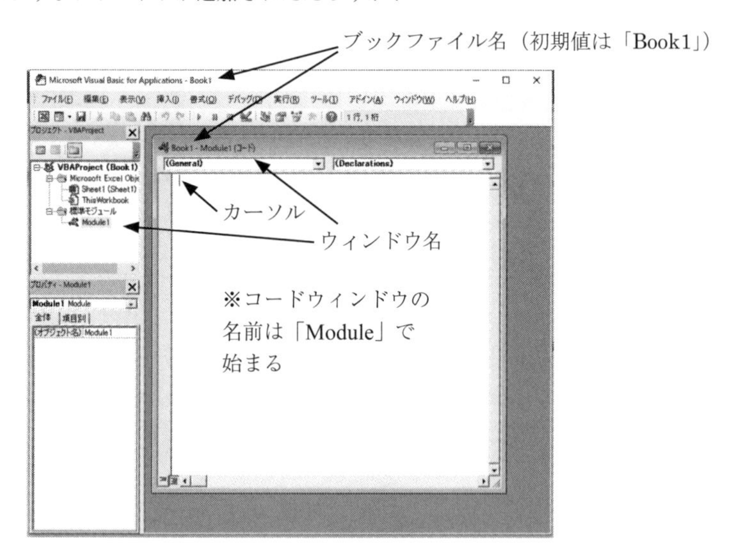

図1-3　コードウィンドウ

【例題1. 1】 図1-4(a) の入力ウィンドウで自分の今の年齢を入力して「OK」をクリックしたら，図1-4(b)のように十年後の年齢を出力するマクロを作りたい。

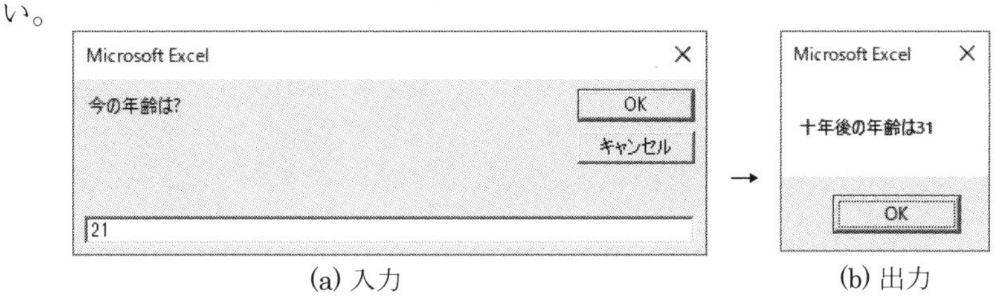

(a) 入力　　(b) 出力

図1-4　例題1.1の実行

コードウィンドウに，図1-5のようなマクロ（プログラム）を書いてみよう。但し，**英字・数字・記号・スペースはすべて半角**で入力すること。

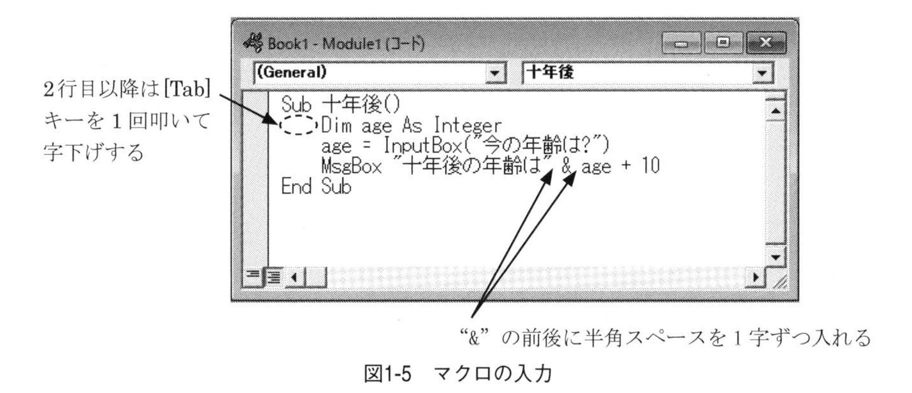

図1-5　マクロの入力

※今回は，マクロの意味やExcel VBAの文法といった細かいことは抜きにして，とにかく打ち込んでみよう。

〈ポイント1. 2〉 マクロの基本構造は次のとおりである。

```
Sub マクロ名()
    文1
    文2
    ⋮
End Sub
```

文1, 文2, …はそれぞれコンピュータに対するコマンド（命令）を表し，原則として上から順番に実行される（条件によって実行する文を選ばせたり，同じ文を繰り返し実行させる方法は，後の章で紹介する）。原則として1行に1文を入力するが，複数の文を半角のコロン : で区切って

文1 : 文2 : 文3 :・・・

と1行で入力することもできる。逆に，長い文を半角のアンダーバー _ で

アンダーバーの前に半角のスペースを入れる

文の前半 _
文の後半

と2行以上に入力することもできる（スペース+アンダーバーを挿入できるのは，カンマ , などの直後に限られる）。

■ マクロの実行（VBEで）

〈実習1. 1〉 VBEでマクロ「十年後」を実行するには

① SubからEnd Subの間の適当な場所にカーソルをおく

② 実行ボタン ▶ をクリック

■ マクロの実行（ワークシートで）

〈実習1. 2〉 ワークシートでマクロ「十年後」を実行するには

① ワークシートを表示（→**ポイント1. 1**）

② リボンの「開発」タブ→「マクロ」の順にクリック

③ マクロ名として「十年後」を選択して「実行」をクリック

※VBEに戻ろう（→**ポイント1. 1**）。

■ 実行時エラーの対処

〈実習1. 3〉 実行時にエラーが発生したときの対処法を学びたい。そこで，わざと不適切な操作をしてみよう。

① VBEでマクロ「十年後」を実行（→**実習1.1**）

② 図1-6の入力ウィンドウで「キャンセル」をクリック

図1-6　実習1.3の入力ウィンドウ

③ 図1-7のエラーメッセージで「デバッグ」をクリック

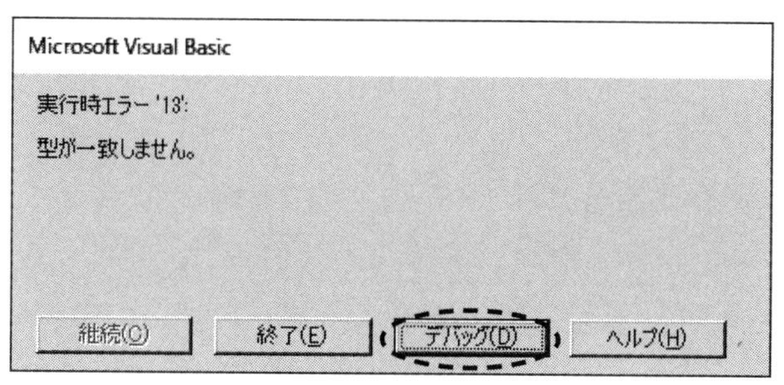

図1-7　実行時エラー

④ エラーが発生した文が図1-8のように黄色く表示されるので，必要な修正を行う（今回は何も修正しない）

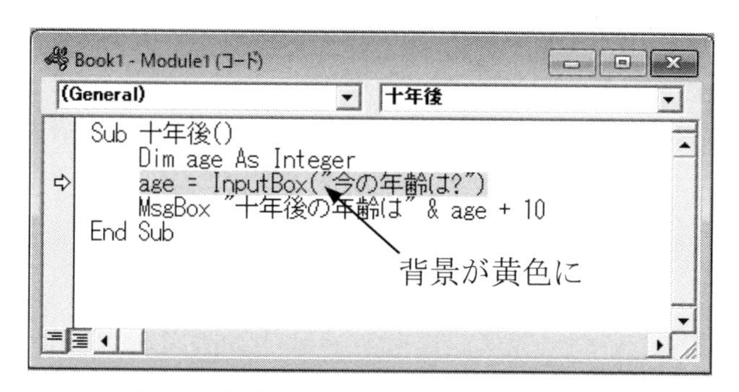

図1-8　実行時エラーのときのコードウィンドウ

⑤ 修正後，リセットボタン をクリックしてから，再実行する

〈ポイント1.3〉　マクロを作っている最中にエラーメッセージが出ることがある。文法上正しくない文があると，例えば図1-9のようなエラーメッセージが出る。「OK」をクリックすると，正しくない文が赤色で表示されるので，必要な修正を行う。

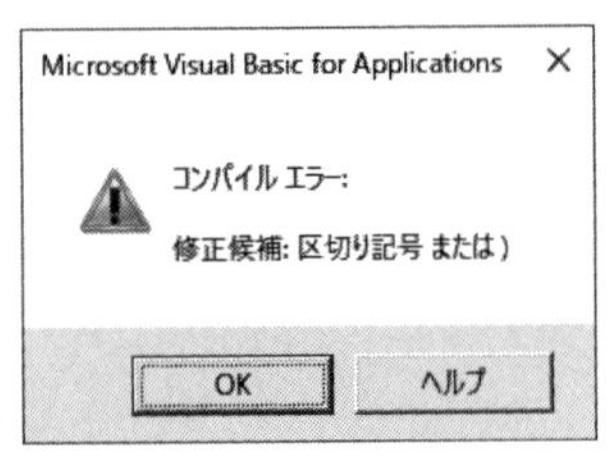

図1-9　コンパイルエラー

■ マクロを含むファイルの保存

〈実習1.4〉　マクロを含むファイルに「ex01a（氏名）.xlsm」という名前を付けて保存するには

① ワークシートを表示（→ポイント1.1）

②「ファイル」タブをクリック

③「名前を付けて保存」をクリック

④「コンピュータ」→「参照」の順にクリック

⑤ 図1-10のように，保存先のフォルダを表示し，ファイル名：ex01a（氏名）（拡張子 .xlsm は入力不要），ファイルの種類：Excelマクロ有効ブックとして「保存」をクリック

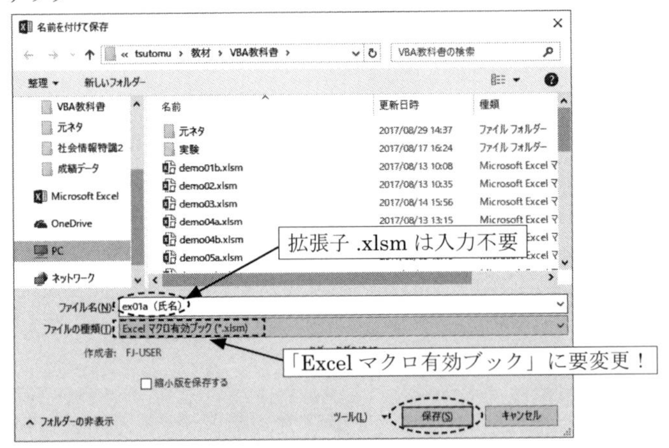

図1-10　名前を付けて保存

※Excelブックファイルは，普通ならファイル名の後ろに拡張子 .xlsxが自動的に付いて保存される。しかし，マクロを含むExcelブックファイルは，拡張子として.xlsmが付く。

〈準備 1.5〉 次の実習のために，一旦Excelを終了せよ。

■ マクロを含むファイルを開く

〈準備 1.6〉 マクロを含むExcelブックファイル「ex01a（氏名）.xlsm」を開き，再びマクロを実行したければ

① ブックファイル「ex01a（氏名）.xlsm」を開く

② 図1-11の「コンテンツの有効化」が表示されたらクリック（表示されない場合もある）

図1-11　コンテンツの有効化

③ 図1-12の「セキュリティの警告」が表示されたら「はい」をクリック（表示されない場合もある）

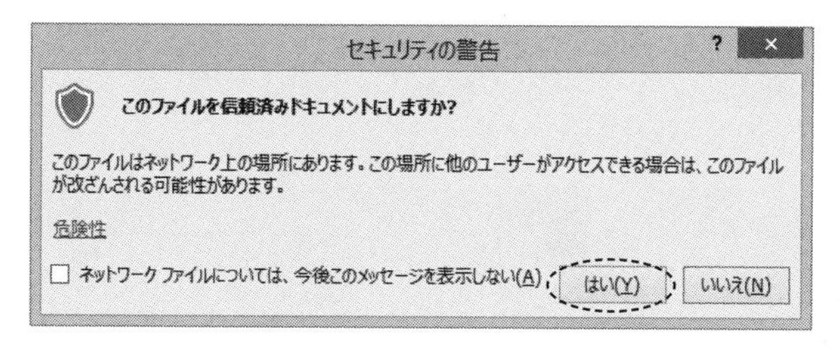

図1-12　セキュリティの警告

〈準備 1.7〉 VBEを起動せよ（→準備1.3）。また，次の実習のため、図1-13(a)または(b)のようにコードウィンドウを閉じよ。

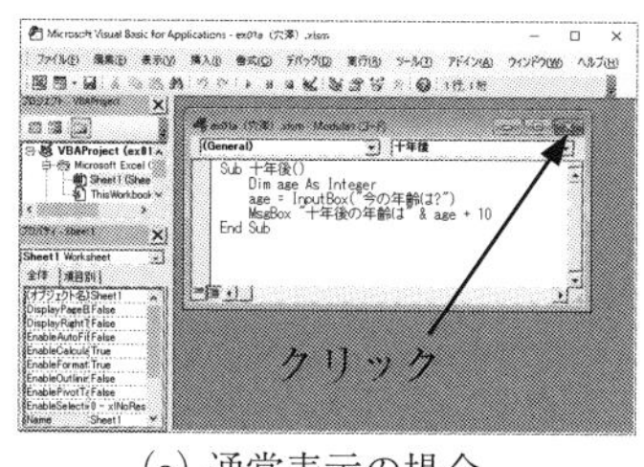

(a) 通常表示の場合

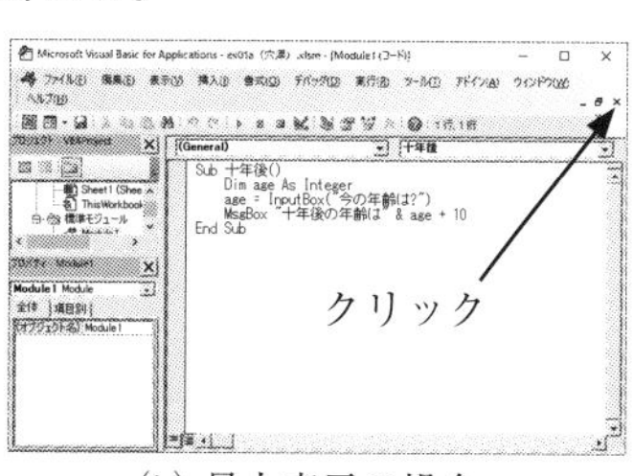

(b) 最大表示の場合

図1-13　コードウィンドウを閉じる

■ コードウィンドウの再表示

準備1.7の実行後のように，マクロが含まれているのにコードウィンドウが表示されない場合がときどきある。その場合は，**図1-14**の「Module1」をダブルクリックする。

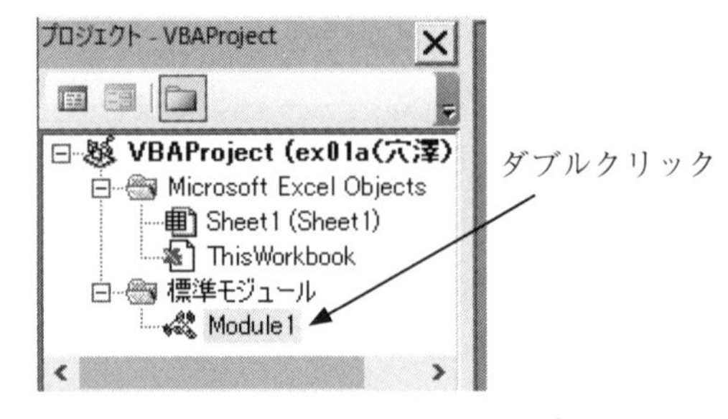

図1-14　コードウィンドウの再表示

※ワークシートに戻り（→**ポイント1.1**），ブックファイル「ex01a（氏名）.xlsm」を閉じよ。

1.4　データの入出力

プログラムは，よく工場に例えられる。工場は，**図1-15**のように原料を仕入れて，加工し，製品を出荷する。プログラムも，原料となるデータ（**入力**）を加工して，製品に相当する結果（**出力**）を出す。

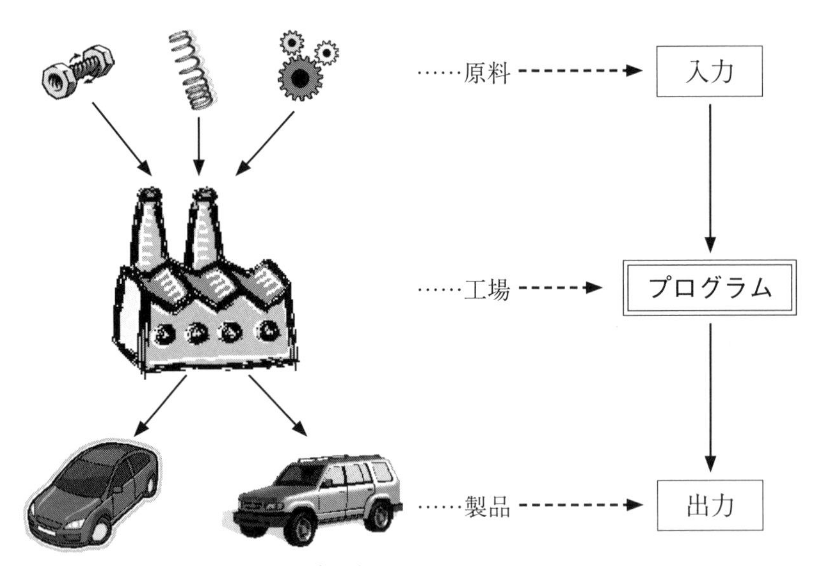

図1-15　プログラムは工場のようなもの

ここでは，Excelのマクロ（プログラム）において行う，さまざまな入出力のパターンについて学習する。特に，データの入れ物（セル，マクロ，出力ボックス）間の，データの移動を習得する。

■ デモンストレーション

〈準備1. 8〉「demo01b.xlsm」をダウンロードしてから開き，「コンテンツの有効化」をクリックして（→**準備1. 6**），VBEを起動せよ（→**準備1. 3**）。

【デモ1. 1】 マクロ「定数出力」

```
Sub 定数出力()
    Sheets("Sheet1").Select                    '①
    Range("A1").Value = "好きな数"             '②
    Range("B1").Value = 7                      '③
    MsgBox "嫌いな数=" & 13                    '④
    MsgBox "好きな数=" & Range("B1").Value     '⑤
    Range("C1").Value = Range("B1").Value      '⑥
End Sub
```

これは，次のように動作するように作られている。

- Sheet1シートのA1セルに「好きな数」という文字列，B1セルに7という数を記入。
- **図1-16(a)** の出力ボックスで「嫌いな数=13」と表示。
- **図1-16(b)** の出力ボックスで「好きな数=」に続いてB1セルの内容を表示。

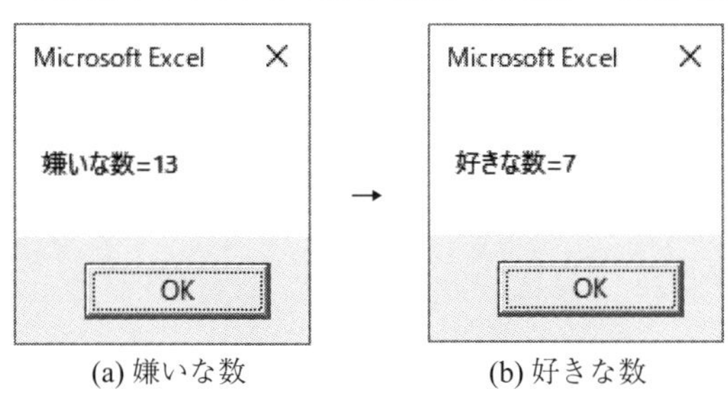

(a) 嫌いな数　(b) 好きな数

図1-16　デモ1.1の出力

- C1セルにB1セルの内容をコピー。

※マクロ「定数出力」をVBEで実行し（→**実習1.1**），Sheet1シートでマクロが目的どおり動作したか確かめよ。

〈ポイント1.4〉 マクロ（プログラム）は，大半を半角文字で入力する。**半角文字は半角英数入力モードで入力する**のが一番効率が良い（文字の変換や確定をする手間が省けるからである）。ひらがなモード（全角入力）と半角英数入力モード（半角入力）の切り替えは**図1-17**のように**[半角/全角]キー**を用いるとよい。

ひらがなモード
全角文字（ひらがな，カタカナ，漢字等）の入力時

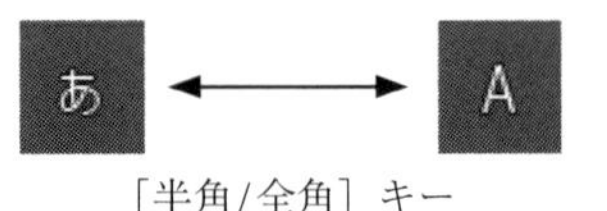

半角英数入力モード
半角文字（英字，数字，記号）の入力時

図1-17　入力モードの切り替え

〈ポイント1.5〉 半角のシングルクォーテーション ’ から行末までの文字列を**コメント**といい，パソコンはその部分を無視して実行する。言い換えれば，コメントの部分には（VBAの文法に従わない）メモ書きを自由に行ってよい。

〈ポイント1.6〉 文①のように，データを読み書きするシートの選択は次のように表現する。

```
Sheets(シート名).Select
```

但し，シート名は半角のダブルクォーテーション ” で囲む。

〈ポイント1.7〉 マクロの中に書かれた具体的なデータを**定数**という。文②の ”好きな数” は文字列定数，文③の7は数値定数である。文字列定数はダブルクォーテーション ” で囲む。

〈ポイント1.8〉 文②，③のように，特定のセルにデータを代入することは，次のように表現する。

```
Range(セル番地).Value = 定数または計算式またはセルまたは変数
```
[1]

1———「変数」については次の章で詳しく述べる。

一般に，(左辺) = (右辺) で「左辺に右辺の値を代入する」ことを表す。よって，左辺には必ず（セルや変数などの）データの入れ物をおく必要があり，決して定数や計算式をおいてはならない。

〈ポイント1.9〉 文④，⑤のように，出力ボックスにデータやメッセージを表示することは，次のように表現する。

MsgBox 定数または計算式またはセルまたは変数

なお，文④，⑤にある & は，前後にある2つのデータを文字列として連結する働きがある。& の前後には半角のスペースを入れる。

※「demo01b.xlsm」を閉じよ（上書き保存は不要）。

■ プログラミング

〈準備1.9〉 Excelを起動し（**→準備1.1**），「開発」タブを確認（ない場合は**準備1.2**）してから，VBEを起動せよ（**→準備1.3**）。次に，コードウィンドウを新規作成せよ（**→準備1.4**）。

【例題1.2】 Sheet1シートのA2セルに「5*3-6/2=」という文字列，B2セルに数式

$$5 \times 3 - 6 \div 2$$

の計算結果を記入するマクロを作りたい。コードウィンドウに，次のようなマクロ（プログラム）を書いてみよう。但し，シングルクォーテーション’とその後の丸数字は省略してよい。また，**英字・数字・記号・スペースはすべて半角**で入力すること。

```
Sub 数式のセル出力()
    Sheets("Sheet1").Select                 '①
    Range("A2").Value = "5*3-6/2="          '②
    Range("B2").Value = 5 * 3 - 6 / 2       '③
End Sub
```

※入力が終わったらマクロ「数式のセル出力」をVBEで実行し（→**実習1.1**），Sheet1シートでマクロが目的どおり動作したか確かめよ。
※このブックファイルをマクロ有効ブック「ex01b（氏名）.xlsm」という名前で保存せよ（→**実習1.4**）。
※以後，マクロを1つ作るたびに，小まめに上書き保存するとよい（これは，ワープロなど他のソフトを使う場合でも同様である）。

〈ポイント1.10〉　文③のように，四則演算等の計算式には，次の記号（半角）または文字列を用いる。

+（足し算）　-（引き算，負の数）　*（掛け算）　/（割り算）
¥（整数割り算の商）　Mod（整数割り算の余り）　^（べき乗）

計算の優先順位は，小・中学校で学んだ数学と同じであり，( ) があればその中身の計算を優先する。但し，中括弧 { } や大括弧 [ ] を使ってはいけない。

【例題1.3】　Sheet1シートのA3セルに「自分の姓名」という文字列，B3セルに自分の姓（family name）と名（first name）を連結した結果を記入するマクロを作りたい。コードウィンドウのマクロ「数式のセル出力」の下に，次のようなマクロ（プログラム）を書いてみよう。

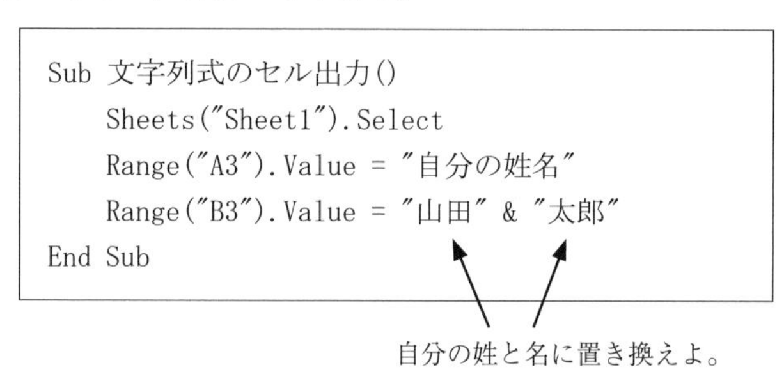

```
Sub 文字列式のセル出力()
    Sheets("Sheet1").Select
    Range("A3").Value = "自分の姓名"
    Range("B3").Value = "山田" & "太郎"
End Sub
```


※入力が終わったらマクロ「文字列式のセル出力」をVBEで実行し（→**実習1.1**），Sheet1シートでマクロが目的どおり動作したか確かめよ（**これ以降，いちいち断らなくても動作確認を必ず行うこと**）。

【例題1.4】　Sheet1シートのA4セルに「√ 3=」という文字列，B4セルに$\sqrt{3}$の計算結果を記入するマクロを作りたい。コードウィンドウのマクロ「文字列式のセル出力」の下に，次のようなマクロ（プログラム）を書いてみよう。

```
Sub 関数のセル出力()
    Sheets("Sheet1").Select
    Range("A4").Value = "√3="
    Range("B4").Value = Sqr(3)
End Sub
```

〈ポイント1.11〉 ワークシートでさまざまなExcel関数が使えるように，マクロにおいても複雑な計算を一気に行うためのさまざまな関数（**VBA関数**）を用いることができる。VBA関数のごく一部を紹介する。

$\sqrt{x}$（平方根） → Sqr(x)　　$|x|$（絶対値） → Abs(x)

$\sin x$（サイン） → Sin(x)　　$\cos x$（コサイン） → Cos(x)

$\tan x$（タンジェント） → Tan(x) . . .

VBA関数には他にも数多くある（今後必要に応じて紹介する）。

【例題1.5】 出力ボックスに「5*3-8/2=」という文字列に続いて，5 × 3 − 8 ÷ 2の計算結果を表示するマクロを作りたい。コードウィンドウの最後尾に，次のようなマクロ（プログラム）を書いてみよう。

```
Sub 数式のボックス出力()
    MsgBox "5*3-8/2=" & 5 * 3 - 8 / 2
End Sub
```

【例題1.6】 出力ボックスに「5*3-6/2=」という文字列に続いて，Sheet1シートのB2の内容（5 × 3 − 6 ÷ 2の結果）を表示するマクロを作りたい。コードウィンドウの最後尾に，次のようなマクロ（プログラム）を書いてみよう。

```
Sub セルからボックスへ()
    Sheets("Sheet1").Select
    MsgBox "5*3-6/2=" & Range("B2").Value
End Sub
```

演習課題

【課題1.1】 出力ボックスに「自分の姓名は」という文字列に続いて，自分の姓と名を連結した文字列を表示するマクロを，コードウィンドウの最後尾に作れ。マクロ名は「文字列式のボックス出力」とする。例えば，姓が「鈴木」，名が「次郎」の場合は，図1-18のように表示されるようにすること。

図1-18　課題1.1の出力

【課題1.2】 出力ボックスに「√5=」という文字列に続いて，$\sqrt{5}$の計算結果を表示するマクロを，コードウィンドウの最後尾に作れ。マクロ名は「関数のボックス出力」とする。図1-19のような結果が得られるようにすること。

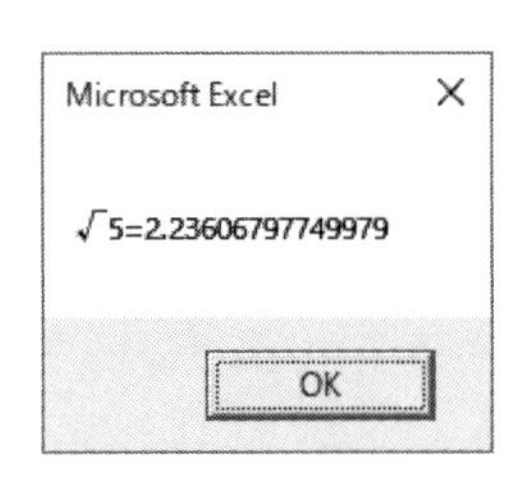

図1-19　課題1.2の出力

【課題1.3】 Sheet1シートのC2セルに，B2セルの内容をコピーするマクロを，コードウィンドウの最後尾に作れ。マクロ名は「セルからセルへ」とする。

《ヒント》デモ1.1のマクロ「定数出力」の文⑥を参考にせよ。

【課題1.4】 （やや難）自然数nの桁数を求める方法を考えてみよう。

nが1以上10未満ならば，nは1桁

nが10以上100未満ならば，nは2桁

nが100以上1000未満ならば，nは3桁

⋮

となるので，nの桁数をkとすれば，次の関係が成り立つ。

$$10^{k-1} \leq n < 10^k$$

この関係は，次のように書きなおすことができる。

$$k - 1 \leq \log_{10} n < k$$

但し，$\log_{10} n$はnの**常用対数**と呼ばれる。nからkを求めるには，$\log_{10} n$の小数点以下を切り捨てた値に1を足した値をkとすればよい。

以上のことを用いて，出力ボックスに「1234567の桁数は」という文字列に続いて，自然数1234567の桁数を表示するマクロ「桁数」を作成したい。以下の穴埋めをした上で，コードウィンドウの最後尾にマクロ（プログラム）を書き，正しく動作するか確めよ。

```
Sub 桁数()
    MsgBox "1234567の桁数は" & [          ] + 1
End Sub
```

《ヒント》 xの小数点以下を切る捨てるには，VBA関数Int(x)を用いれば良い。なお，$\log_{10} n$を直接計算するVBA関数はない。代わりに，Log(n)/Log(10)という式で計算する。

2 ——変数の活用

Excelのマクロ（プログラム）でデータを処理するとき，セルなどの目に見えるデータの入れ物だけで処理すると，特にデータ数が多い場合に実行速度が落ちる。その場合は，コンピュータ内部のメモリに，目には見えないデータの入れ物（変数）を用意して，処理を行うと良い（図2-1）。

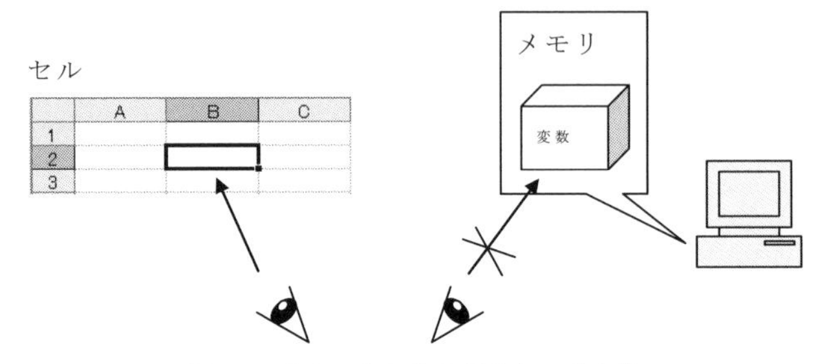

図2-1　見える入れ物と見えない入れ物

この章では，変数を用いたデータ処理を学ぶとともに，マクロの実行中にキー入力を可能にする入力ボックスの使い方も紹介する。

2. 1　変数と変数宣言

■ デモンストレーション

〈準備2.1〉　マクロ有効ブック「demo02.xlsm」をダウンロードしてから開き，「コンテンツの有効化」をクリックして（→準備1.6），VBEを起動せよ（→準備1.3）。

【デモ2.1】　マクロ「敬称付」

```
Sub 敬称付()
    Dim namae As String, keisho As String  '①
    Sheets("Sheet1").Select                '②
    namae = Range("A2").Value              '③
    namae = namae & "様"                   '④
    Range("A2").Offset(0, 2).Value = namae '⑤
    namae = Range("A2").Value              '⑥
    keisho = InputBox("敬称は？")           '⑦
    namae = namae & keisho                 '⑧
    Range("A2").Offset(0, 4).Value = namae '⑨
End Sub
```

これは次のように動作するように作られている。

- Sheet1シートのA2セルにある名前に「様」を付けて，それをC2セルに記入。
- **図2-2**のような入力ボックスで「様」以外の敬称を入力して，それをA2の名前に付けたものをE2セルに記入。

図2-2　デモ2.1の入力

※マクロ「敬称付」をVBEで実行し（→実習1），Sheet1シートでマクロが目的どおり動作したか確かめよ。

〈ポイント2.1〉　文①の**Dim文**は，コンピュータ内のメモリに，変数を設けること（**変数宣言**）を意味する。書式は次のとおりである。

Dim 変数名 As データ型

データ型は変数に入るデータの種類（タイプ）を表す。よく使うデータ型は**表2-1**のとおりである。

表2-1　代表的なデータ型

データ型	意　味	データの範囲
String	文字列型	約2GBまでの文字列（必要な分だけ確保）
Integer	整数型	-32,768 ～ 32,767の整数
Long	長整数型	-2,147,483,648 ～ 2,147,483,647の整数
Single	単精度浮動小数点数型	小数点以下を含めて7桁程度で表せる数
Double	倍精度浮動小数点数型	小数点以下を含めて15桁程度で表せる数
Boolean	論理型	True（真）とFalse（偽）の2値のみ
Variant	通称「何でも型」	上記データ型のあらゆるデータ
Range	範囲型	セル範囲（単一のセルも含む）
Date	日付型	西暦100年1月1日 ～ 西暦9999年12月31日

例えば，

```
Dim kaisu As Integer
```

は，「メモリにInteger型のデータ（整数）が入る変数を作って，その名前をkaisuとしなさい」という意味になる。

複数の変数を1つのDim文で宣言したい場合は，次のようにカンマ , で区切る。

```
Dim 変数1 As データ型1, 変数2 As データ型2, …
```

Dim文は複数あってもよいが，マクロ内のどんな処理よりも優先するので，必ずSub文の直後の数行にまとめて書く。

〈ポイント2.2〉　文③のように，変数にデータを代入することは，次のように表現する。

変数＝定数または計算式またはセルまたは変数

〈ポイント2.3〉　文④のように，左辺の変数が右辺にも現れるような代入文は，その変数内のデータを加工して，その結果を再び同じ変数に代入することを意味する。例えば，文④の実行前と実行後は図2-3のようにイメージできる。

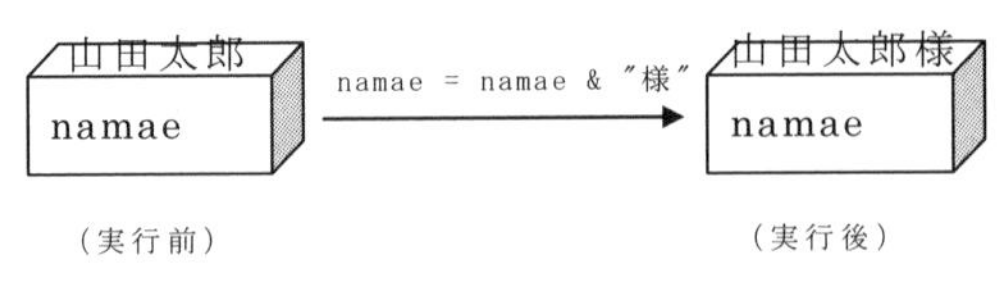

図2-3　デモ2.1の文④の実行イメージ

〈ポイント2.4〉 文⑤にある**Offset**は基準となるセルから（指定した増分だけ）ずらしたセルを参照する場合に用いる。一般には次のような書式である。

Range(基準セル).Offset(縦の増分，横の増分)

ここで，縦の増分が正のときは基準セルより下のセル，負の時には上のセルを指す。横の増分が正のときは基準セルより右のセル，負の時には左のセルを指す。例えば，C3セルを基準にしたとき，まわりのセルはOffsetを用いて図2-4のように表す。

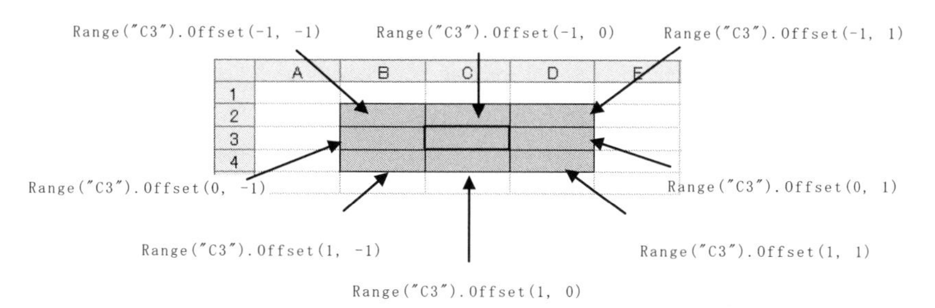

図2-4　Offsetによるセルの表現

※「Range("C3").Offset(0, 0)」は「Range("C3")」と同じ意味である。

〈ポイント2.5〉 文⑦のように，**入力ボックス**を用いて変数やセルにデータをキー入力させることは，次のように表現する。

変数またはセル = InputBox(プロンプト)

ここで，**プロンプト**はユーザに入力を促す文字列であり，入力欄の上に表示される。実は，InputBoxは，String型のデータを返す関数であり，「OK」をクリックすると入力欄にある文字列を，「キャンセル」をクリックすると空文字列""を返す。

※「demo02.xlsm」を閉じよ（上書き保存は不要）。

■ プログラミング

〈準備2.2〉 次のとおり準備せよ。

① Excelの起動（→準備1.1）

② Sheet1シートに図2-5のようなデータを直接入力

	A	B	C	D	E	F
1	入力	処理1	結果1	処理2	結果2	
2						
3	4.5	プラス1		プラスx		
4	abcdefg	先頭1字		先頭n字		
5						

図2-5　準備2.2の入力データ

③ VBEの起動（→準備1.3）

④（変数宣言の強制化）「ツール」→「オプション」→「編集」タブ→「変数の宣言を強制する」にチェック→「OK」をクリック

⑤ コードウィンドウの新規作成（→準備1.4）

※コードウィンドウの先頭行に「Option Explicit」と表示されたはずである（→ポイント2.7）。

〈ポイント2.6〉　マクロ名や変数名は，**識別子**（プログラマが自由に命名してよい名前）と呼ばれ，プログラムの動きをイメージしやすいような，わかりやすい名前を付けると良い。但し，識別子の命名には次のような制約がある。

- 255バイト以内の英字，ひらがな，カタカナ，漢字，数字からなる。
- 先頭は英字，ひらがな，カタカナ，漢字に限る（数字を使ってはならない）。
- 途中にスペースや記号を使ってはならない。
- 以下のような予約語（Excel VBAの骨組みとなる語句）と同じ名前であってはならない（名前の一部に含むことは構わない）。

〔予約語の例〕

Sub, End, Dim, As, Stringなどのデータ型, If, Then, ElseIf, Else, For, Next, Do, Loop, While, Until, Exit, Set, Function, Range, Sheets, Cells, …

※VBEでマクロを入力するときのコツとして，原則として**半角文字はすべて小文字で入力**するとよい（但し，文字列定数（" "で囲まれたデータ）については大文字・小文字を区別して入力する）。その理由は，上記のような予約語については，小文字で入力してもVBEが自動的に頭文字を大文字に変換してくれるが，予約語以外の名前はそのよう変換が無いからである。言い換えれば，予約語にスペルミスがあると，先頭が大文字に変わらないことにより，そのミスを発見しやすくなる。

【例題2.1】 Sheet1シートのA3セルにある数に1を加算した数を，C3セル（＝A3より2つ右のセル）に代入するマクロを作りたい。コードウィンドウに，次のようなマクロ（プログラム）を書いてみよう。但し，**英字・数字・記号・スペースはすべて半角**で入力すること。

```
Sub 加算プラス1()
    Dim a As Double
    Sheets("Sheet1").Select
    a = Range("A3").Value
    a = a + 1
    Range("A3").Offset(0, 2).Value = a
End Sub
```

※入力が終わったらマクロ「加算プラス1」をVBEで実行し（→**実習1.1**），Sheet1シートでマクロが目的どおり動作したか確かめよ（**これ以降，いちいち断らなくても動作確認を必ず行うこと**）。

※このブックファイルをマクロ有効ブック「ex02（氏名）.xlsm」という名前で保存せよ（→**実習1.4**）。

※以後，マクロを1つ作るたびに，小まめに上書き保存するとよい（これは，ワープロなど他のソフトを使う場合でも同様である）。

〈ポイント2.7〉 コードウィンドウの最初にある**Option Explicit**とは何だろう？　実は，Excel VBAではDim文で変数宣言を行わなくても，変数を使った処理ができる。その場合，変数はすべてVariant型（何でも型）と見なされる。その方が一見楽に見えるが，Variant型の変数にはどんな種類のデータも無節操に代入できてしまうため，プログラム内の間違え探し（デバッグ）が難しくなる可能性がある。そこで，Excel VBAにおいても変数を使うときには必ず変数宣言を行うことが推奨される。「Option Explicit」は，宣言していない変数を使うと警告メッセージを発するための設定なのである。**準備2.2**④で行った「変数宣言の強制化」は，「Option Explicit」を設定するための操作である。この操作は，個人で使うパソコンならば最初に1回だけ行えばよいが，大学などの共用のパソコンでは電源ONのたびに行わなければならないことがある。

【例題2.2】 Sheet1シートのA3セルにある数に，図2-6の入力ボックスで指定した数を加算した数を，E3セル（= A3より4つ右のセル）に代入するマクロを作りたい。

図2-6　例題2.2の入力

コードウィンドウの最後尾に，次のようなマクロ（プログラム）を書いてみよう。但し，シングルクォーテーション’とその後の丸数字は省略してよい（これ以降のマクロも同様）。

```
Sub 加算プラスx()
    Dim a As Double, x As Double        '①
    Sheets("Sheet1").Select             '②
    a = Range("A3").Value               '③
    x = Val(InputBox("x="))             '④
    a = a + x                           '⑤
    Range("A3").Offset(0, 4).Value = a '⑥
End Sub
```

〈ポイント2.8〉　文④にあるVal関数は，一般には

Val(数字列)

という書式で，指定した数字列（String型データ）を，計算が可能な数値に変換する働きがある。実は，Excel VBAでは④の代わりに

x = InputBox("x=")

と，Val関数を用いずに書いても，多くの場合うまく動作する。しかし，「キャンセル」をクリックすると，Double型の変数xに空文字 ""（String型）を代入しようとしてエラーが発生する。このエラーを回避するためVal関数を用いる。

【例題2.3】 2つの実数a, xの値を，それぞれ図2-7(a), (b)の入力ボックスでキー入力する。

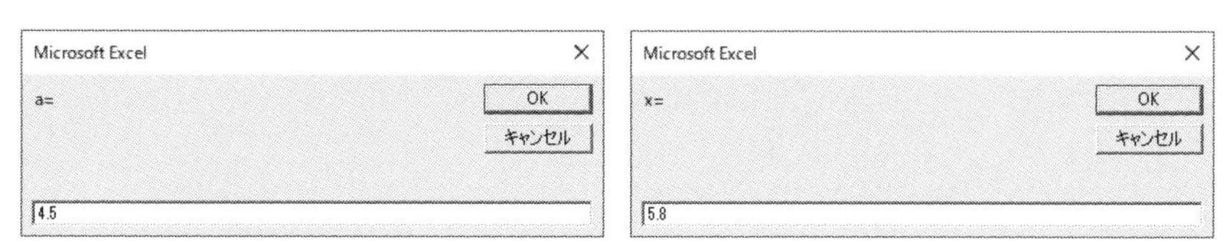

(a) 変数aへの入力　　(b) 変数xへの入力

図2-7　例題2.3の入力

そして，a+xの値を図2-8のような出力ボックスで表示したい。コードウィンドウの最後尾に，次のようなマクロ（プログラム）を書いてみよう。

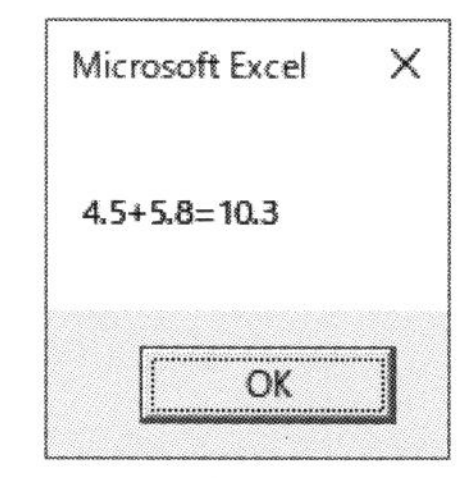

図2-8　例題2.3の出力

```
Sub aプラスx()
    Dim a As Double, x As Double, ans As Double
    a = Val(InputBox("a="))
    x = Val(InputBox("x="))
    ans = a + x
    MsgBox a & "+" & x & "=" & ans
End Sub
```

2. 2　文字列の操作

【例題2.4】 Sheet1シートのA4セルにある文字列の先頭1文字を，C4セル（＝A4より2つ右のセル）に代入するマクロを作りたい。コードウィンドウの最後尾に，次のようなマクロ（プログラム）を書いてみよう。

```
Sub 先頭1文字()
    Dim st As String                       '①
    Sheets("Sheet1").Select                '②
    st = Range("A4").Value                 '③
    st = Left(st, 1)                       '④
    Range("A4").Offset(0, 2).Value = st    '⑤
End Sub
```

〈ポイント2.9〉　文④にある**Left**関数は，一般には

Left(文字列, n)

(nは0以上の整数）という書式で，指定した文字列の左側n文字分の文字列を返す働きがある。このような，文字列を操作する関数は他にもたくさんある。よく使うものを**表2-2**に挙げておこう。

表2-2　代表的な文字列関数

関数と書式	返す値
Left(文字列, n)	指定した文字列の左側n文字分の文字列
Right(文字列, n)	指定した文字列の右側n文字分の文字列
Mid(文字列, n, m)	指定した文字列の（左から）n番目の文字からm文字分の文字列
Len(文字列)	指定した文字列の文字数
LenB(文字列)	指定した文字列のバイト数
Asc(文字列)	指定した文字列の先頭文字の文字コード（整数）
Chr(文字コード)	指定した文字コード（整数）に対応する文字

【例題2.5】　**図2-9**の入力ボックスで指定した文字数（nとする）に対して，Sheet1シートのA4セルにある文字列の左側n文字分の文字列を，E4セル（＝A4より4つ右のセル）に代入するマクロを作りたい。

図2-9　例題2.5の入力

コードウィンドウの最後尾に，次のようなマクロ（プログラム）を書いてみよう。

```
Sub 先頭n文字()
    Dim st As String, n As Integer
    Sheets("Sheet1").Select
    st = Range("A4").Value
    n = Val(InputBox("先頭何文字？"))
    st = Left(st, n)
    Range("A4").Offset(0, 4).Value = st
End Sub
```

【例題2.6】 文字列と整数（n）を，それぞれ図2-10(a), (b)の入力ボックスで入力する。

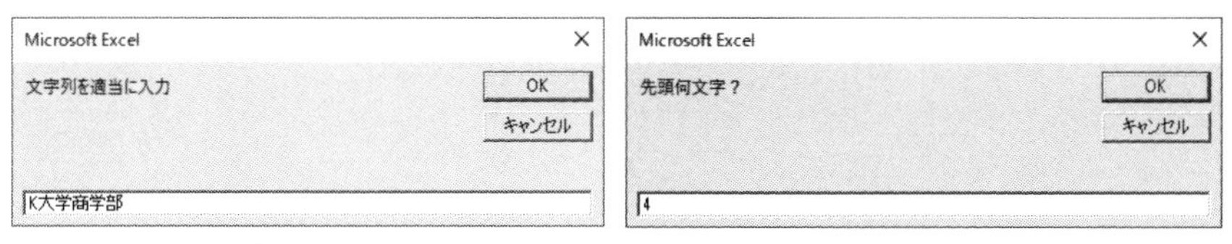

(a) 変数stへの入力　　(b) 変数nへの入力

図2-10　例題2.6の入力

そして，指定した文字列の左側n文字分を，図2-11の出力ボックスで表示したい。コードウィンドウの最後尾に，次のようなマクロ（プログラム）を書いてみよう。

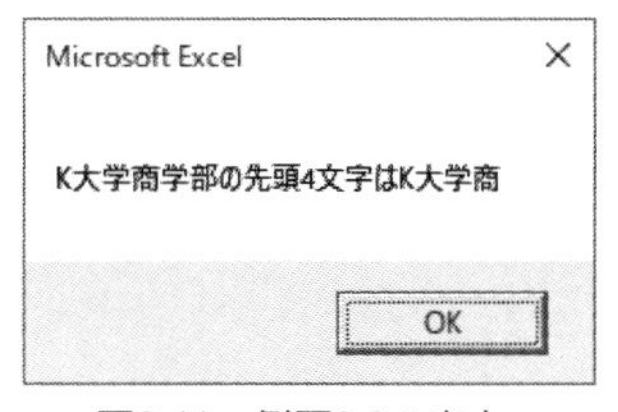

図2-11　例題2.6の出力

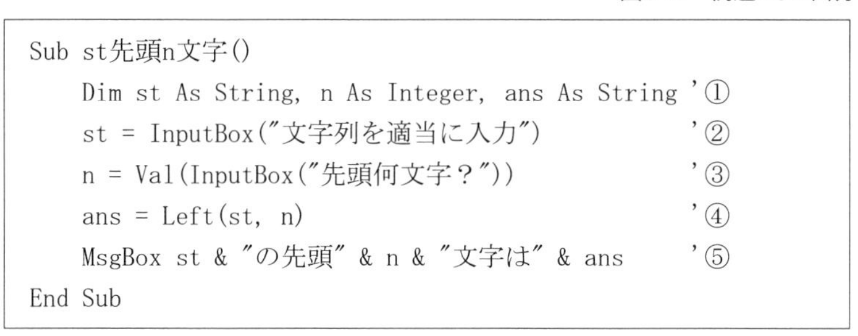

```
Sub st先頭n文字()
    Dim st As String, n As Integer, ans As String '①
    st = InputBox("文字列を適当に入力")            '②
    n = Val(InputBox("先頭何文字？"))              '③
    ans = Left(st, n)                              '④
    MsgBox st & "の先頭" & n & "文字は" & ans      '⑤
End Sub
```

〈ポイント2.10〉 文③ではポイント2.8にある理由でInputBox関数をVal関数で囲んでいるが，文②ではそうしていない。なぜならば，文②では必ずしも数値ではない文字列を変数stにキー入力させようとしているので，かえってVal関数を使ってはいけないケースだからである。

演習課題

【課題2.1】 あなたと，あなたのお相手との恋が実る確率（%）は，2人の年齢の積を100で割った余りであるとする（※無論でまかせである）。あなたとお相手の年齢をそれぞれ**図2-12(a), (b)**の入力ボックスでキー入力する。

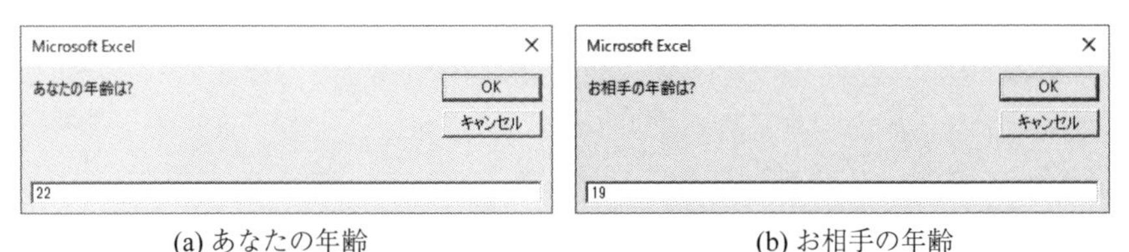

(a) あなたの年齢　　(b) お相手の年齢

図2-12　課題2.1の入力

そして，恋が実る確率を，**図2-13**の出力ボックスで表示するようなマクロを，コードウィンドウの最後尾に作成せよ。マクロ名は「占い」とする。

《ヒント》整数nを，整数kで割った余りは

```
n Mod k
```

という式で求めることができる。

図2-13　課題2.1の出力

【課題2.2】 K大学の学籍番号は次のような7桁の形式である。

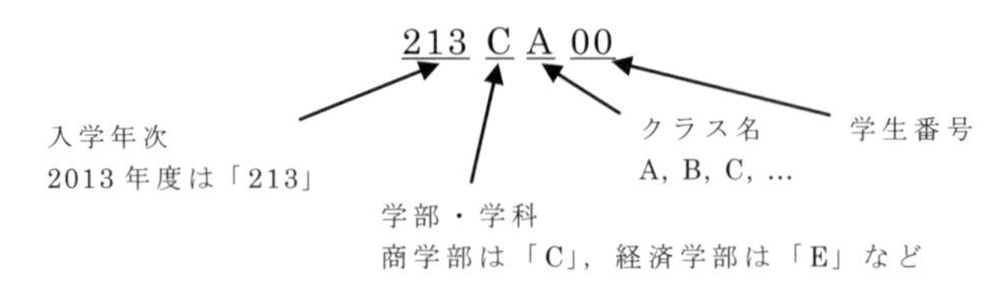

また，パソコンユーザIDは，学籍番号の英字部分を小文字にし，先頭に小文字の "s"，末尾に苗字の頭文字（英小文字）をそれぞれ付加して得られる。入力ボックスでパソコンユーザIDを**図2-14**のように入力する。

図2-14　課題2.2の入力

すると，学籍番号を**図2-15**のように出力するマクロ「IDから学番」をコードウィンドウの最後尾に作成せよ。

《ヒント》 Mid関数（**→ポイント2.8**）をうまく活用せよ。
文字列内の英字をすべて大文字に変換するVBA関数はUCase(文字列)である。逆に，すべて小文字に変換するのはLCase(文字列)である。

図2-15　課題2.2の出力

【課題2.3】（やや難）**課題2.2**とは逆に，自分の学籍番号と苗字（ローマ字）をそれぞれ**図2-16**(a), (b)のように入力する。

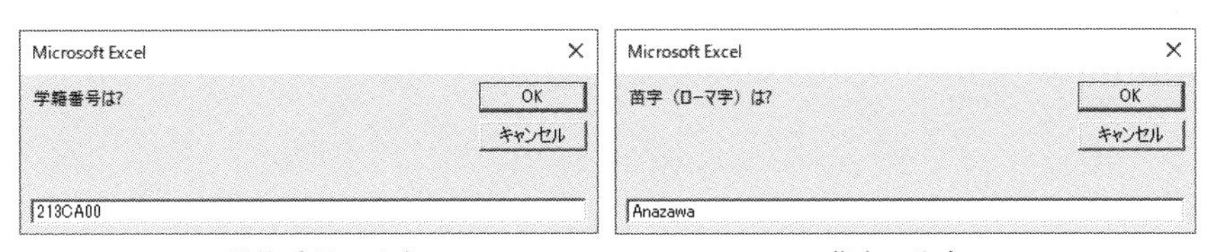

(a) 学籍番号の入力　　(b) 苗字の入力

図2-16　課題2.3の入力

すると，パソコンユーザIDを**図2-17**のように出力するマクロ「学番からID」を，コードウィンドウの最後尾に作成せよ。

《ヒント》 文字列の連結には演算子 & を用いる。

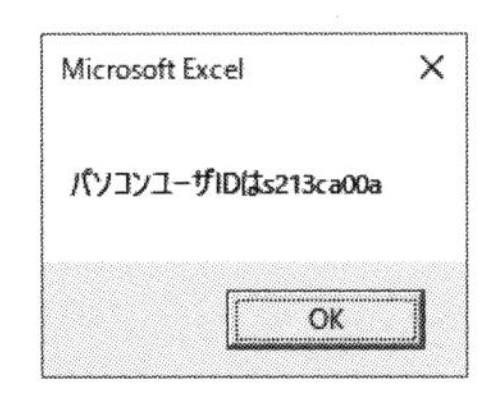

図2-17　課題2.3の出力

3 ——セル・セル範囲の操作

Excel VBAは，ワークシート上のデータを効率よく処理するためのツールといってよい。そのためには，セル・セル範囲に対して自由自在に操作できることが望ましい。この章では，VBAのマクロでセル・セル範囲をどう表現するか，そしてどんな操作が可能なのか，について基本的なことを学修する。

3.1　セル・セル範囲の表し方とプロパティ

■ デモンストレーション

〈準備3.1〉　マクロ有効ブック「demo03.xlsm」をダウンロードしてから開き，「コンテンツの有効化」をクリックして（→準備1.6），VBEを起動せよ（→準備1.3）。

【デモ3.1】　マクロ「丁寧な確認」

```
Sub 丁寧な確認()
    Sheets("Sheet1").Select                                         '①
    Range("B2").Value = "本日は"                                    '②
    Range("B3").NumberFormatLocal = "yyyy""年""m""月""d""日"";@"  '③
    Range("B4").Value = "ですね。"                                  '④
    Range("B4").Font.ColorIndex = 3                                 '⑤
End Sub
```

これは，Sheet1のセル範囲B2:B4にある日付確認メッセージを，丁寧な日本語で言い換え，かつ日付を「20xx年m月d日」形式にし，語尾「ですね。」の色を赤にするためのものである。なお，B3には今日の日付を自動計算する「=today( )」という関数が入力されている。

※マクロ「丁寧な確認」をSheet1で実行せよ（→実習1.2）。

〈ポイント3.1〉 一人の人物には，その人を特徴づける様々な属性がある。氏名，性別，生年月日，身長，体重，血液型，……など。同様に，ワークシート内の個々のセルにも，様々な**プロパティ**（属性）がある。これまで，文②のように，セルB2にデータ「本日は」を代入するとき「Range("B2").Value = "本日は"」と表現してきたが，この真意は「セルB2のValueプロパティを「本日は」と設定する」なのである。文③・⑤が示すように，セルには例えば以下のようなプロパティがある（他にもたくさんある）。

セル	.Value	（セルの値）
	.NumberFormatLocal	（セルの表示形式）
	.Font.ColorIndex	（フォントの色）
	.Interior.ColorIndex	（セルの背景色）
	⋮	

例えば，セルの表示形式を変更するには

セル.NumberFormatLocal =	"yyyy/m/d;@"	（西暦年/月/日）
↑「Range(セル番地)」など	"aaa"	（日，月，火，……）
	"h:mm;@"	（時:分）

と表現すればよい。また，フォントの色を変更するには

セル.Font.ColorIndex = 色番号

と表現する。なお，色番号として，黒ならば1，赤ならば3，青ならば5，……などを代入する。

【デモ3.2】 マクロ「英語で確認」

```
Sub 英語で確認()
    Sheets("Sheet1").Select                                         '①
    Range("B2:B4").Cells(1).Value = "Today is"                      '②
    Range("B2:B4").Cells(2).NumberFormatLocal = "m/d/yy;@"          '③
    Range("B2:B4").Cells(3).Value = ", isn't it."                   '④
    Range("B2:B4").Cells(3).Font.ColorIndex = 5                     '⑤
End Sub
```

このマクロも，前のマクロ「丁寧に確認」と同様の趣旨であり，Sheet1のセル範囲B2:B4にある日付確認メッセージの文言や書式を変更するためのものである。

※マクロ「英語で確認」をSheet1で実行せよ（→実習1.2）。

〈ポイント3.2〉　文②～⑤の「Range("B2:B4")」のように，2つ以上のセルからなる連続した長方形状のセル範囲も，単一のセルと同様に

Range(セル範囲番地)

と表す。セル範囲番地は原則として"B2:B4"のようにダブルクォーテーション"で囲んで表す（他の表現方法もある）。**ポイント3.1**で述べたセルのプロパティは，実はセル範囲のプロパティなのである（単一セルはセル範囲の特別な場合なので）。セル範囲のプロパティを設定すると，範囲内のすべてのセルのプロパティを同じ値に設定することになる。

〈ポイント3.3〉　文②の「Range("B2:B4").Cells(1)」は，「セル範囲B2:B4内の1番目のセル」(=B2セル) を表す。このように，セル範囲内の「何番目」のセル，または「何行何列」のセルと指定したいときは，Cellsプロパティを使って次のように表す。

セル範囲.Cells(i)　　（セル範囲内のi番目のセル）　…(1)

セル範囲.Cells(i, j)（セル範囲内のi行j列のセル）　…(2)

セル範囲の行数と列数がともに2以上の（2次元の広がりを持つ）場合は，表現(1), (2)を用いてセル範囲内の各セルを**図3-1**のように表現できる。

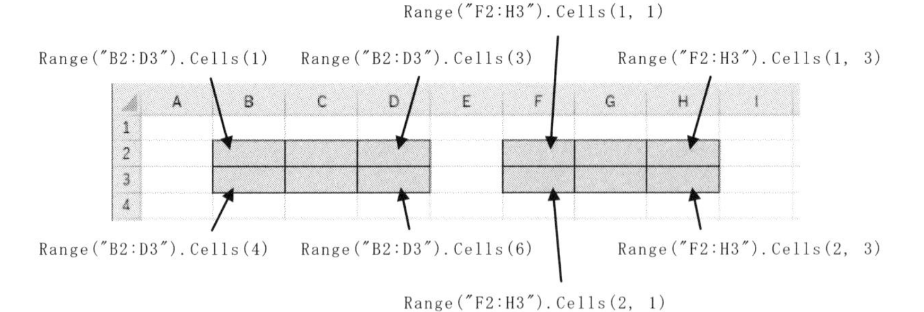

図3-1　Cellsによるセルの表現

後の章で述べるように，このような表現は，セル範囲内の各セルに同じような処理を繰り返し行いたい場合に便利である。

【デモ3.3】 マクロ「普通に確認」

```
Sub 普通に確認()
    Dim rng As Range                                    '①
    Sheets("Sheet1").Select                             '②
    Set rng = Range("B2:B4")                            '③
    rng.Cells(1).Value = "今日は"                        '④
    rng.Cells(2).NumberFormatLocal = "yyyy/m/d;@"       '⑤
    rng.Cells(3).Value = "だよね。"                      '⑥
    rng.Cells(3).Font.ColorIndex = 1                    '⑦
End Sub
```

このマクロも，以前の2つのマクロと同様の趣旨であり，Sheet1のセル範囲B2:B4にある日付確認メッセージの文言や書式を，デモ3.1実行前の状態に戻すためのものである。

※マクロ「普通に確認」をSheet1で実行せよ（→**実習1.2**）。

〈ポイント3.4〉 セル範囲をマクロ「英語で確認」のように「Range("B2:B4")」と表現するのは面倒なので，文①でRange型変数rngを宣言し，文③のSet文で「Range("B2:B4")」を「rng」と読み替えている。本書では，Range型変数を**範囲名**[2]と呼ぶことにする。このように，範囲を範囲名で読み替えることにより，プログラムはかなり簡潔になる。なお，一般にSet文は次のように用いる。

Set オブジェクト変数 = オブジェクト

ここで，**オブジェクト**とは複雑な構造を持つ処理対象（セル範囲，ワークシートなど）である。Set文は，長い表現になることが多いオブジェクトを，短い

2──── 厳密には，Excelでいう「範囲名」とはワークシート上のある範囲に対して命名された名前を指す。本書の「範囲名」とは一致しない。

表現のオブジェクト変数（Range型変数など）に読み替える（正確には「参照させる」）働きがある。

※「demo03.xlsm」を閉じよ（上書き保存は不要）。

■ プログラミング

〈準備3.2〉 Excelを起動し（→**準備1.1**），「開発」タブを確認（ない場合は**準備1.2**）してからVBEを起動せよ（→**準備1.3**）。次に，変数宣言の強制化を確認（未設定の場合は**準備2.2④**）してから，コードウィドウを新規作成せよ（→**準備1.4**）。

【例題3.1】 Sheet1シートにおいて，B2:B4を範囲名rngで読み替え，その各セルにデータを入力したい。コードウィンドウに，次のようなマクロ（プログラム）を書いてみよう。

```
Sub 範囲内セル()
    Dim rng As Range
    MsgBox "B2:B4に値を入力"
    Sheets("Sheet1").Select
    Set rng = Range("B2:B4")
    rng.Cells(1).Value = 7
    rng.Cells(2).Value = "ラッキー"
    rng.Cells(3).Value = "ナンバー"
End Sub
```

※入力が終わったら，マクロ「範囲内セル」をSheet1で実行し（→**実習1.2**），マクロが目的どおり動作したか確かめよ。

※このブックファイルをマクロ有効ブック「ex03（氏名）.xlsm」という名前で保存せよ（→**実習1.4**）。

【例題3.2】 Sheet1シートにおいて，B2:B4を範囲名rngで読み替え，その各セルのフォントを赤（色番号は3）にしたい。コードウィンドウの最後尾に以下のようなマクロを入力し，Sheet1で実行せよ。

```
Sub 範囲内フォント赤に()
    Dim rng As Range
    MsgBox "B2:B4のフォントを赤に"
    Sheets("Sheet1").Select
    Set rng = Range("B2:B4")
    rng.Font.ColorIndex = 3
End Sub
```

【例題3.3】 Sheet1シートにおいて，2行2列から4行2列の範囲（= B2:B4）にある各セルのフォントを青（色番号は5）にしたい。コードウィンドウの最後尾に以下のようなマクロを入力し，Sheet1で実行せよ。

```
Sub 範囲内フォント青に()
    MsgBox "B2:B4のフォントを青に"
    Sheets("Sheet1").Select
    Cells(2, 2).Font.ColorIndex = 5
    Cells(3, 2).Font.ColorIndex = 5
    Cells(4, 2).Font.ColorIndex = 5
End Sub
```

〈ポイント3.5〉 このマクロでは，**ポイント3.3**で述べたような，Cellsの前のセル範囲指定がない。一般に

Cells(i, j)

で，直前に選択されたワークシート（この場合はSheet1）全体の中のi行j列のセルを表す。

【例題3.4】 Sheet1シートにおいて，C2:F6を範囲名rngで読み替え，そのセル範囲に関する様々な情報を表示したい。コードウィンドウの最後尾に以下のようなマクロを入力し，Sheet1で実行せよ。

```
Sub 範囲情報()
    Dim rng As Range
    MsgBox "範囲C2:F6の情報を表示"
```

```
    Set rng = Range("C2:F6")
    MsgBox "セル総数=" & rng.Cells.Count
    MsgBox "行の数=" & rng.Rows.Count
    MsgBox "列の数=" & rng.Columns.Count
    MsgBox "原点セルの行番号=" & rng.Row
    MsgBox "原点セルの列番号=" & rng.Column
End Sub
```

〈ポイント3.6〉　このマクロが示す通り，範囲に関する情報は，以下のようなプロパティで取得できる。

セル範囲	.Cells.Count	(セルの総数)
	.Rows.Count	(行の数)
	.Columns.Count	(列の数)
	.Row	(原点セル（最左上セル）の行番号)
	.Column	(原点セル（最左上セル）の列番号)

ここで，セル範囲が単一セルの場合，Rowプロパティはそのセルの行番号，Columnプロパティはそのセルの列番号をそれぞれ表す。

〈ポイント3.7〉　ここで，セル・セル範囲の表現方法をまとめておこう。**表3-1**には，これまでに学んだ方法以外に，これから用いるであろう方法も含まれている。

表3-1　セル・セル範囲の表現

	例	意　味
セル	ActiveCell	アクティブセル（入力対象となるセル）
	Range("A1")	A1セル
	Sheets("Sheet1").Range("C3")	Sheet1のC3セル
	Cells(1, 2)	1行2列のセル（=B1）
	Range("A1:E1").Cells(3)	セル範囲A1:E1内の3番目のセル（=C1）
	Range("C2:F6").Cells(1, 2)	セル範囲C2:F6内の1行2列のセル（=D2）
セル範囲	Range("A1:C5")	セル範囲A1:C5
	Sheets("Sheet1").Range("C3:C11")	Sheet1のセル範囲C3:C11
	Range(Cells(1, 2), Cells(2, 4))	1行2列のセルと2行4列のセルを対角線とする長方形のセル範囲（=B1:D2）

3.2 セル・セル範囲のメソッド

〈準備3.3〉 Sheet1のD2:D6に図3-2のような5つの数値を入力せよ。

	A	B	C	D	E
1					
2		7		20	
3		ラッキー		50	
4		ナンバー		10	
5				40	
6				30	
7					

図3-2　準備3.3の入力

【例題3.5】 Sheet1シートにおいて，D2:D6の内容を（クリップボードに）コピーしてF2から下に貼り付けたい。コードウィンドウの最後尾に以下のようなマクロを入力し，Sheet1で実行せよ。

```
Sub セル範囲のコピペ()
    MsgBox "D2:D6をF2にコピー・貼り付け"
    Range("D2:D6").Copy
    Range("F2").PasteSpecial
End Sub
```

〈ポイント3.8〉 一人の人物に対して，笑わせる，怒らせる，悲しませる，褒める，呼びかける，……といった様々な働きかけがあるように，セル・セル範囲にも，それらに適用可能な**メソッド**（操作方法）がある。例えば，このマクロの中の「Range("D2:D6").Copy」は，セル範囲D2:D6にCopyメソッドを適用して，その範囲の内容をクリップボード（パソコン内の一時記憶領域）にコピーすることを意味する。セル範囲に対する代表的なメソッドとして，以下のようなものがある（他にもたくさんある）。

```
         ┌ .Select          (選択する)
         │ .Copy            (コピーする)
         │ .Cut             (切り取る)
セル範囲 <  .PasteSpecial    (貼り付ける)
         │ .ClearContents   (内容を消去する)
         └        ⋮
```

【例題3.6】 Sheet1シートにおいて，F2:F6の内容を切り取ってH2から下に貼り付けたい。コードウィンドウの最後尾に以下のようなマクロを入力し，Sheet1で実行せよ。

```
Sub セル範囲のカッペ()
    MsgBox "F2:F6をH2に切り取り・貼り付け"
    Range("F2:F6").Cut
    Range("H2").Select
    ActiveSheet.Paste
End Sub
```

〈ポイント3.9〉 切り取った内容をH2セルから下に貼り付ける場合，残念ながら「Range("H2").PasteSpecial」ではうまくいかない。その代わりに，貼り付け先のH2を「Range("H2").Select」と選択してから，「アクティブシート（現在作業中のシート）に貼り付ける」ことを意味する

```
ActiveSheet.Paste
```

を実行すると良い。

【例題3.7】 Sheet1シートにおいて，H2:H6の内容を消去したい。コードウィンドウの最後尾に以下のようなマクロを入力し，Sheet1で実行せよ。

```
Sub セル範囲のクリア()
    MsgBox "H2:H6の内容をクリア"
    Range("H2:H6").ClearContents
End Sub
```

〈ポイント3.10〉　ポイント3.4で触れたように，Excelにはセル範囲，ワークシートといった複雑な構造を持つオブジェクト（処理対象）がある。こうしたオブジェクトに対する操作を，Excel VBAでは

オブジェクト.プロパティ＝値

または

オブジェクト.メソッド

という形式で表現している。これは，**オブジェクト指向プログラミング言語**の一つの特徴と言える。

演習課題

【課題3.1】　Sheet1シートにおいて，B2:B4を範囲名rngで読み替え，その各セルのフォントを黒（色番号は1）に変更するマクロ「範囲内フォント黒に」を作成せよ。

《ヒント》 **例題3.2**のマクロ「範囲内フォント赤に」をほんの少し修正すればよい。

【課題3.2】　Excelの一つの機能である「形式を選択して貼り付け」をVBAマクロで実行する方法について調べよ。その上で，Sheet1シートにおいて，D2:D6の内容を（クリップボードに）コピーしてF2から右に行列を入れ替えて貼り付けるマクロ「セル範囲の行列を入れ替えて貼り付け」を作成せよ。

4——条件分岐

日常生活においては，いくつかの行動案の中から，状況に応じた適切な選択をせまられる場面がしばしばある（図4-1)。

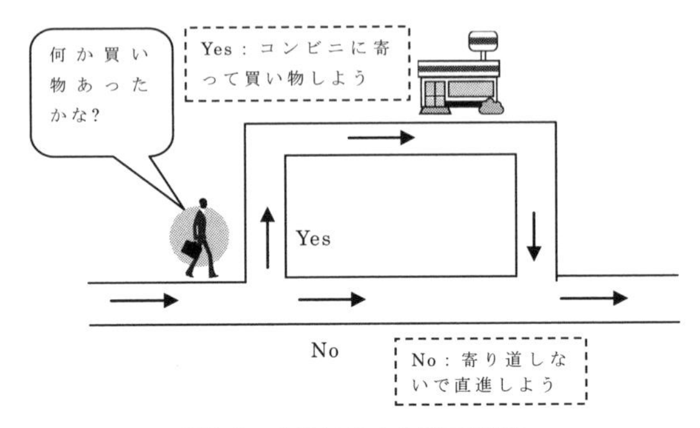

図4-1　人生は分かれ道の連続

この章では，Excelのマクロ（プログラム）において，実行中の状況（条件）に応じて処理内容を選択する方法を学習する。そのようなプログラムの仕組みを**条件分岐**という。

4.1　基本的な条件分岐

■ デモンストレーション

〈準備4.1〉　マクロ有効ブック「demo04a.xlsm」をダウンロードしてから開き，「コンテンツの有効化」をクリックして（→準備1.6)，VBEを起動せよ（→準備1.3)。

【デモ4.1】　マクロ「判定1」

```
Sub 判定1()
    Dim x As Double                  '①
    x = ActiveCell.Value             '②
    If x < 0 Then                    '③
        MsgBox "その数は負です。"    '④
    End If                           '⑤
End Sub
```

これは，Sheet1シートにおいて，アクティブセルの値が負のときだけ，**図4-2**のようなメッセージを表示するように作られている（0以上のときは何もしない）。

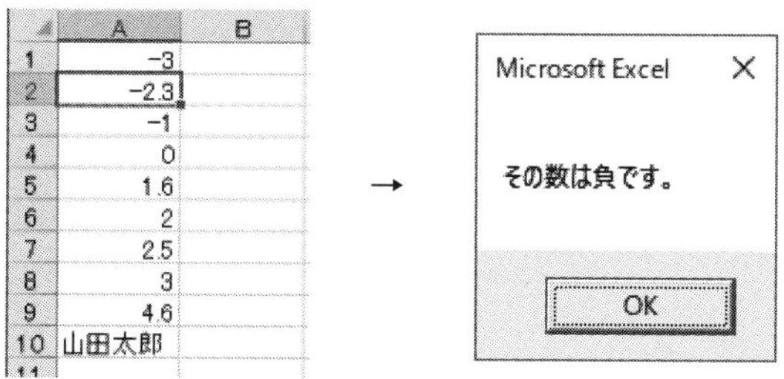

図4-2　デモ4.1の実行

※マクロ「判定1」をSheet1で実行し（**→実習1.2**），マクロが目的どおり動作したか確かめよ。アクティブセルを0や正数のあるセルに移して実行するとどうなるか，についても確かめよ。

〈ポイント4.1〉　マクロをワークシート上で実行するとき，その中のアクティブセルはマクロ内で

ActiveCell

と表現する（**→ポイント3.7**）。文②は，「アクティブセルの値を変数xに代入する」という意味になる。

※**ポイント3.1**で説明したValueプロパティは，厳密にはセルの中身が

- データ（数値，文字列など）ならばそのデータ，
- 関数や計算式ならばその計算結果

を表している。

〈ポイント4.2〉　文③～⑤は**If … End If**構文といい，条件分岐の最も単純な形式である。書式は次のとおりである。

```
If 条件式 Then
    (処理)
End If
```

この場合，条件式が真（＝条件式の値がTrue）のとき（処理）が実行され，条件式が偽（＝条件式の値がFalse）のとき何も実行されない。（処理）には2つ以上の文を書くこともできる。条件式の基本的な書き方は**表4-1**のとおりである。

表4-1　条件式の表し方

書　式	意　味
（左辺）=（右辺）	左辺と右辺は等しいか？
（左辺）<>（右辺）	左辺と右辺は等しくないか？
（左辺）>（右辺）	左辺は右辺より大きいか？
（左辺）<（右辺）	左辺は右辺より小さいか？
（左辺）>=（右辺）	左辺は右辺以上か？
（左辺）<=（右辺）	左辺は右辺以下か？

※もっと複雑な条件式の書き方は，次の節で紹介する。

【デモ4.2】　マクロ「判定2」

```
Sub 判定2()
    Dim x As Double                        '①
    x = ActiveCell.Value                   '②
    If x < 0 Then                          '③
        MsgBox "その数は負です。"           '④
    Else                                   '⑤
        MsgBox "その数は非負です。"         '⑥
    End If                                 '⑦
End Sub
```

これは，Sheet1シートにおいて，アクティブセルの値が

- 負のときは「その数は負です」というメッセージ，

• そうではないときは「その数は非負です」というメッセージ

を表示するように作られている。

※マクロ「判定2」をSheet1で実行し（→実習1.2），マクロが目的どおり動作したか確かめよ。

〈ポイント4.3〉 文③～⑦はIf … Else … End If構文といい，選択肢が2つあってそのどちらかを必ず実行させたい場合に用いる。その書式は以下のとおりである。

```
If 条件式 Then
    (処理1)
Else
    (処理2)
End If
```

この場合，条件式が真（=条件式の値がTrue）のとき（処理1）が実行され，条件式が偽（=条件式の値がFalse）のとき（処理2）が実行される。(処理1)，(処理2）にはいずれも2つ以上の文を書くこともできる。

【デモ4.3】 マクロ「判定3」

```
Sub 判定3()
    Dim x As Double                  '①
    x = ActiveCell.Value             '②
    If x < 0 Then                    '③
        MsgBox "その数は負です。"    '④
    ElseIf x = 0 Then                '⑤
        MsgBox "その数は0です。"     '⑥
    Else                             '⑦
        MsgBox "その数は正です。"    '⑧
    End If                           '⑨
End Sub
```

これは，Sheet1シートにおいて，アクティブセルの値が

- 負のときは「その数は負です」というメッセージ，
- 0のときは「その数は0です」というメッセージ，
- 正のときは「その数は正です」というメッセージ

を表示するように作られている。

※マクロ「判定3」をSheet1で実行し（→実習1.2），マクロが目的どおり動作したか確かめよ。

〈ポイント4.4〉 文③〜⑨は **If … ElseIf … Else … End If** 構文といい，選択肢が3つ以上ある場合などに用いる。その書式は以下のとおりである。

```
If 条件式1 Then
    (処理1)
ElseIf 条件式2 Then
    (処理2)
        ⋮
ElseIf 条件式n Then
    (処理n)
[ Else
    (処理n+1) ]
End If
```

この場合，

- 条件式1が真のとき，（処理1）が，
- 条件式1は偽だが，条件式2が真のとき，（処理2）が，

⋮

- 条件式1, 2, …, n-1は偽だが，条件式nが真のとき，（処理n）が，
- 条件式1, 2, …, nがすべて偽のとき，（処理n+1）が

それぞれ実行される。なお，Else文と（処理n+1）は省略してもよく，その場合には，条件1, 2, … , nがすべて偽のとき，何も実行されない。どの処理にも2文以上を書くことができる。

※「demo04a.xlsm」を閉じよ（上書き保存は不要）。

■ プログラミング

〈準備4.2〉 Excelを起動し（**→準備1.1**），Sheet1シートに**図4-3**のようなデータまたは式を直接入力せよ。

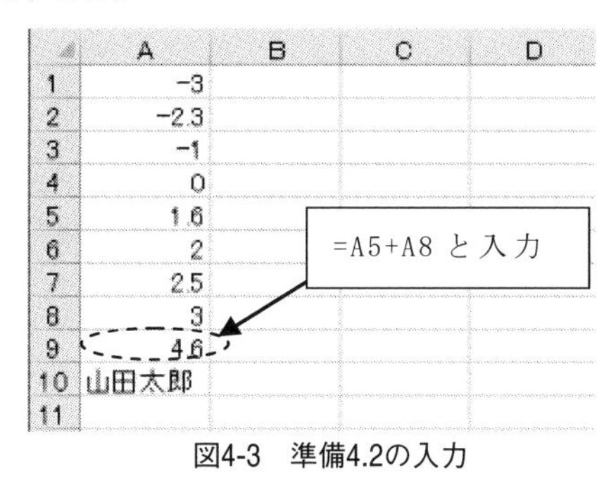

図4-3　準備4.2の入力

次に，「開発」タブを確認（ない場合は**準備1.2**）してからVBEを起動せよ（**→準備1.3**）。さらに，変数宣言の強制化を確認（未設定の場合は**準備2.2**④）してから，コードウィドウを新規作成せよ（**→準備1.4**）。

【例題4.1】 Sheet1シートにおいて，アクティブセルの値が

- 整数ではないときは「その数は非整数です。」というメッセージ，
- そうではないときは「その数は整数です。」というメッセージ

を表示するマクロを作りたい。コードウィンドウに，次のようなマクロ（プログラム）を書いてみよう。

```
Sub 整数判定1()
    Dim x As Double                         '①
    x = ActiveCell.Value                    '②
    If x - Int(x) <> 0 Then                 '③
        MsgBox "その数は非整数です。"       '④
    Else                                    '⑤
        MsgBox "その数は整数です。"         '⑥
    End If                                  '⑦
End Sub
```

※入力が終わったら，マクロ「整数判定1」をSheet1で実行し（→実習1.2），マクロが目的どおり動作したか確かめよ。

※このブックファイルをマクロ有効ブック「ex04a（氏名）.xlsm」という名前で保存せよ（→実習1.4）。

〈ポイント4.5〉 文③にある**Int**関数は，一般には

```
Int(x)
```

（但しxはDouble型データ）という書式で，xを超えない整数の最大値を返す。よって，xが整数のときだけ，

```
x - Int(x)
```

の値は0になる。

【例題4.2】 Sheet1シートにおいて，アクティブセルの値が

- 整数ではないときは「その数は非整数です。」というメッセージ，
- 偶数のときは「その数は偶数です。」というメッセージ，
- 奇数のときは「その数は奇数です。」というメッセージ

を表示するマクロを作りたい。コードウィンドウの最後尾に，次のようなマクロ（プログラム）を書いてみよう。

```
Sub 整数判定2()
    Dim x As Double                      '①
    x = ActiveCell.Value                 '②
    If x - Int(x) <> 0 Then              '③
        MsgBox "その数は非整数です。"    '④
    ElseIf x Mod 2 = 0 Then              '⑤
        MsgBox "その数は偶数です。"      '⑥
    Else                                 '⑦
        MsgBox "その数は奇数です。"      '⑧
    End If                               '⑨
End Sub
```

〈ポイント4.6〉 文⑤の「x Mod 2」は「xを2で割った余り」を意味する。一般

に

n Mod k

（但しn, kはIntegerまたはLong型データ）は「nをkで割った余り」を求める。

【例題4.3】 Sheet1シートにおいて，アクティブセルが

- 空セルのときは「そのセルは空です。」というメッセージ，
- そうではないときは「そのセルは空ではありません。」というメッセージ

を表示するマクロを作りたい。コードウィンドウの最後尾に，次のようなマクロ（プログラム）を書いてみよう。

```
Sub セル判定1()
    Dim ac As Range                                    '①
    Set ac = ActiveCell                                '②
    If IsEmpty(ac) = True Then                         '③
        MsgBox "そのセルは空です。"                    '④
    Else                                               '⑤
        MsgBox "そのセルは空ではありません。"          '⑥
    End If                                             '⑦
End Sub
```

〈ポイント4.7〉 文①で範囲名（Range型変数）としてacを宣言し，文②のSet文で，ActiveCellをacと読み替えている（→ポイント3.4）。このように，文字数の多いセル範囲の表現（この場合はActiveCell）を，文字数の少ない変数（この場合はac）で読み替えて，簡潔なプログラムにすることができる。

〈ポイント4.8〉 文③にある「IsEmpty(ac)」は，acが指すセルが空ならばTrue（真），そうでなければFalse（偽）という値を返す。このように，セルに関する情報をBoolean型の値（TrueまたはFalse）で返す関数として，例えば表4.2のようなものがある。

表4-2　True か False を返す関数

関数と書式	返す値
IsEmpty(c)	セルcが空のときTrue，そうでないときFalse
IsNumeric(c)	セルcに数値データか，結果が数値となる式があるときTrue，そうでないときFalse
IsDate(c)	セルcに日付データがあるときTrue，そうでないときFalse

【例題4.4】　Sheet1シートにおいて，アクティブセルが

- 空セルのときは「そのセルは空です。」というメッセージ，
- 数値データか，結果が数値となる式を持つときは「そのセルには数値データがあります。」というメッセージ，
- 上記以外のときは「そのセルには数値以外のデータがあります。」というメッセージ

を表示するマクロを作りたい。コードウィンドウの最後尾に，次のようなマクロ（プログラム）を書いてみよう。

※マクロ「セル判定1」を丸々最後尾にコピーして，マクロ名など必要なところを修正，追加しても良い。

```
Sub セル判定2()
    Dim ac As Range
    Set ac = ActiveCell
    If IsEmpty(ac) = True Then
        MsgBox "そのセルは空です。"
    ElseIf IsNumeric(ac) = True Then
        MsgBox "そのセルには数値データがあります。"
    Else
        MsgBox "そのセルには数値以外のデータがあります。"
    End If
End Sub
```

【例題4.5】　Sheet1シートにおいて，アクティブセルが

- 空セルのときは「そのセルは空です。」というメッセージ，

- 数値データか，結果が数値となる式を持つ場合で，その値が
  1. 整数ではないときは「その数は非整数です。」というメッセージ，
  2. 偶数のときは「その数は偶数です。」というメッセージ，
  3. 奇数のときは「その数は奇数です。」というメッセージ，
- 上記以外のときは「そのセルには数値以外のデータがあります。」というメッセージ

を表示するマクロを作りたい。コードウィンドウの最後尾に，次のようなマクロ（プログラム）を書いてみよう。

※マクロ「セル判定2」を丸々最後尾にコピーして，マクロ名など必要なところを修正，追加しても良い。

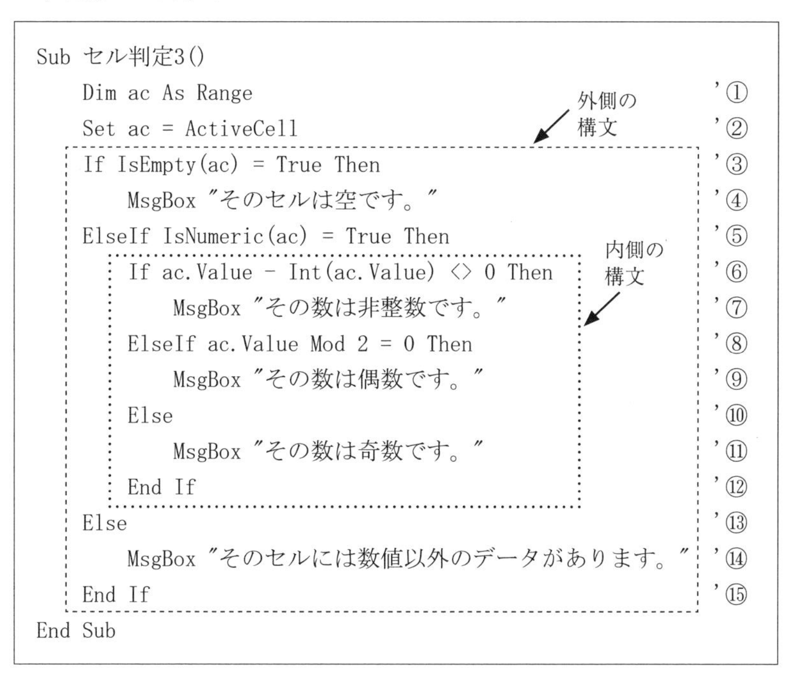

```
Sub セル判定3()
    Dim ac As Range                                          '①
    Set ac = ActiveCell                                      '②
    If IsEmpty(ac) = True Then                               '③
        MsgBox "そのセルは空です。"                            '④
    ElseIf IsNumeric(ac) = True Then                         '⑤
        If ac.Value - Int(ac.Value) <> 0 Then                '⑥
            MsgBox "その数は非整数です。"                      '⑦
        ElseIf ac.Value Mod 2 = 0 Then                       '⑧
            MsgBox "その数は偶数です。"                        '⑨
        Else                                                 '⑩
            MsgBox "その数は奇数です。"                        '⑪
        End If                                               '⑫
    Else                                                     '⑬
        MsgBox "そのセルには数値以外のデータがあります。"        '⑭
    End If                                                   '⑮
End Sub
```


〈ポイント4.9〉　このマクロでは，文③〜⑮のIf … ElseIf … Else … End If構文のさらに内側に，同様のIf … ElseIf … Else … End If構文（文⑥〜⑫）がある。これは，ある場合をさらに細かい場合に分けて処理したい場合に用いられる。

このように，同じような構文が2重，3重と内側に現れるような構造を**入れ子構造**（ネスティング）という。

【例題4.6】 入力ボックスから年齢を入力し，その年齢が

- 18歳以上のときは「自動車運転免許取得可能です。」というメッセージ，
- そうではないときは「自動車運転免許はまだです。」というメッセージ

を表示するマクロを作りたい。コードウィンドウの最後尾に，次のようなマクロ（プログラム）を書いてみよう。

```
Sub 運転免許1()
    Dim age As Integer
    age = Val(InputBox("あなたの年齢は?"))
    If age >= 18 Then
        MsgBox "自動車運転免許取得可能です。"
    Else
        MsgBox "自動車運転免許はまだです。"
    End If
End Sub
```

※入力が終わったらマクロ「運転免許1」をVBEで実行し（→**実習1.1**），その動作を確かめよ。

※「ex04a（氏名）.xlsm」を上書き保存してから閉じよ。

4.2　複雑な条件

プログラミングにおいて，条件分岐で「AかつB」や「AまたはB」といった複数の条件を組み合わせた条件（**複合条件**）を設定する場合がしばしばある。ここでは，そのような複合条件を設定する方法を学習する。

■ デモンストレーション

〈準備4.3〉 マクロ有効ブック「demo04b.xlsm」をダウンロードしてから開き，「コンテンツの有効化」をクリックして（→**準備1.6**），VBEを起動せよ（→**準備1.3**）。

【デモ4.4】 マクロ「国民年金1」

```
Sub 国民年金1()
    Dim tosi As Integer                          '①
    MsgBox "国民年金の加入義務を判定します。"    '②
    tosi = Val(InputBox("何歳ですか?"))          '③
    If tosi >= 20 And tosi < 60 Then             '④
        MsgBox "加入義務があります。"            '⑤
    Else                                         '⑥
        MsgBox "加入義務がありません。"          '⑦
    End If                                       '⑧
End Sub
```

これは，入力ボックスから年齢をキー入力し，国民年金加入義務がある場合（20歳以上60歳未満）は，出力ボックスで「加入義務があります。」，そうでなければ「加入義務がありません。」と表示するように作られている。

※マクロ「国民年金1」をVBEで実行し（→**実習1.1**），正しく動作するか確かめよ。

〈ポイント4.10〉 国民年金の加入条件である「20歳以上60歳未満」は，正確には「年齢が20歳以上，**かつ**60歳未満」と言い表す。その条件を文④で

```
tosi >= 20 And tosi < 60
```

と表している。一般に，「条件式1, 条件式2, …, 条件式nをすべて満たす」という条件式は，**And**演算子を用いて，次のように表す。

```
条件式1 And 条件式2 And ・・・ And 条件式n
```

※文④の条件式は次のように書きたいところだが，残念ながらそれはできない。

```
20 <= tosi < 60  ・・・ (×)
```

【デモ4.5】 マクロ「国民年金2」

```
Sub 国民年金2()
    Dim tosi As Integer                          '①
    MsgBox "国民年金の加入義務を判定します。"    '②
```

```
    tosi = Val(InputBox("何歳ですか?"))          '③
    If tosi < 20 Or tosi >= 60 Then              '④
        MsgBox "加入義務がありません。"          '⑤
    Else                                          '⑥
        MsgBox "加入義務があります。"            '⑦
    End If                                        '⑧
End Sub
```

これは，最初のマクロ「国民年金1」とまったく同様に動く。但し，このマクロは国民年金に加入義務がない条件をIf文に設定している。

※マクロ「国民年金2」をVBEで実行し（→**実習1.1**），正しく動作するか確かめよ。

〈ポイント4.11〉「年齢が20歳未満か，**または**60歳以上」という条件は，文④のように

tosi < 20 Or tosi >= 60

と表す。一般に，「条件式1, 条件式2, … , 条件式nの少なくとも1つを満たす」という条件式は，**Or**演算子を用いて，次のように表す。

条件式1 Or 条件式2 Or ・・・ Or 条件式n

【デモ4.6】 マクロ「学番チェック」

```
Sub 学番チェック()
    Dim id As String, fc As String                           '①
    MsgBox "商学部対象試験の受験資格をチェックします。"      '②
    id = InputBox("学番を入力")                              '③
    fc = Mid(id, 4, 1)                                       '④
    If Not (fc = "C" Or fc = "c") Then                       '⑤
        MsgBox "受験資格がありません。"                      '⑥
    Else                                                     '⑦
        MsgBox "受験資格があります。"                        '⑧
    End If                                                   '⑨
End Sub
```

これは，入力ボックスからK大学の学籍番号（→**課題2.2**）を半角で入力し，それが商学部のものと判定できる（左から4文字目が「C」か「c」である）とき，出力ボックスで「受験資格があります。」，そうでないとき「受験資格がありません。」と表示するように作られている。

※マクロ「学番チェック」をVBEで実行し（→**実習1.1**），正しく動作するか確かめよ。

〈ポイント4.12〉 このマクロでは，練習のため「**商学部ではない**」という条件を文⑤で設定している。一般に，「条件式を満たさない」という条件式は，**Not**演算子を用いて

```
Not 条件式
```

と表す。なお，文⑤では「`fc = "C" Or fc = "c"`」全体を否定する条件を表したいので，それを括弧( )で囲んで，その左にNotを付けている。

And, Or, Notが複雑に組み合わさった条件式において，真偽を計算するときの優先順位は，その高い順にNot → And → Orとなる。但し，括弧( )がある場合はその内部の計算が優先される。**図4-4**に，計算順序の一例を挙げる。

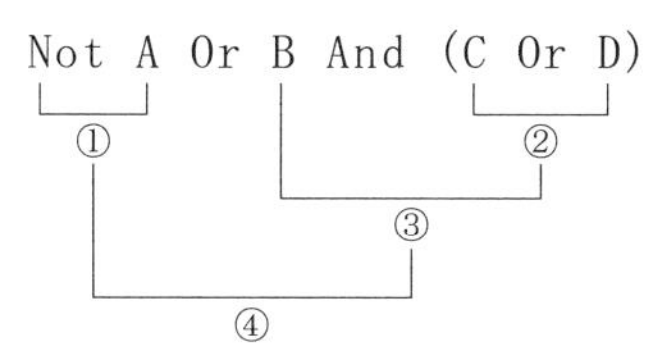

図4-4　And, Or, Notの優先順位

※計算順序が心配な場合は，括弧( )を積極的に用いると良い（多少プログラムの見栄えは悪くなるが）。

〈ポイント4.13〉 文④の`Mid(文字列, n, m)`は，文字列の（左から）n番目の文字からm文字分の文字列を返す関数であった（→**ポイント2.9**）。

※「demo04b.xlsm」を閉じよ（上書き保存は不要）。

■ プログラミング

〈準備4.4〉 Excelを起動し（→**準備1.1**），Sheet1シートに**図4-5**のようなデータ（自分に当てはまる値）を直接入力せよ。

	A	B	C
1	年齢	21	
2	性別	男	
3			

図4-5　準備4.4の入力

次に，「開発」タブを確認（ない場合は**準備1.2**）してからVBEを起動せよ（→**準備1.3**）。さらに，変数宣言の強制化を確認（未設定の場合は**準備2.2④**）してから，コードウィドウを新規作成せよ（→**準備1.4**）。

【例題4.7】　精神年齢は，30歳未満の男性は実年齢より3歳低く，25歳未満の女性は実年齢より2歳高いという（※フィクションである）。Sheet1シートにある年齢と性別のデータを読み込み，30歳未満の男性ならば「あなたの精神年齢は○○歳です」（○○には実年齢 - 3を表示），25歳未満の女性ならば「あなたの精神年齢は△△歳です」（△△には実年齢+2を表示），それ以外は「あなたの精神年齢は××歳です」（××には実年齢をそのまま表示）と出力ボックスで表示するマクロを作りたい。コードウィンドウの最後尾に，次のようなマクロ（プログラム）を書いてみよう。

```
Sub 精神年齢()
    Dim n As Integer, s As String
    Sheets("Sheet1").Select
    n = Range("B1").Value
    s = Range("B2").Value
    If n < 30 And s = "男" Then
        MsgBox "あなたの精神年齢は" & n - 3 & "歳です"
    ElseIf n < 25 And s = "女" Then
        MsgBox "あなたの精神年齢は" & n + 2 & "歳です"
    Else
        MsgBox "あなたの精神年齢は" & n & "歳です"
    End If
End Sub
```

※マクロ「精神年齢」をSheet1で実行し（→実習1.2），動作確認せよ。シートの値を色々変えて，正しく条件分岐するか確かめよ。

※このブックファイルをマクロ有効ブック「ex04b（氏名）.xlsm」という名前で保存せよ（→実習1.4）。

【例題4.8】 Sheet1シートにある年齢と性別のデータを読み込み，結婚の可能性を判定するマクロを作りたい。コードウィンドウの最後尾に，次のようなマクロ（プログラム）を書いてみよう。（注：2022年4月の民法改正でこのルールは改変された。）

```
Sub 結婚可能性()
    Dim n As Integer, s As String
    Sheets("Sheet1").Select
    n = Range("B1").Value
    s = Range("B2").Value
    If n >= 20 Then
        MsgBox "親の同意なく結婚可能"
    ElseIf (n >= 18 And s = "男") Or (n >= 16 And s = "女") Then
        MsgBox "親の同意あれば結婚可能"
    Else
        MsgBox "結婚不可能"
    End If
End Sub
```

※マクロ「結婚可能性」をSheet1で実行し（→実習1.2），動作確認せよ。シートの値を色々変えて，正しく条件分岐するか確かめよ。

※「ex04b（氏名）.xlsm」を上書き保存してから閉じよ。

演習課題

【課題4.1】 マクロ有効ブック「ex04a（氏名）.xlsm」を開け（→準備1.6）。入力ボックスから年齢を入力し，その年齢が

- 18歳以上のときは「自動車運転免許取得可能です。」というメッセージ，
- 18歳未満だが16歳以上のときは「原付運転免許取得可能です。」というメッセージ，
- 16歳未満のときは「どの運転免許もまだです。」というメッセージ

を表示するようなマクロを，コードウィンドウの最後尾に作成せよ。マクロ名は「運転免許2」とする。

【課題4.2】 入力ボックスから現政権の支持率（Double型，単位は%）を入力し，その値が

- 100より大きいときは「100%を超える支持率はありません。」というメッセージ，
- 0未満のときは「0%未満の支持率はありません。」というメッセージ，
- 0以上30未満のときは「危険水域です。」というメッセージ，
- 上記のいずれでもないときは「まだ大丈夫でしょう。」というメッセージ

を表示するようなマクロを，コードウィンドウの最後尾に作成せよ。マクロ名は「内閣支持率」とする。

【課題4.3】 入力ボックスからK大学の学籍番号かパソコンユーザID（→課題2.2）を図4-6の(a)または(b)のように入力する。

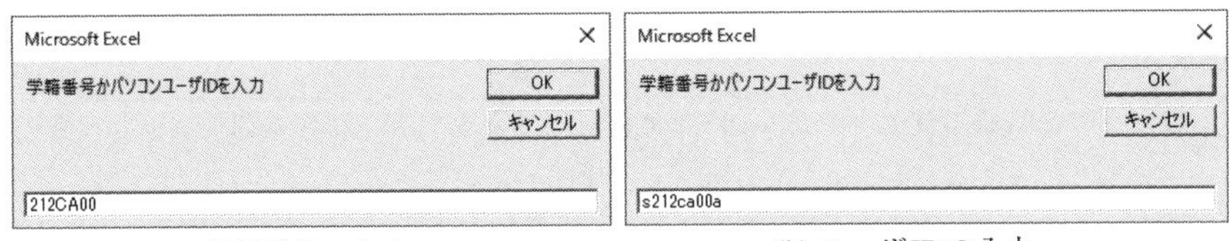

(a) 学籍番号の入力　　(b) ユーザIDの入力

図4-6　課題4.3の入力

そして，商学部と判定できる（学籍番号の4桁目が"C"）場合は図4-7(a)のように、そうでない場合は図4-7(b)のように表示するマクロ「商学部判定」を作成したい。

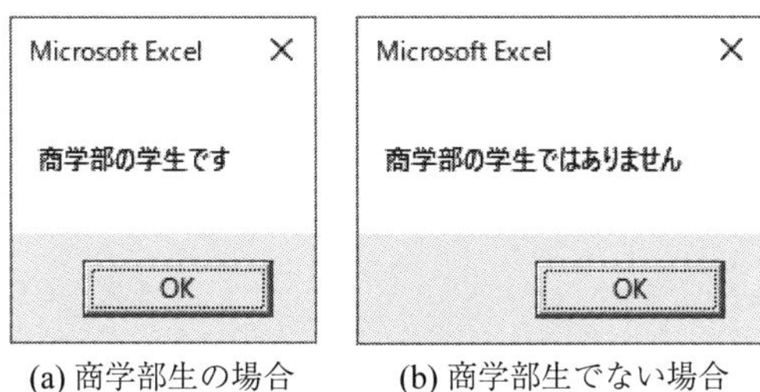

(a) 商学部生の場合　(b) 商学部生でない場合

図4-7　課題4.3の出力

下記の空欄を穴埋めしてマクロを完成させ，コードウィンドウの最後尾に作成せよ。

```
Sub 商学部判定()
    Dim gakuban As String
    gakuban = InputBox("学籍番号かパソコンユーザIDを入力")
    If Left(gakuban, 1) = "s" Then
        gakuban = UCase(Mid(［　　　　　］,［　　　］,［　　　］))
    End If
    If ［　　　　　　　　　　　　　　　］ Then
        MsgBox "商学部の学生です"
    Else
        MsgBox "商学部の学生ではありません"
    End If
End Sub
```

《ヒント》 やり方はいろいろ考えられるが，上記の解答案では，ユーザIDが入力されたときだけそれを学籍番号（英字部分は大文字）に変換してから判定する方法を採っている。

※「ex04a（氏名）.xlsm」を上書き保存してから閉じよ。

【課題4.4】 マクロ有効ブック「ex04b（氏名）.xlsm」を開け（→準備1.6）。Sheet1シートにある年齢データを読み込み，それが18歳以上ならば「自動車運転免許取得可能」，そうでなければ「自動車運転免許取得不可」と判定したい。但し，性別が男ならば語尾に「だぜ!」，女ならば「だわ!」を付けて出力ボックスに表示したい（図4-8）。

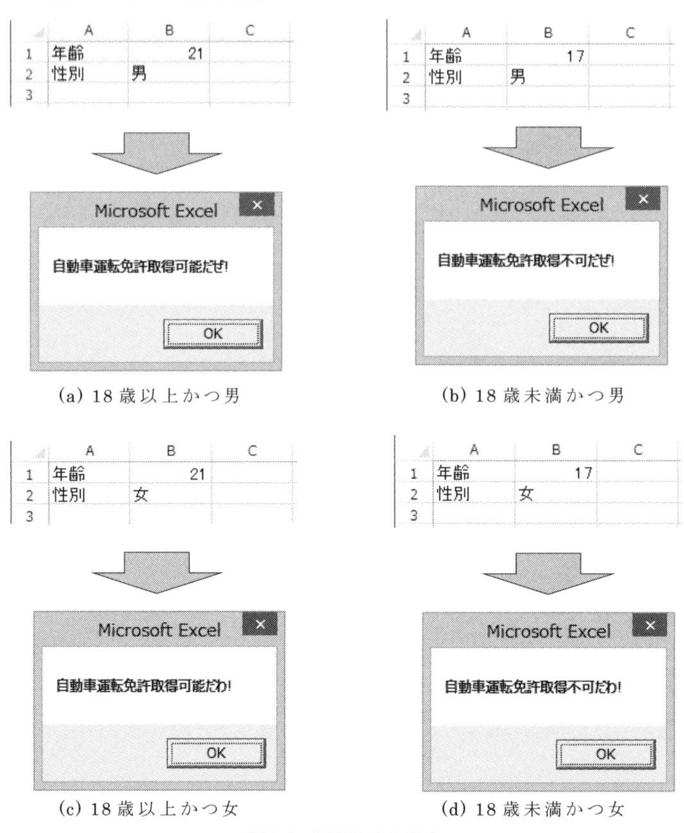

(a) 18 歳以上かつ男　(b) 18 歳未満かつ男

(c) 18 歳以上かつ女　(d) 18 歳未満かつ女

図4-8　課題4.4の出力

下記の空欄を穴埋めしてマクロ「運転免許番外編」を完成させ，コードウィンドウの最後尾に作成せよ。

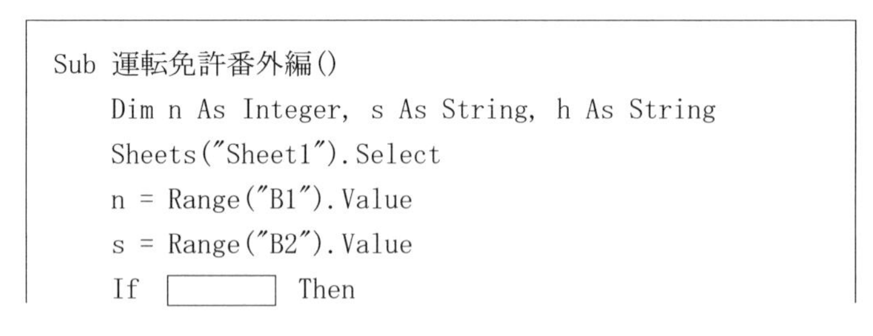

```
Sub 運転免許番外編()
    Dim n As Integer, s As String, h As String
    Sheets("Sheet1").Select
    n = Range("B1").Value
    s = Range("B2").Value
    If [      ] Then
```

```
        h = ″自動車運転免許取得可能″
    Else
        h = ″自動車運転免許取得不可″
    End If
    If [          ] Then
        MsgBox h & ″だぜ!″
    Else
        MsgBox h & ″だわ!″
    End If
End Sub
```

【課題4.5】 入力ボックスで1以上40以下の整数を入力し，その数値を

- 3の倍数か3のつく数値のときは，次のように「お馬鹿」の叫び声「あへっ。」を追加して（図4-9(a)）
- 8の倍数のときは，次のような歓喜の叫び声「あはーん。」を追加して（図4-9(b)）
- 上記以外のときは，次のように「!!」を追加して（図4-9(c)）

それぞれ表示させたい。

(a) 3の倍数か3のつく数値のとき

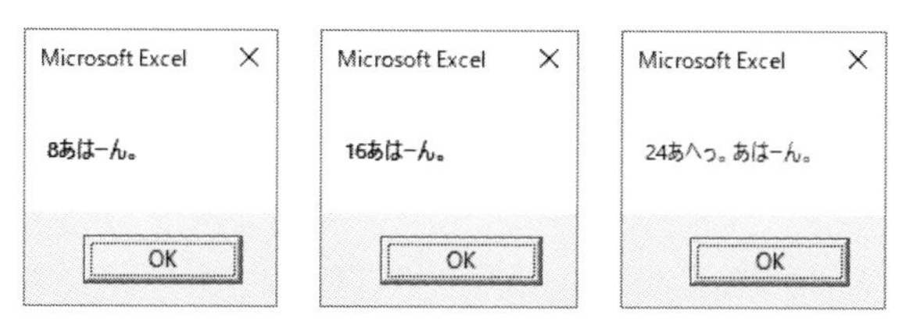

(b) 8の倍数のとき

図4-9　課題4.5の出力

(c) 上記以外のとき

図4-9　課題4.5の出力

下記の空欄を穴埋めしてマクロ「プレナベアツ」を完成させ，コードウィンドウの最後尾に作成せよ。

```
Sub プレナベアツ()
    Dim i As Integer, sakebi As String
    i = Val(InputBox("1以上40以下の整数を入力"))
    sakebi = ""
    If i Mod 3 = [    ] Then
        sakebi = "あへっ。"
    ElseIf i Mod 10 = [    ] Then
        sakebi = "あへっ。"
    ElseIf i ¥ 10 = [    ] Then
        sakebi = "あへっ。"
    End If
    If i Mod 8 = 0 Then
        sakebi = sakebi & "あはーん。"
    End If
    If Len(sakebi) = 0 Then
        sakebi = "!!"
    End If
    MsgBox i & sakebi
End Sub
```

《ヒント》 1の位が3になる数は，それを10で割った余りが3となる。10の位が3になる数は，それを10で割った商が3となる。2つの整数n, kに対して

n Mod k　→　nをkで割った余り

n ¥ k　→　nをkで割った商

という意味であることを思い出そう。

【課題4.6】　**課題4.5**の「プレナベアツ」と全く同様に動作するマクロ「プレナベアツ2」を，下記の空欄を穴埋めして完成させよ。

```
Sub プレナベアツ2()
    Dim i As Integer, sakebi As String
    i = Val(InputBox("1以上40以下の整数を入力"))
    sakebi = ""
    If [                              ] Then
        sakebi = "あへっ。"
    End If
    If i Mod 8 = 0 Then
        sakebi = sakebi & "あはーん。"
    End If
    If Len(sakebi) = 0 Then
        sakebi = "!!"
    End If
    MsgBox i & sakebi
End Sub
```

《ヒント》「あへっ。」を追加する条件を1つの式で表すとどうなるか？

※「ex04b（氏名）.xlsm」を上書き保存してから閉じよ。

5 ── 繰り返し処理

ビジネスにおいては，似たような作業を繰り返し行う場面がよくある（図5-1）。実は，こうした**繰り返し処理**はコンピュータが最も得意とするところである。

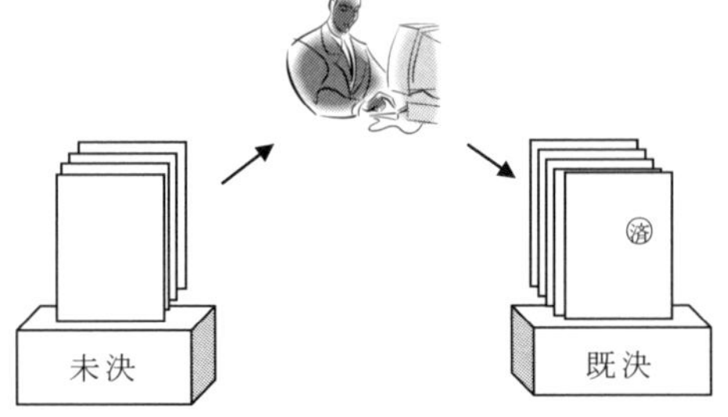

図5-1　日々繰り返される業務

この章では，Excelのマクロ（プログラム）において，定型的な処理を繰り返す方法を学習する。

5.1　繰り返し回数がわかっている場合

■ デモンストレーション

〈準備5.1〉　マクロ有効ブック「demo05a.xlsm」をダウンロードしてから開き，「コンテンツの有効化」をクリックして（→準備1.6），VBEを起動せよ（→準備1.3）。

【デモ5.1】　マクロ「数え歌」

```
Sub 数え歌()
    Dim n As Integer, i As Integer              '①
    n = Val(InputBox("いくつまで数える?"))       '②
    For i = 1 To n                              '③
        MsgBox i & "本でもニンジン"              '④
```

```
    Next i                                    '⑤
End Sub
```

これは，入力ボックスで整数（n）を図5-2のように入力する。

図5-2　デモ5.1の入力

すると，1からnまでの整数を図5-3のような出力ボックスで数えるように作られている。

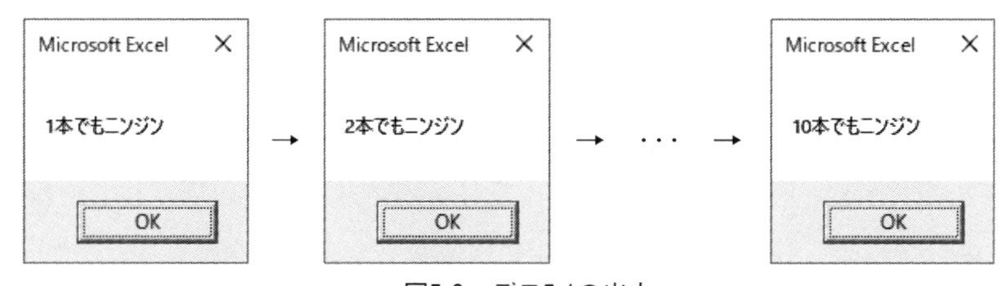

図5-3　デモ5.1の出力

※マクロ「数え歌」をVBEで実行し（→実習1.1），その動作を確かめよ。

〈ポイント5.1〉　文③〜⑤は**For … Next**構文といい，繰り返し処理のための構文の1つである。この構文の基本的な使い方は，下記の通りである。

```
For カウンタ変数 = 1 To 回数
    (処理)
Next カウンタ変数
```

この構文により，（処理）が回数分だけ実行される。カウンタ変数は（処理）の実行回数を数えるためのIntegerまたはLong型の変数で，（規則ではないが）i, j, kなどの変数名を使うことが多い。（処理）には2つ以上の文を書くこともできる。

【デモ5.2】　マクロ「偶数」

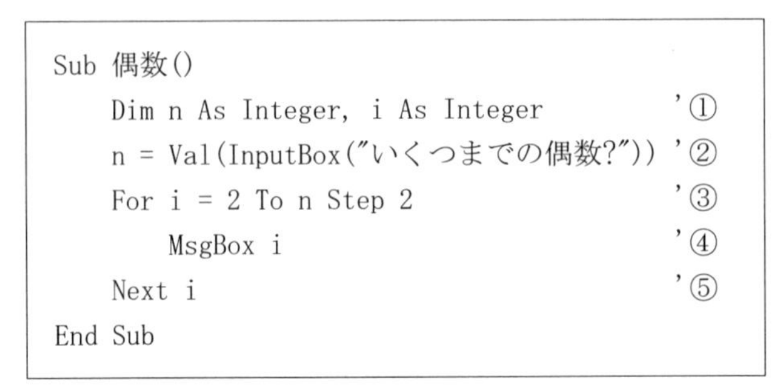

```
Sub 偶数()
    Dim n As Integer, i As Integer              '①
    n = Val(InputBox("いくつまでの偶数?"))  '②
    For i = 2 To n Step 2                        '③
        MsgBox i                                 '④
    Next i                                       '⑤
End Sub
```

これは，入力ボックスで整数（n）を図5-4のように入力する。

図5-4　デモ5.2の入力

そして，2以上n以下の偶数を図5-5のように表示させるように作られている。

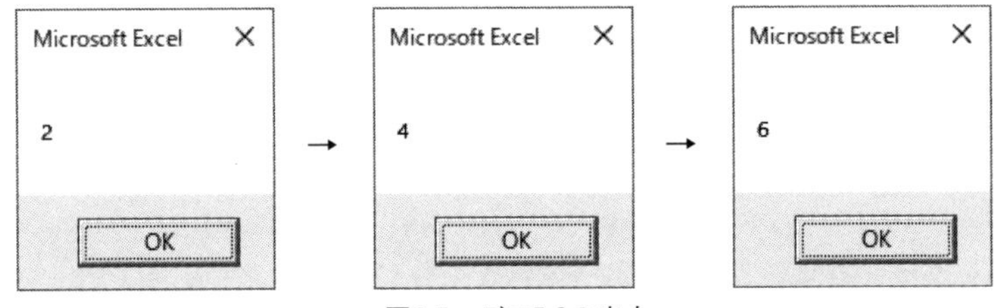

図5-5　デモ5.2の出力

※マクロ「偶数」をVBEで実行し（→実習1.1），その動作を確かめよ。

〈ポイント5.2〉　文③～⑤のように，For … Next構文の，より一般的な書式は次の通りである。

```
For カウンタ変数 = 初期値 To 終了値 Step 増分
    (処理)
Next カウンタ変数
```

この構文の正確な動作は以下の通りである。

(1) カウンタ変数に初期値を代入

(2)〔増分が正のとき〕カウンタ変数 ＞ 終了値ならば，Next文の次へ
　〔増分が負のとき〕カウンタ変数 ＜ 終了値ならば，Next文の次へ

(3)（処理）を実行

(4) カウンタ変数に増分を加算して，(2) へ

この動作が暗示するように，カウンタ変数，初期値，終了値，増分の値は，整数である必要はない。例えば，Double型変数xを用意して，

```
For x = 1.5 To 0.3 Step -0.5
    MsgBox x
Next x
```

を実行すると，図5-6のように表示される。

図5-6　ポイント5.2の出力

このFor ... Next構文終了後のxの値は0.0である。

※Step以降を省略した場合（→例題5.1）は，増分=1と見なされる。

【デモ5.3】　マクロ「シグマi」

```
Sub シグマi()
    Dim n As Integer, i As Integer, s As Integer '①
    n = Val(InputBox("n="))                       '②
    s = 0                                         '③
    For i = 1 To n                                '④
        s = s + i                                 '⑤
    Next i                                        '⑥
```

```
    MsgBox ″1+2+…+n=″ & s                        '⑦
End Sub
```

これは，入力ボックスで整数（n）を図5-7のように入力する。

図5-7　デモ5.3の入力

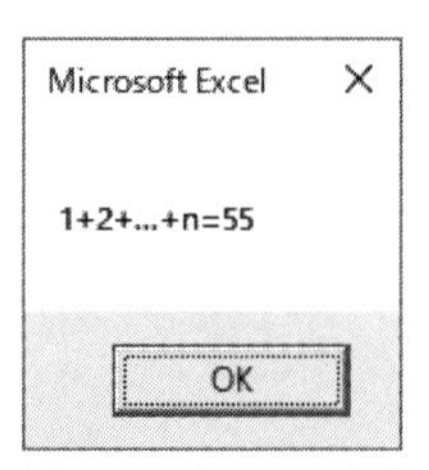

図5-8　デモ5.3の出力

そして，1からnまでの合計$\sum_{i=1}^{n} i = 1 + 2 + ... + n$を図5-8のように表示するように作られている。

※マクロ「シグマi」をVBEで実行し（→実習1.1），その動作を確かめよ。

〈ポイント5.3〉　文③〜⑥は，合計を求めるための**定石**（「これ以外にない」と言える決まりきった手段）である。図5-9のように，合計を格納する変数sには，最初に0を代入し，For ... Next構文を用いてsに1からnまでの値を順番に足し込んでいけばよい。

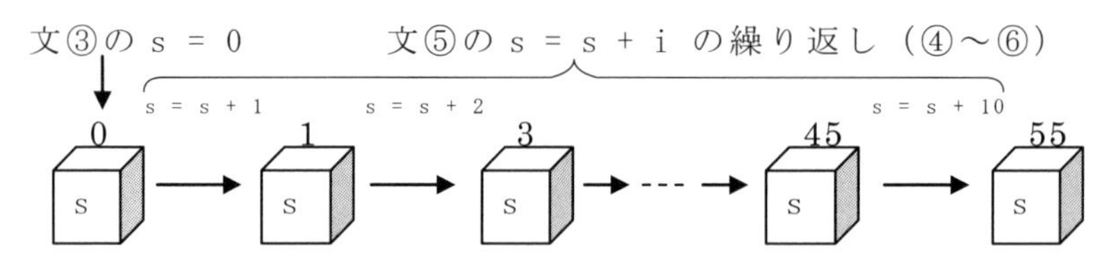

図5-9　デモ5.3の文③〜⑥の実行プロセス

※「demo05a.xlsm」を閉じよ（上書き保存は不要）。

■ プログラミング

〈準備5.2〉　Sheet1に図5-10のように入力されたマクロ有効ブック「ex03（氏

名）.xlsm」を開け（無い場合は，新規にExcelを起動し，Sheet1に図5-10のように入力しても良い）。

	A	B	C	D	E
1					
2		7		20	
3		ラッキー		50	
4		ナンバー		10	
5				40	
6				30	
7					

図5-10　準備5.2の入力済みデータ

次に，「開発」タブを確認（ない場合は準備1.2）してからVBEを起動せよ（→準備1.3）。さらに，変数宣言の強制化を確認（未設定の場合は準備2.2④）せよ。

※（新規ファイルの場合）コードウィンドウを新規作成せよ（→準備1.4）。

【例題5.1】 Sheet1シートにおいて，B2:B4の値を確認するマクロを作りたい。コードウィンドウに，次のようなマクロ（プログラム）を書いてみよう。

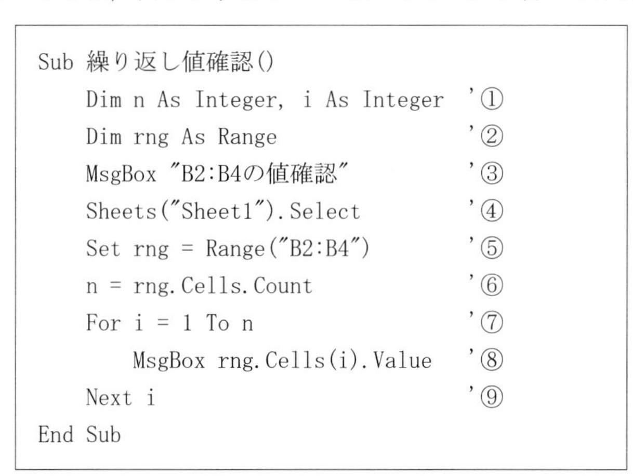

```
Sub 繰り返し値確認()
    Dim n As Integer, i As Integer    '①
    Dim rng As Range                  '②
    MsgBox "B2:B4の値確認"             '③
    Sheets("Sheet1").Select           '④
    Set rng = Range("B2:B4")          '⑤
    n = rng.Cells.Count               '⑥
    For i = 1 To n                    '⑦
        MsgBox rng.Cells(i).Value     '⑧
    Next i                            '⑨
End Sub
```

※入力が終わったら，マクロ「繰り返し値確認」をSheet1で実行し（→実習1.2），マクロが目的どおり動作したか確かめよ。

※このブックファイルをマクロ有効ブック「ex05a（氏名）.xlsm」という名前で保存せよ（→実習1.4）。

〈ポイント5.4〉　文⑤でセル範囲B2:B4を範囲名（Range型変数）rngと読み替え，文⑥でrng内のセルの個数をInteger型変数nに代入している。以上により，文⑦～⑨のFor … Next構文で繰り返すべき回数が確定する。

【例題5.2】　Sheet1シートにおいて，D2:D6の値を合計するマクロを作りたい。コードウィンドウの最後尾に，次のようなマクロ（プログラム）を書いてみよう。

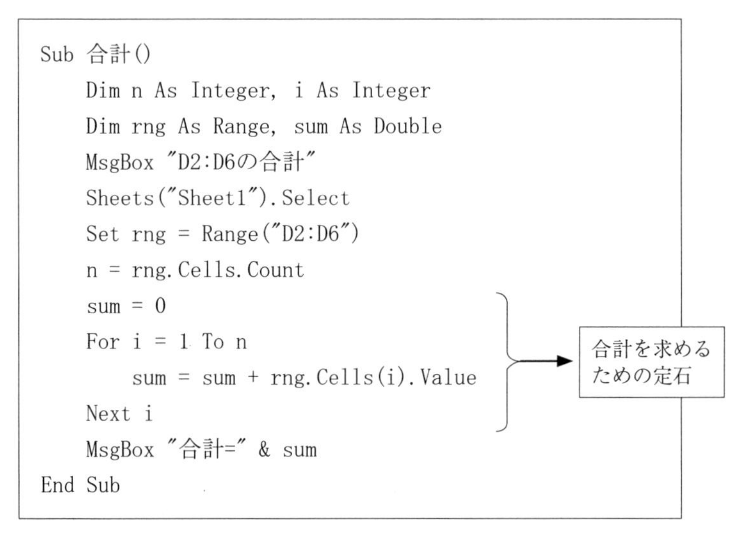

```
Sub 合計()
    Dim n As Integer, i As Integer
    Dim rng As Range, sum As Double
    MsgBox "D2:D6の合計"
    Sheets("Sheet1").Select
    Set rng = Range("D2:D6")
    n = rng.Cells.Count
    sum = 0
    For i = 1 To n
        sum = sum + rng.Cells(i).Value
    Next i
    MsgBox "合計=" & sum
End Sub
```


〈ポイント5.5〉　マクロ「合計」は，**ポイント5.3**で述べた合計を求めるための定石に従っている。合計を格納するための変数としてsumを宣言し，For … Next構文の直前にsum = 0と初期化している。

【例題5.3】　Sheet1シートにおいて，D2:D6の中の最小値を求めるマクロを作りたい。コードウィンドウの最後尾に，次のようなマクロ（プログラム）を書いてみよう。

```
Sub 最小値()
    Dim n As Integer, i As Integer
    Dim rng As Range, m As Integer
    MsgBox "D2:D6の最小値"
    Sheets("Sheet1").Select
    Set rng = Range("D2:D6")
    n = rng.Cells.Count
    m = 1                                                        ┐
    For i = 2 To n                                               │
        If rng.Cells(m).Value > rng.Cells(i).Value Then          ├→ 最小値を求めるための定石
            m = i                                                │
        End If                                                   │
    Next i                                                       ┘
    MsgBox "最小値=" & rng.Cells(m).Value
End Sub
```

〈ポイント5.6〉 例題5.3には，最小値を求めるための，以下のような定石が含まれている。

```
m = 1
For i = 2 to データの個数
    If m番目のデータ > i番目のデータ Then
        m = i
    End If
Next i
```

mは最小値の位置を表す整数変数である。最初に，最小値の位置を暫定的に1番目としておき，2番目以降のデータを調べていく。今調べているi番目のデータが，これまでで最小だったm番目の値よりも小さかったら，新たな最小値の位置としてiをmに代入すればよい。

※「ex05a（氏名）.xlsm」を上書き保存して閉じよ。

5. 2　繰り返し回数がわかっていない場合

繰り返し処理を実行する方法として，前節でFor … Next構文を学んだ。この構文では，実行前に繰り返し回数がわかっている必要があった。ところが，現実には繰り返し回数が事前にわからないケースも多い。ここでは，そのような場合の繰り返し処理を行う方法として，Do … Loop構文を学習する。このDo … Loop構文には4つのバリエーションがあるので，それらの使い分け方に注意して学習を進めよう。

■ デモンストレーション

〈準備5.3〉　マクロ有効ブック「demo05b.xlsm」をダウンロードしてから開き，「コンテンツの有効化」をクリックして（→準備1.6），VBEを起動せよ（→準備1.3）。

【デモ5.4】　マクロ「売上合計1」

```
Sub 売上合計1()
    Dim sum As Double, uriage As Double                  '①
    sum = 0                                              '②
    uriage = Val(InputBox("売上を入力(終了時は-1)"))      '③
    Do While uriage >= 0                                 '④
        sum = sum + uriage                               '⑤
        uriage = Val(InputBox("売上を入力(終了時は-1)"))  '⑥
    Loop                                                 '⑦
    MsgBox "売上合計=" & sum                              '⑧
End Sub
```

これは，何人かの販売員の売上データを入力し，入力すべきデータが無くなったら，最後に-1を入力し，「OK」クリック後に合計額が表示されるように作られている（図5-11では5000 → 3500 → 6300 → -1と入力）。

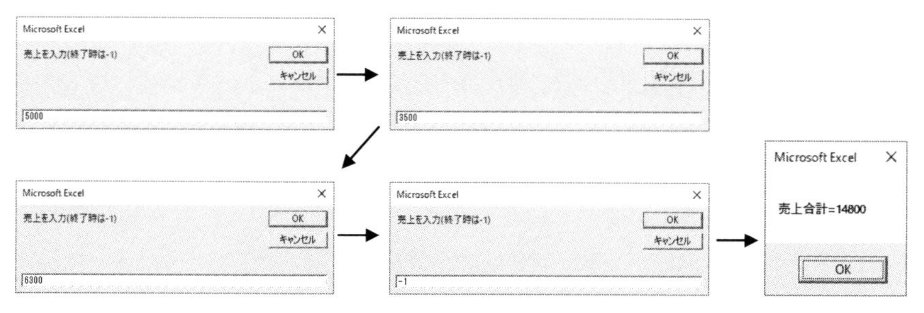

図5-11　デモ5.4の実行

※マクロ「売上合計1」をVBEで実行し（→**実習1.1**），正しく動作するか確かめよ。

〈ポイント5.7〉　文④～⑦は，キー入力された変数uriageが0以上の間は文⑤，⑥を繰り返せ，という意味になる。一般に，Do While … Loop構文の書式は以下のとおりである。

```
Do While 条件
    (処理)
Loop
```

この構文により，条件を**満たしている間は**（処理）の部分が繰り返し実行される。この構文では，（処理）を行う**前に**条件を満たすかどうかの判定が行われる。よって，場合によっては，（処理）が一度も実行されないこともある。例えば，マクロ「売上合計1」では文③でuriageに-1が代入されると，文④の条件がFalseになるので，文⑤，⑥は一度も実行されない。

【デモ5.5】　マクロ「売上合計2」

```
Sub 売上合計2()
    Dim sum As Double, uriage As Double                  '①
    sum = 0                                              '②
    uriage = Val(InputBox("売上を入力(終了時は-1)"))      '③
    Do Until uriage < 0                                  '④
        sum = sum + uriage                               '⑤
        uriage = Val(InputBox("売上を入力(終了時は-1)"))  '⑥
```

```
    Loop                                              '⑦
    MsgBox ″売上合計=″ & sum                           '⑧
End Sub
```

これは，最初のマクロ「売上合計1」とまったく同様に動く。但し，文④の条件の書き方が異なっていることに注意しよう。

※マクロ「売上合計2」をVBEで実行し（→**実習1.1**），正しく動作するか確かめよ。

〈ポイント5.8〉　文④～⑦は，キー入力された変数uriageが0未満（負の数）になるまで文⑤，⑥を繰り返せ，という意味になる。一般に，**Do Until … Loop**構文の書式は以下のとおりである。

```
Do Until 条件
  (処理)
Loop
```

この構文により，条件を**満たすまで**（処理）の部分が繰り返し実行される。この構文でも，（処理）を行う**前に**条件を満たすかどうかの判定が行われるので，場合によっては，（処理）が一度も実行されないこともある。

※ Whileの後の条件は**継続条件**，Untilの後の条件は**終了条件**と覚えても良い。

【デモ5.6】　マクロ「メニュー1」

```
Sub メニュー1()
    Dim n As Integer                                          '①
    Do                                                        '②
        n = Val(InputBox(″1.入力, 2.計算, 3.出力, 9.終了 ″ & _
            ″.....どれにしますか?″))                          '③
        If n = 1 Then                                         '④
            MsgBox ″入力します（未完成）″                     '⑤
        ElseIf n = 2 Then                                     '⑥
            MsgBox ″計算します（未完成）″                     '⑦
        ElseIf n = 3 Then                                     '⑧
            MsgBox ″出力します（未完成）″                     '⑨
```

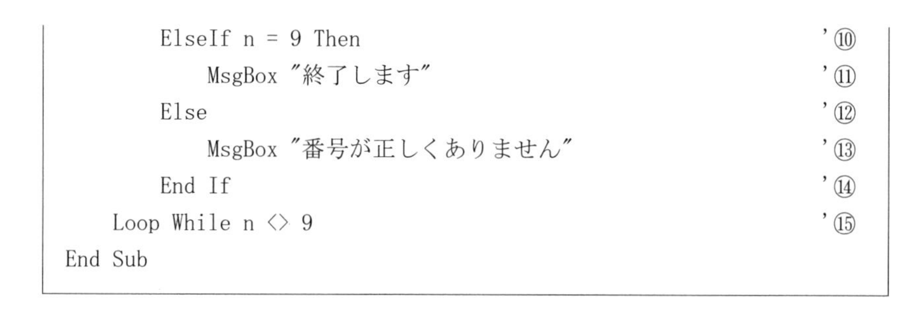

```
        ElseIf n = 9 Then                                   '⑩
            MsgBox "終了します"                              '⑪
        Else                                                '⑫
            MsgBox "番号が正しくありません"                  '⑬
        End If                                              '⑭
    Loop While n <> 9                                       '⑮
End Sub
```

これは，「入力」「計算」「出力」の3作業からなるシステムを作成すると仮定し，そのメニューウィンドウを図5.12のように表示させるためのものである。但し，9が入力されるまで繰り返し表示されるものとする。

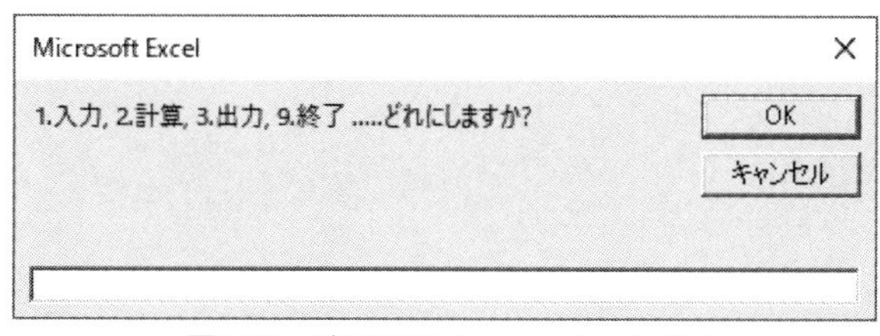

図5-12　デモ5.6のメニューウィンドウ

※マクロ「メニュー1」をVBEで実行し（→**実習1.1**），正しく動作するか確かめよ。

〈ポイント5.9〉　文②～⑮は，キー入力された変数nが9と等しくない間は文③～⑭を繰り返せ，という意味になる。一般に，**Do … Loop While**構文の書式は以下のとおりである。

```
Do
    (処理)
Loop While 条件
```

この構文により，条件を**満たしている間は**（処理）の部分が繰り返し実行される。この構文では，（処理）を行った**後に**条件を満たすかどうかの判定が行われる。よって，<u>（処理）は最低でも一度は必ず実行される</u>。

【デモ5.7】　マクロ「メニュー2」

```
Sub メニュー2()
    Dim n As Integer                                                    '①
    Do                                                                  '②
        n = Val(InputBox("1.入力, 2.計算, 3.出力, 9.終了 " & _
            ".....どれにしますか?"))                                    '③
        If n = 1 Then                                                   '④
            MsgBox "入力します（未完成）"                               '⑤
        ElseIf n = 2 Then                                               '⑥
            MsgBox "計算します（未完成）"                               '⑦
        ElseIf n = 3 Then                                               '⑧
            MsgBox "出力します（未完成）"                               '⑨
        ElseIf n = 9 Then                                               '⑩
            MsgBox "終了します"                                         '⑪
        Else                                                            '⑫
            MsgBox "番号が正しくありません"                             '⑬
        End If                                                          '⑭
    Loop Until n = 9                                                    '⑮
End Sub
```

これは，先のマクロ「メニュー1」とまったく同様に動くマクロである。但し，今度は文⑮の条件の書き方が異なっていることに注意せよ。

※マクロ「メニュー2」をVBEで実行し（**→実習1.1**），正しく動作するか確かめよ。

〈ポイント5.10〉　文②～⑮は，キー入力された変数nが9と等しくなるまで文③～⑭を繰り返せ，という意味になる。一般に，**Do … Loop Until**構文の書式は以下のとおりである。

```
Do
    (処理)
Loop Until 条件
```

この構文により，**条件を満たすまで**（処理）の部分が繰り返し実行される。この構文も，（処理）を行った**後に**条件を満たすかどうかの判定が行われるので，<u>（処理）は最低でも一度は必ず実行される。</u>

※WhileとUntilのどちらを用いるかは，プログラマの好みや考え易さによることが多

く，それほど重要ではない。しかし，それらを置く場所をDoの後ろとLoopの後ろのどちらにするかは，動作に大きな違いをもたらすので，慎重に考える必要がある。

※「demo05b.xlsm」を閉じよ（上書き保存は不要）。

■ プログラミング

〈準備5.4〉 Sheet1に図5-13のように入力されたマクロ有効ブック「ex05a（氏名）.xlsm」を開け（無い場合は，新規にExcelを起動し，Sheet1に図5-13のように入力しても良い）。

	A	B	C	D	E
1					
2		7		20	
3		ラッキー		50	
4		ナンバー		10	
5				40	
6				30	
7					

図5-13　準備5.4の入力済みデータ

次に，「開発」タブを確認（ない場合は**準備1.2**）してからVBEを起動せよ（→**準備1.3**）。さらに，変数宣言の強制化を確認（未設定の場合は**準備2.2④**）せよ。

※（新規ファイルの場合）コードウィドウを新規作成せよ（→**準備1.4**）。

【例題5.4】 Sheet1シートにおいて，アクティブセルから下方向を探索し，最初に見つかった空セルの行番号を表示するマクロを作りたい。コードウィンドウに，次のようなマクロ（プログラム）を書いてみよう。

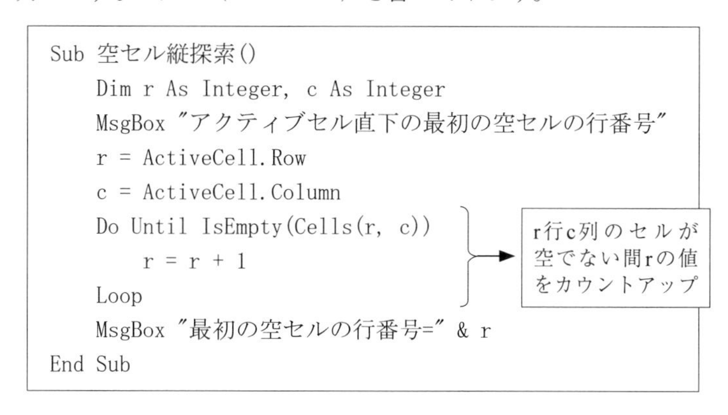

```
Sub 空セル縦探索()
    Dim r As Integer, c As Integer
    MsgBox "アクティブセル直下の最初の空セルの行番号"
    r = ActiveCell.Row
    c = ActiveCell.Column
    Do Until IsEmpty(Cells(r, c))
        r = r + 1
    Loop
    MsgBox "最初の空セルの行番号=" & r
End Sub
```

※入力が終わったら，マクロ「空セル縦探索」をSheet1で実行し（→実習1.2），マクロが目的どおり動作したか確かめよ。アクティブセルを例えばB2, D2, B6などに変更して，動作確認をすると良い。
※このブックファイルをマクロ有効ブック「ex05b（氏名）.xlsm」という名前で保存せよ（→実習1.4）。

【例題5.5】 Sheet1シートにおいて，アクティブセルから下方向を探索し，アクティブセル自身も含めて連続する非空セルの個数を求めるマクロを作りたい。但し，アクティブセルが空セルの場合の個数は0とする。コードウィンドウの最後尾に，次のようなマクロ（プログラム）を書いてみよう。

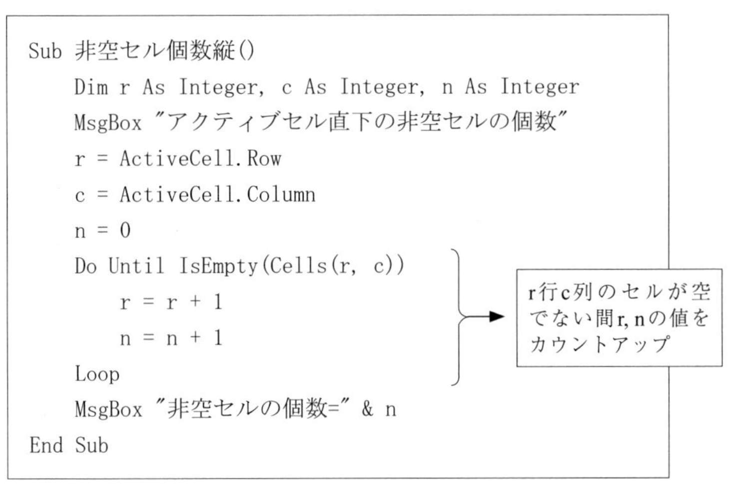

```
Sub 非空セル個数縦()
    Dim r As Integer, c As Integer, n As Integer
    MsgBox "アクティブセル直下の非空セルの個数"
    r = ActiveCell.Row
    c = ActiveCell.Column
    n = 0
    Do Until IsEmpty(Cells(r, c))
        r = r + 1
        n = n + 1
    Loop
    MsgBox "非空セルの個数=" & n
End Sub
```


※「ex05b（氏名）.xlsm」を上書き保存して閉じよ。

演習課題

【課題5.1】 マクロ有効ブック「ex05a（氏名）.xlsm」を開け（→準備1.6）。Sheet1シートにおいて，D2:D6の値の平均値を求めるマクロ「平均」を作成せよ。

《ヒント》 例題5.2のマクロ「合計」をほんの少し修正すればよい。

【課題5.2】 Sheet1シートにおいて，D2:D6の中の最大値を求めるマクロ「最大値」を作成せよ。

《ヒント》 例題5.3のマクロ「最小値」をほんの少し修正すればよい。

※「ex05a（氏名）.xlsm」を上書き保存して閉じよ。

【課題5.3】 マクロ有効ブック「ex05b（氏名）.xlsm」を開け（→準備1.6）。Sheet1シートにおいて，アクティブセルから右方向を探索し，最初に見つかった空セルの列番号を表示するマクロ「空セル横探索」を作成せよ。

《ヒント》 例題5.4のマクロ「空セル縦探索」をほんの少し修正すればよい。

※「ex05b（氏名）.xlsm」を上書き保存して閉じよ。

【課題5.4】 マクロ有効ブック「ex04b（氏名）.xlsm」を開け（→準備1.6）。課題4.6の「プレナベアツ2」を改良して，1から40までの整数を出力ボックスで順番に表示するマクロを作りたい。但し，

- 3の倍数か3の付く数字のときは，「お馬鹿」の叫び声「あへっ。」を追加
- 8の倍数のときは，歓喜の叫び声「あはーん。」を追加
- 上記以外のときは，「!!」を追加

という具合に表示させたい。以下のマクロ「ナベアツコンプリート」の空欄を埋めた上で，それをコードウィンドウの最後尾に作成し，正しく動作するか確かめよ。

```
Sub ナベアツコンプリート()
    Dim i As Integer, sakebi As String
    For i = 1 To 40
        sakebi = ""
        If [                              ] Then
            sakebi = "あへっ。"
        End If
        If [           ] Then
            sakebi = sakebi & "あはーん。"
        End If
        If Len([       ]) = 0 Then
            sakebi = "!!"
        End If
        MsgBox i & sakebi
    Next i
End Sub
```

※「ex04b（氏名）.xlsm」を上書き保存して閉じよ。

6——配列の活用

例えば，何人かの学生のテストの点数を処理することを考えよう。その場合，個々に変数を用意するよりも，**図6-1**のようにデータの容器の集まりに1つの名前を付けて，容器の番号で個々を識別した方がやりやすいことが多い。

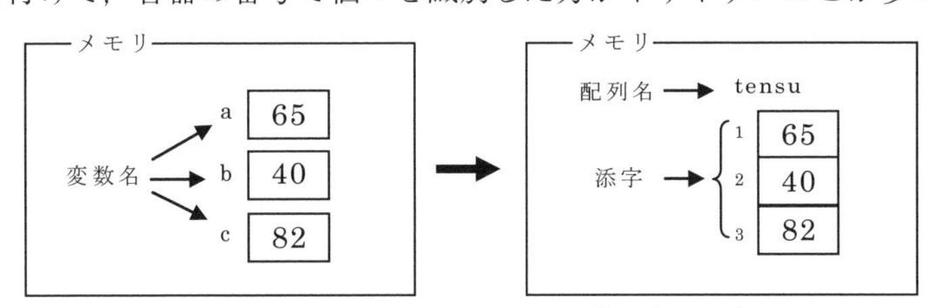

図6-1　変数よりも配列を用いた方が良い場合

このように，同じデータ型の容器を直線的または長方形状に並べたものを**配列**といい，その中の各容器を**配列要素**という。また，配列要素を識別するための番号を**添字**（そえじ）という。この章では，配列の宣言方法と，その活用法について学習する。

6.1　配列の宣言と入出力

■ デモンストレーション

〈準備6.1〉　マクロ有効ブック「demo06.xlsm」をダウンロードしてから開き，「コンテンツの有効化」をクリックして（→**準備1.6**），VBEを起動せよ（→**準備1.3**）。

【デモ6.1】　マクロ「一次元配列」

```
Sub 一次元配列()
    Dim x(3) As Integer, i As Integer    '①
```

```
    x(1) = 2008                    '②
    x(2) = 6                       '③
    x(3) = 10                      '④
    For i = 1 To 3                 '⑤
        MsgBox i & "番目の値は" & x(i)  '⑥
    Next i                         '⑦
End Sub
```

これは，**一次元配列**（データの容器を1列に並べた配列）の入出力の様子を確認するためのものである。

※マクロ「一次元配列」をVBEで実行し（→**実習1.1**），どのような動作をするか確かめよ。

〈ポイント6.1〉　文①にように，一次元配列は変数のときと同様にDim文を用いて次のように宣言する。

Dim 配列名(n) As データ型

但し，nは0以上の整数である。これにより，メモリには**図6-2**のような，すべての容器に同じデータ型のデータが入る配列が作られる。

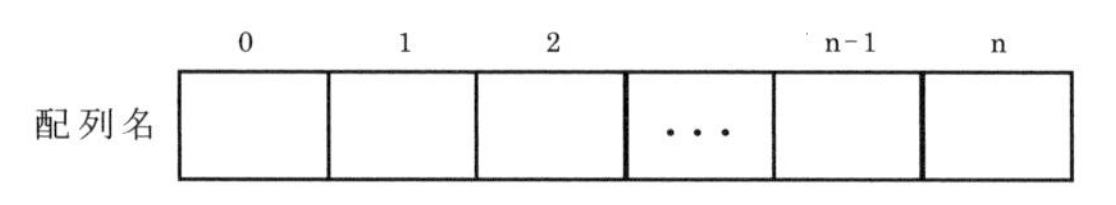

図6-2　一次元配列のイメージ

※一次元配列をイメージするときは，縦・横どちらの方向で考えても構わない。

i番目の配列要素にデータを入出力するときは

配列名(i)

と書き表す。例えば，文②～④の代入文によって，配列xの状態は**図6-3**のようになったとイメージできる。

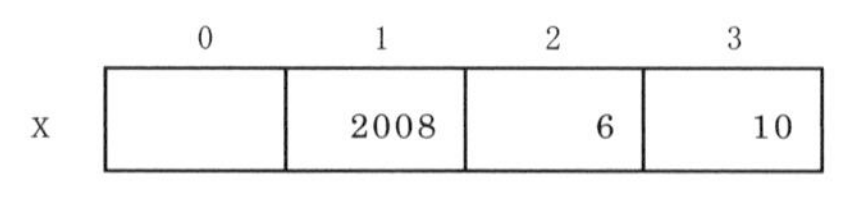

図6-3　デモ6.1の文②～④の実行イメージ

※この場合，x(0)には0が入っていると見なしてよい。一般に，数値データが入る変数や配列要素の初期状態は0が代入されている。しかし，プログラミングの鉄則として，自分で代入していない変数や配列要素には何が入っているかわからないという心構えで，処理を行うべきである。

〈ポイント6.2〉 文⑤〜⑦のFor ... Next構文で，配列xの各配列要素の内容を出力ボックスで表示している。このように，同じ種類の複数のデータに，同じ処理を繰り返したい場合に，配列は大変役に立つのである。

【デモ6.2】 マクロ「二次元配列」

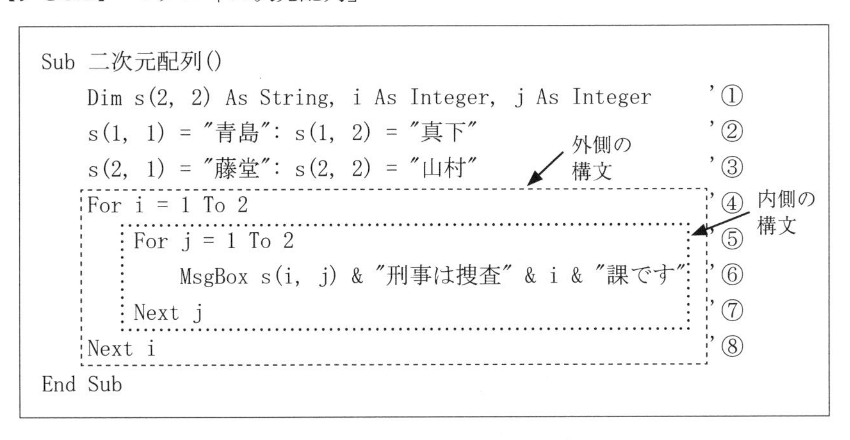

```
Sub 二次元配列()
    Dim s(2, 2) As String, i As Integer, j As Integer     '①
    s(1, 1) = "青島": s(1, 2) = "真下"                     '②
    s(2, 1) = "藤堂": s(2, 2) = "山村"                     '③
    For i = 1 To 2                                         '④
        For j = 1 To 2                                     '⑤
            MsgBox s(i, j) & "刑事は捜査" & i & "課です"   '⑥
        Next j                                             '⑦
    Next i                                                 '⑧
End Sub
```


これは，**二次元配列**（データの容器を長方形状に平面的に並べた配列）の入出力の様子を確認するためのものである。

※マクロ「二次元配列」をVBEで実行し（→**実習1.1**），どのような動作をするか確かめよ。

〈ポイント6.3〉 文①にように，二次元配列はDim文を用いて次のように宣言する。

Dim 配列名(m, n) As データ型

但し，m, nは0以上の整数である。これにより，メモリには**図6-4**のような，すべての容器に同じデータ型のデータが入る配列が作られる。

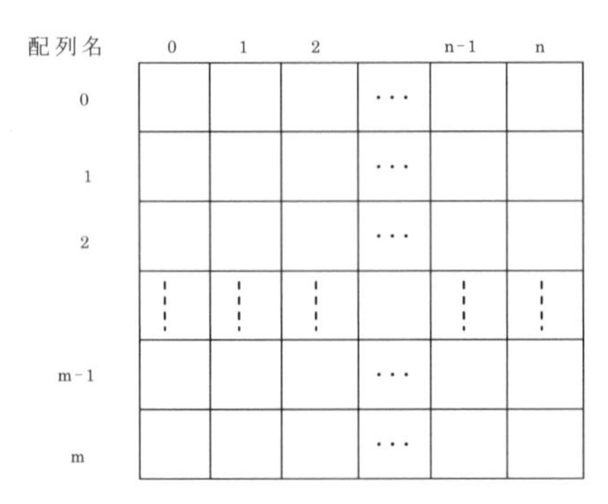

図6-4　二次元配列のイメージ

二次元配列は，ワークシートと同様に，横の並びを**行**，縦の並びを**列**と呼んで考えるとわかりやすい。i行j列の配列要素にデータを入出力するときは

配列名(i, j)

と書き表す。例えば，文②，③の代入文によって，配列sの状態は**図6-5**のようになったとイメージできる。

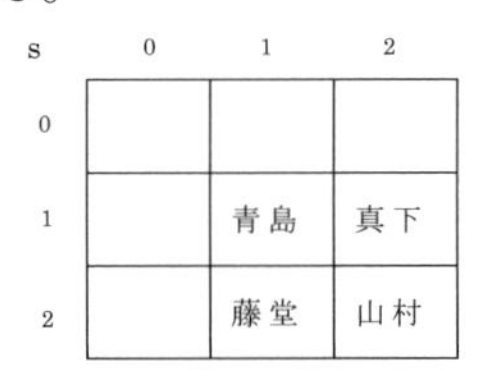

図6-5　デモ6.2の文②, ③の実行イメージ

※この場合，s(0, 0)などの空の配列要素には，空文字""が入っていると見なしてよい。
但し，**ポイント6.1**で述べたプログラミングの鉄則を，ここでも意識すべきである。

〈ポイント6.4〉　文④～⑧のように，二次元配列の各要素に同じ処理を行うときは，For … Next構文の**入れ子構造**（ネスティング）を用いると良い。例えば，二次元配列sに対して

```
For i = 1 To m
    For j = 1 to n
        s(i, j)の処理
    Next j
Next i
```

とプログラミングすると，次のような順番で処理が行われる。

s(1, 1)の処理 → s(1, 2)の処理 → ··· → s(1, n)の処理
→ s(2, 1)の処理 → s(2, 2)の処理 → ··· → s(2, n)の処理
⋮
→ s(m, 1)の処理 → s(m, 2)の処理 → ··· → s(m, n)の処理

※「demo06.xlsm」を閉じよ（上書き保存は不要）。

■ プログラミング

〈準備6.2〉 Excelを起動し（**→準備1.1**），「開発」タブを確認（ない場合は**準備1.2**）してからVBEを起動せよ（**→準備1.3**）。次に，変数宣言の強制化を確認（未設定の場合は**準備2.2④**）してから，コードウィドウを新規作成せよ（**→準備1.4**）。

【例題6.1】 一次元配列factに，**図6-6**のような階乗を格納したい。

	0	1	2		10
fact	0!	1!	2!	----	10!

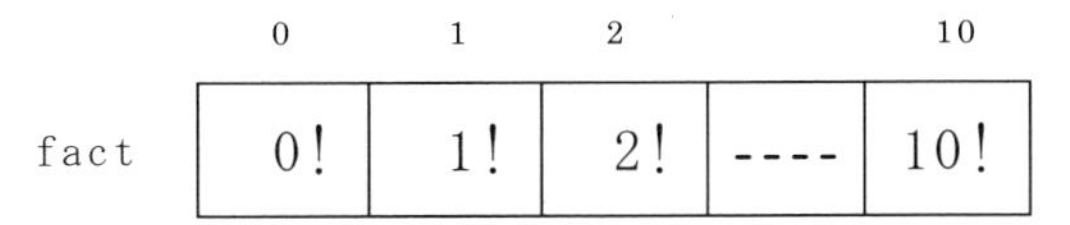

図6-6　階乗の値を一次元配列へ格納

ところで，0以上の整数nに対する階乗$n!$は次のように定義できる。

$$n! = \begin{cases} 1 & (n = 0) \\ n \times (n-1)! & (n \geq 1) \end{cases}$$

このことを用いて，まずfactの各配列要素に階乗の値を代入し，次に入力ボックスでnの値を**図6-7**のように設定する。

Microsoft Excel
n=
OK
キャンセル
6

図6-7　例題6.1の入力

そして，配列factを用いて図6-8のように表示させたい。コードウィンドウに，次のようなマクロ（プログラム）を書いてみよう。

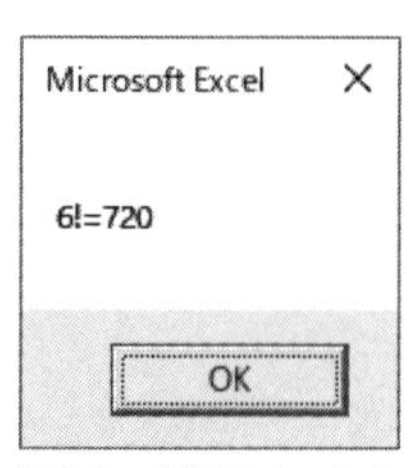

図6-8　例題6.1の出力

```
Sub 階乗一覧()
    Dim fact(10) As Long, n As Integer
    fact(0) = 1
    For n = 1 To 10
        fact(n) = n * fact(n - 1)
    Next n
    n = Val(InputBox("n="))
    MsgBox n & "!=" & fact(n)
End Sub
```

※入力が終わったらマクロ「階乗一覧」をVBEで実行し（→**実習1.1**），正しく計算されるか確かめよ。

※このブックファイルをマクロ有効ブック「ex06（氏名）.xlsm」という名前で保存せよ（→**実習1.4**）。

【例題6.2】　二次元配列combに，図6-9のような組合せ数を格納したい。

comb	0	1	2		10
0	${}_0C_0$	${}_0C_1$	${}_0C_2$	・・・	${}_0C_{10}$
1	${}_1C_0$	${}_1C_1$	${}_1C_2$	・・・	${}_1C_{10}$
2	${}_2C_0$	${}_2C_1$	${}_2C_2$	・・・	${}_2C_{10}$
	⋮	⋮	⋮		⋮
10	${}_{10}C_0$	${}_{10}C_1$	${}_{10}C_2$	・・・	${}_{10}C_{10}$

図6-9　組合せ数を二次元配列へ格納

ところで，0以上の整数n, kに対する組合せ数${}_nC_k$は次のように定義できる。

$$
{}_nC_k = \begin{cases} 0 & (n < k) \\ 1 & (n \geq k = 0) \\ {}_{n-1}C_k + {}_{n-1}C_{k-1} & (n \geq k \geq 1) \end{cases}
$$

このことを用いて，まずcombの各配列要素に組合せ数の値を代入し，次に入力ボックスでnとkの値をそれぞれ図6-10(a), (b)のように指定する。

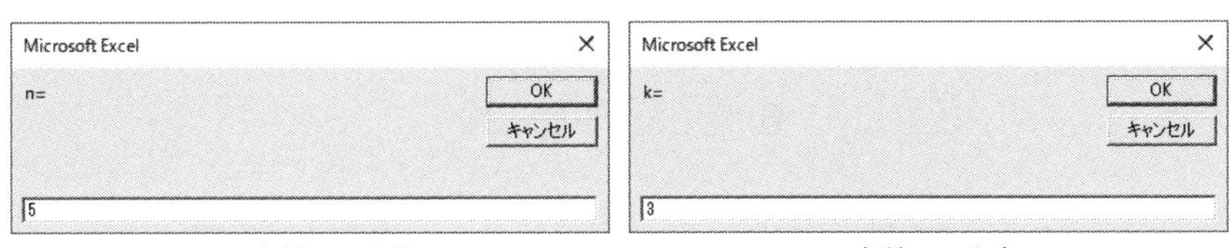

(a) 変数nの入力　(b) 変数kの入力

図6-10　例題6.2の入力

そして，配列combを用いて図6-11のように表示させるようにしたい。コードウィンドウの最後尾に，次のようなマクロ（プログラム）を書いてみよう。

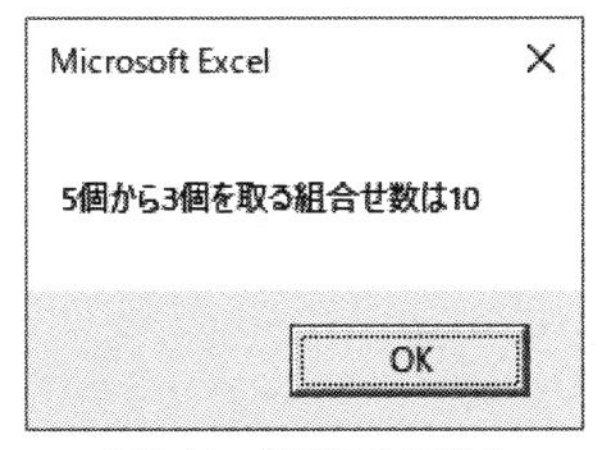

図6-11　例題6.2の出力

```
Sub 組合せ数一覧()
    Dim comb(10, 10) As Long, n As Integer, k As Integer
    For n = 0 To 10
        For k = 0 To 10
            If n < k Then
                comb(n, k) = 0
            ElseIf k = 0 Then
                comb(n, k) = 1
            Else
                comb(n, k) = comb(n - 1, k) + comb(n - 1, k - 1)
            End If
        Next k
```

```
    Next n
    n = Val(InputBox("n="))
    k = Val(InputBox("k="))
    MsgBox n & "個から" & k & "個を取る組合せ数は" & comb(n, k)
End Sub
```

※入力が終わったらマクロ「組合せ数一覧」をVBEで実行し（→**実習1.1**），正しく計算されるか確かめよ。

6.2　配列の応用

配列は，見かけの上では，ワークシート上の（長方形状の）セル範囲に良く似ている（図6-12）。

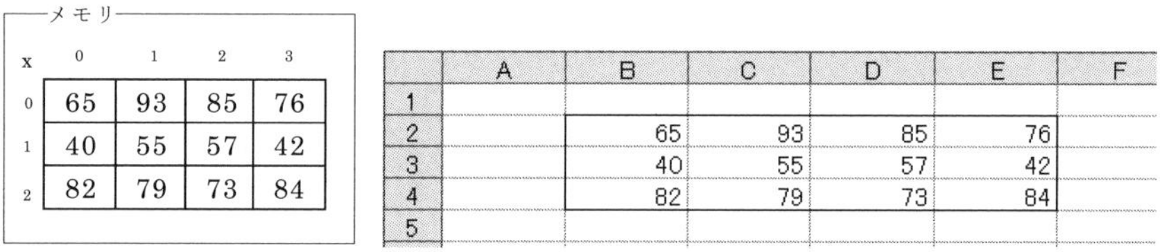

メモリ

x	0	1	2	3
0	65	93	85	76
1	40	55	57	42
2	82	79	73	84

(a)（二次元）配列x

	A	B	C	D	E	F
1						
2		65	93	85	76	
3		40	55	57	42	
4		82	79	73	84	
5						

(b) セル範囲B2:E4

図6-12　配列とセル範囲

配列とセル範囲には，それぞれ次のような長所，短所がある。

表6-1　配列とセル範囲の比較

データ格納方法	長　所	短　所
配　列	データが多い場合，セルに直接アクセスするよりも高速である。	同じ種類のデータしか格納できない。
セル範囲	いろいろな種類のデータを格納できる。	セル範囲が広い場合，配列で処理するよりも速度が遅くなる。

よって，場合に応じて両者をうまく使い分ける必要がある。特に，ワークシート上にある同じ種類の大量のデータを処理する場合は，それらをメモリ内の配列に読み込んでから処理をした方が効率的である。

〈準備6.3〉 Sheet1シートに**図6-13**のようなデータを直接入力せよ。

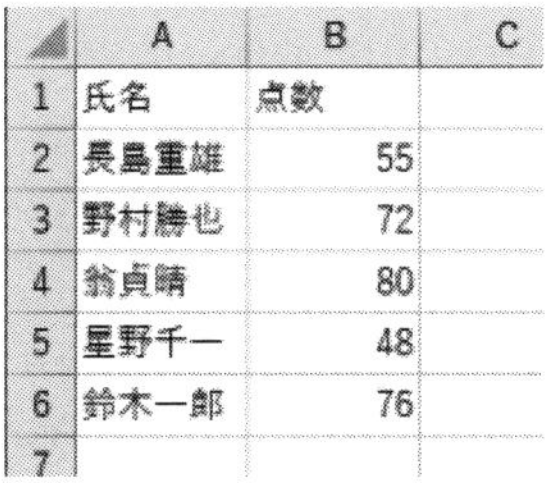

	A	B	C
1	氏名	点数	
2	長島重雄	55	
3	野村勝也	72	
4	翁貞晴	80	
5	星野千一	48	
6	鈴木一郎	76	
7			

図6-13　準備6.3の入力

【例題6.3】 **図6-14**のように，範囲指定ボックスで（マウスを用いて）見出し以外のデータ範囲を指定する。

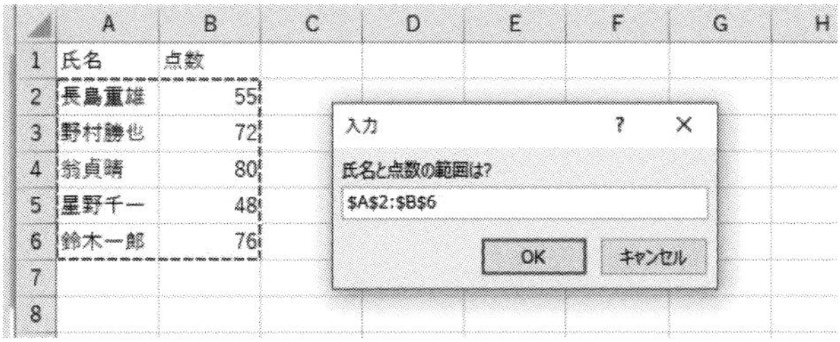

	A	B	C	D	E	F	G	H
1	氏名	点数						
2	長島重雄	55						
3	野村勝也	72						
4	翁貞晴	80						
5	星野千一	48						
6	鈴木一郎	76						
7								
8								

入力　?　×
氏名と点数の範囲は?
$A$2:$B$6
OK　キャンセル

図6-14　例題6.3の入力（範囲指定）

すると，**図6-15**のように各学生の成績を確認する出力ボックスが表示されるようにしたい。

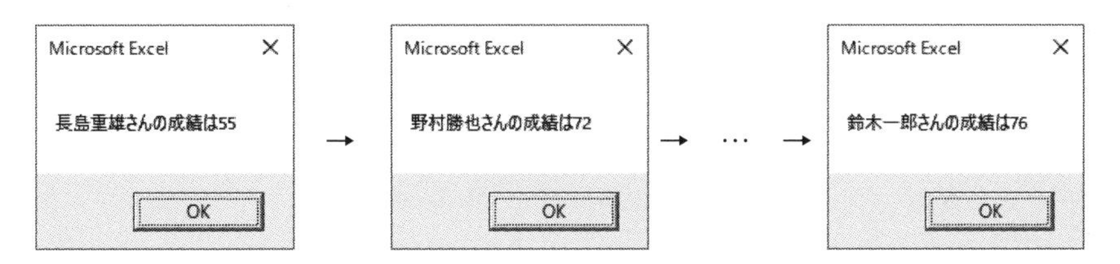

図6-15　例題6.3の出力

コードウィンドウの最後尾に，次のようなマクロ（プログラム）を書いてみよう。

```
Sub 成績確認()
    Dim s() As String, x() As Double                      '①
    Dim rng As Range, n As Integer, i As Integer          '②
    Set rng = Application.InputBox(prompt:= _
        "氏名と点数の範囲は?", Type:=8)                     '③
    n = rng.Rows.Count                                    '④
    ReDim s(n), x(n)                                      '⑤
    For i = 1 To n                                        '⑥
        s(i) = rng.Cells(i, 1).Value                      '⑦
        x(i) = rng.Cells(i, 2).Value                      '⑧
    Next i                                                '⑨
    For i = 1 To n                                        '⑩
        MsgBox s(i) & "さんの成績は" & x(i)                 '⑪
    Next i                                                '⑫
End Sub
```

※マクロ「成績確認」をSheet1で実行し（→**実習1.2**），正しく動作するか確かめよ。

〈ポイント6.5〉 このマクロはやや複雑なので，まず大まかに全体像を把握しよう。文①で，学生の氏名を格納するためのString型配列sと，点数を格納するためのDouble型配列xを宣言する。サイズ指定がない点は，**ポイント6.7**で説明する。文⑥～⑨のFor … Next構文で，ワークシート内の氏名と点数のデータを配列s, xにそれぞれ格納している。文⑩～⑫のFor … Next構文で，配列に格納した氏名と点数のデータを一人ずつ出力ボックスで表示している。

〈ポイント6.6〉 文③のApplication.InputBox関数は，これまでの単なるInputBox関数と異なり，セル範囲などの多様な情報を戻り値として返す関数である。マウスのドラッグ（または手入力）で指定したセル範囲（Range型）を返すための基本的な書式は次のとおりである。

```
Application.InputBox(prompt:=プロンプト, Type:=8)
```

ここで，プロンプトはユーザに入力を促進する文字列であった（→**ポイント2.5**）。

〈ポイント6.7〉 文①で，s, xという名の配列を宣言しているが，そのサイズを指定していない。その代わり，文④でInteger型変数nの値（＝学生の人数）が確定した後，文⑤でs, xのサイズをn（よって実際の容器の個数はそれぞれn+1個）と確定している。このように，ReDim文を用いると，未確定だった配列のサイズをマクロの実行途中で確定することができる。このように，マクロの実行途中でReDim文を用いてサイズを決定する配列を**動的配列**という。動的配列は，まずDim文で

```
Dim 配列名() As データ型
```

とデータ型だけ指定し，サイズ（例えばn）が確定してから

```
ReDim 配列名(n)
```

と指定することができる。動的な二次元配列の場合も，

```
Dim 配列名() As データ型
```

の後で，サイズ（例えばm, n）を確定してから

```
ReDim 配列名(m, n)
```

と指定すればよい。

【例題6.4】 例題6.3と同様に，範囲指定ボックスで（マウスを用いて）見出し以外のデータ範囲を指定し（→図6-14），次に点数を照会したい学生の名前を入力すると，その学生の成績が表示されるようにしたい（図6-16）。

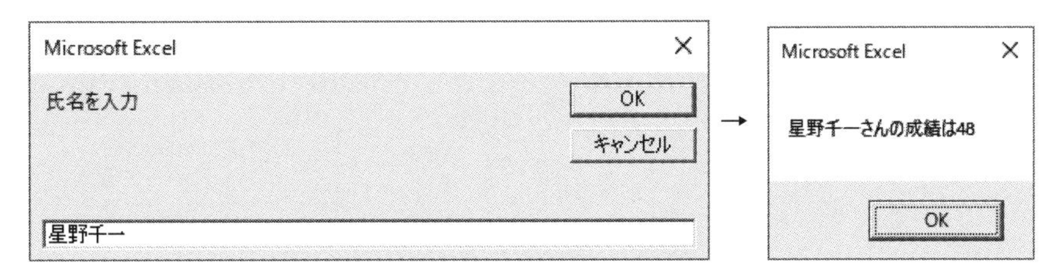

図6-16　例題6.4の実行（存在する学生）

但し，存在しない学生の名前を入力すると，その旨を警告するメッセージを表示したい（図6-17）。

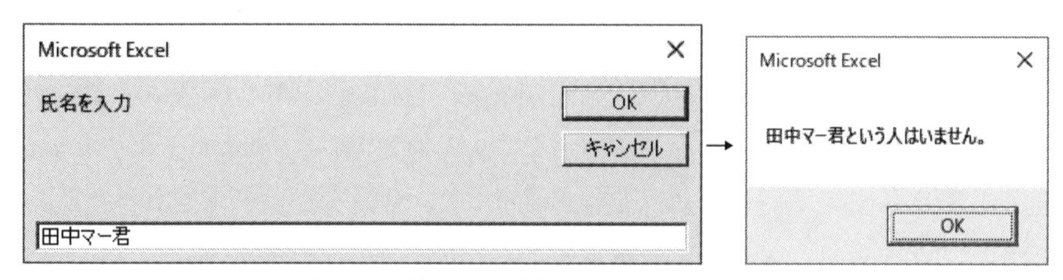

図6-17　例題6.4の実行（存在しない学生）

コードウィンドウの最後尾に，次のようなマクロ（プログラム）を書いてみよう。（※マクロ「成績確認」を丸々コピーして，必要な個所を加筆修正しても良い。）

```
Sub 成績照会()
    Dim s() As String, x() As Double
    Dim rng As Range, n As Integer, i As Integer
    Dim namae As String
    Set rng = Application.InputBox(prompt:= _
        "氏名と点数の範囲は?", Type:=8)
    n = rng.Rows.Count
    ReDim s(n), x(n)
    For i = 1 To n
        s(i) = rng.Cells(i, 1).Value
        x(i) = rng.Cells(i, 2).Value
    Next i
    namae = InputBox("氏名を入力")
    For i = 1 To n
        If s(i) = namae Then
            MsgBox s(i) & "さんの成績は" & x(i)
            Exit Sub
        End If
    Next i
    MsgBox namae & "という人はいません。"
End Sub
```

（For i = 1 To n ～ Next i：キー入力されたnamaeと同じ氏名の人を探す）

〈ポイント6.8〉　下線部のExit Sub文はマクロを途中で強制終了させるためのものである。このマクロでは，String型変数namaeにキー入力した名前と一致する学生がいれば，その人の成績を出力して，すぐに動作を終了させたい。逆に，このExit Sub文がなければ，成績出力後やらなくてもよい残りの検索をやった上に，最後に「…という人はいません。」という誤った出力をしてしまう。

【例題6.5】 例題6.3と同様に，範囲指定ボックスで（マウスを用いて）見出し以外のデータ範囲を指定（→図6-14）すると，平均点を図6-18のように表示する。

図6-18　例題6.5の出力（平均点の表示）

さらに，平均点以上の学生を図6-19のように表示したい。

図6-19　例題6.5の出力（平均点以上の人の表示）

コードウィンドウの最後尾に，次のようなマクロ（プログラム）を書いてみよう。（※マクロ「成績確認」を丸々コピーして，必要な個所を加筆修正しても良い。）

```
Sub 平均点以上()
    Dim s() As String, x() As Double
    Dim rng As Range, n As Integer, i As Integer
    Dim sum As Double
    Set rng = Application.InputBox(prompt:= _
        "氏名と点数の範囲は?", Type:=8)
```

```
    n = rng.Rows.Count
    ReDim s(n), x(n)
    sum = 0
    For i = 1 To n
        s(i) = rng.Cells(i, 1).Value
        x(i) = rng.Cells(i, 2).Value
        sum = sum + x(i)
    Next i
    MsgBox "平均点=" & sum / n
    For i = 1 To n                              ┐
        If x(i) >= sum / n Then                 │
            MsgBox s(i) & "さん, 平均点以上!"   ├→ 平均点以上の人を列挙する
        End If                                  │
    Next i                                      ┘
End Sub
```

【例題6.6】 試験に出題ミスが見つかったので，全員に一律加点することになった。**例題6.3**と同様に，範囲指定ボックスで（マウスを用いて）見出し以外のデータ範囲を指定（→**図6-4**）した後，加点したい点数を**図6-20**のように入力する。

図6-20　例題6.6の入力

すると，各学生の点数が**図6-21**のように変更されるようにしたい。

	A	B	C
1	氏名	点数	
2	長島重雄	55	
3	野村勝也	72	
4	翁貞晴	80	
5	星野千一	48	
6	鈴木一郎	76	
7			

→

	A	B	C
1	氏名	点数	
2	長島重雄	60	
3	野村勝也	77	
4	翁貞晴	85	
5	星野千一	53	
6	鈴木一郎	81	
7			

図6-21　例題6.6の実行

コードウィンドウの最後尾に，次のようなマクロ（プログラム）を書いてみよう。（※マクロ「成績確認」を丸々コピーして，必要な個所を加筆修正しても良い。）

```
Sub 一律加点()
    Dim s() As String, x() As Double
    Dim rng As Range, n As Integer, i As Integer
    Dim katen As Double
    Set rng = Application.InputBox(prompt:= _
        "氏名と点数の範囲は?", Type:=8)
    n = rng.Rows.Count
    ReDim s(n), x(n)
    For i = 1 To n
        s(i) = rng.Cells(i, 1).Value
        x(i) = rng.Cells(i, 2).Value
    Next i
    katen = Val(InputBox("加点する点数は?"))
    For i = 1 To n
        rng.Cells(i, 2).Value = x(i) + katen
    Next i
End Sub
```

（最後のFor～Next iの部分について）キー入力したkatenを各点数に加点する

※再びマクロ「一律加点」を実行して，全員に-5点を加点（つまり5点減点）して，元の点数に戻せ。

演習課題

【課題6.1】 フィボナッチ数とは，自然界における様々な現象が当てはまるといわれる不思議な数列である。n番目（$n \geq 0$）のフィボナッチ数をF_nとすれば，その定義は次の通りである。

$$F_n = \begin{cases} 0 & (n = 0) \\ 1 & (n = 1) \\ F_{n-1} + F_{n-2} & (n \geq 2) \end{cases}$$

例題6.1と同様に，0～20番目のフィボナッチ数を格納する配列fiboを用意し，例えば**図6-22**のように入力する。

図6-22　課題6.1の入力

すると，**図6-23**のように表示できるようにしたい。

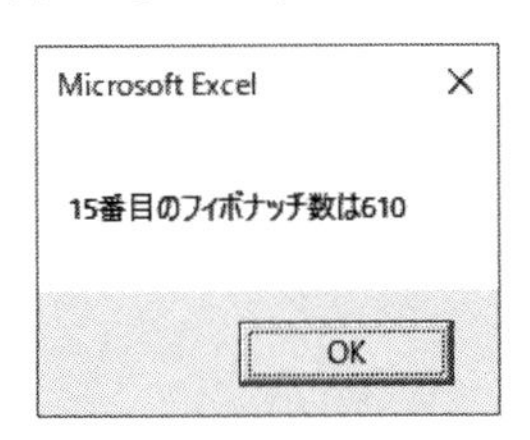

図6-23　課題6.1の出力

空欄を埋めて，次のマクロを完成させよ。

```
Sub フィボナッチ数一覧()
    Dim fibo(20) As Long, n As Integer
    fibo(0) = 0
```

```
    fibo(1) = 1
    For n = 2 To 20
        fibo(n) = [          ]
    Next n
    n = Val(InputBox("何番目?"))
    MsgBox n & "番目のフィボナッチ数は" & fibo(n)
End Sub
```

※その他の数値例として，$F_5 = 5, F_{10} = 55, F_{20} = 6765$である。

【課題6.2】 **例題6.5**を修正して，範囲指定ボックスで（マウスを用いて）見出し以外のデータ範囲を指定（→**図6-14**）すると，平均点と，平均点以上の学生の人数を，それぞれ**図6-24(a), (b)**のように表示したい。

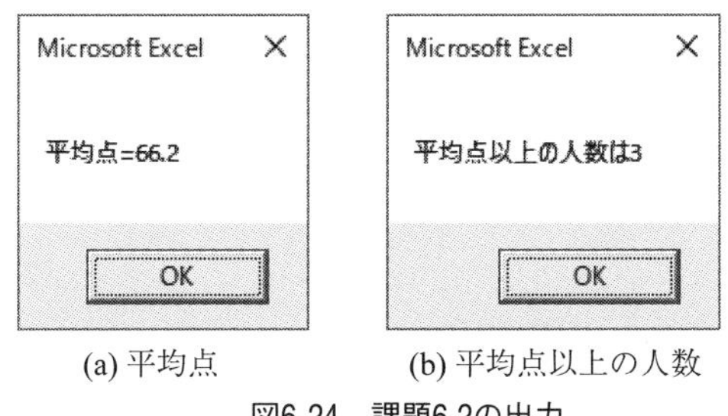

(a) 平均点　　(b) 平均点以上の人数

図6-24　課題6.2の出力

そのためのマクロ「平均点以上人数」を作成せよ。（※マクロ「平均点以上」を丸々コピーして，必要な個所を加筆修正しても良い。）

《ヒント》 平均点以上の人数をカウントするためのInteger型変数（例えばk）を用意し，2つ目のFor … Next構文の直前にk = 0と初期化する。平均点以上の学生が見つかったときだけ，k = k + 1とカウントアップすればよい。

【課題6.3】 （やや難）各学生の点数データを，偏差（=点数 - 平均点）で置き換えたい（※「偏差値」とは異なるので注意！）。**例題6.6**を修正して，範囲指定ボックスで（マウスを用いて）見出し以外のデータ範囲を指定（→**図6-14**）すると，各学生の点数が**図6-25**のように偏差に置き換わるようにしたい。

	A	B	C
1	氏名	点数	
2	長島重雄	55	
3	野村勝也	72	
4	翁貞晴	80	
5	星野千一	48	
6	鈴木一郎	76	
7			

→

	A	B	C
1	氏名	点数	
2	長島重雄	-11.2	
3	野村勝也	5.8	
4	翁貞晴	13.8	
5	星野千一	-18.2	
6	鈴木一郎	9.8	
7			

図6-25　課題6.3の実行

そのためのマクロ「偏差計算」を作成せよ。(※マクロ「一律加点」を丸々コピーして，必要な個所を加筆修正しても良い。)

《ヒント》 平均点を計算する必要があるので，**例題6.5**のマクロ「平均点以上」を参考にすること。

7——ユーザ定義型(構造体)の活用

これまでに我々は,

Integer型, Long型, Double型, String型,
Boolean型, Range型, Object型, …

などの,様々なデータ型を学んできた。これらはVBAであらかじめ用意されたデータ型である。ところが,実はこのようなデータ型をユーザ自身が自由に定義することができるのである。例えば,氏名と点数を格納するための**図7-1**のような形の容器を設計し,それに「Kojin型」という名前を付けることができる。

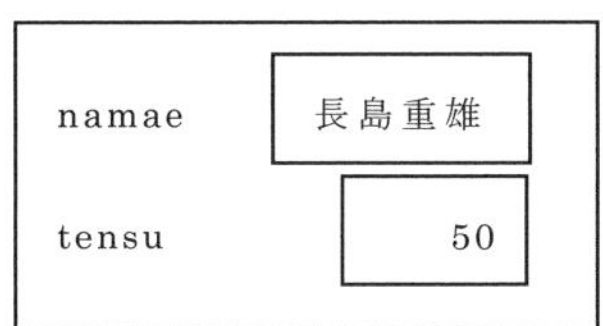

図7-1 ユーザ定義型の例

このようなデータ型を**ユーザ定義型**という[3]。また,この例でのnamaeやtensuはKojin型を構成する既存のデータ型の変数であり,(C言語の用語を流用して)**メンバ**という(配列や他のユーザ定義型がメンバになっても良い)。

この章では,ユーザ定義型の定義の仕方と,それを活用するメリットについて学習する。

7.1 ユーザ定義型の宣言と入出力

■ デモンストレーション

〈準備7.1〉 マクロ有効ブック「demo07.xlsm」をダウンロードしてから開き,

3———— C言語やそれに近いプログラミング言語では**構造体**と呼ぶことがある。

「コンテンツの有効化」をクリックして（→**準備1.6**），VBEを起動せよ（→**準備1.3**）。

【デモ7.1】 マクロ「構造体テスト」

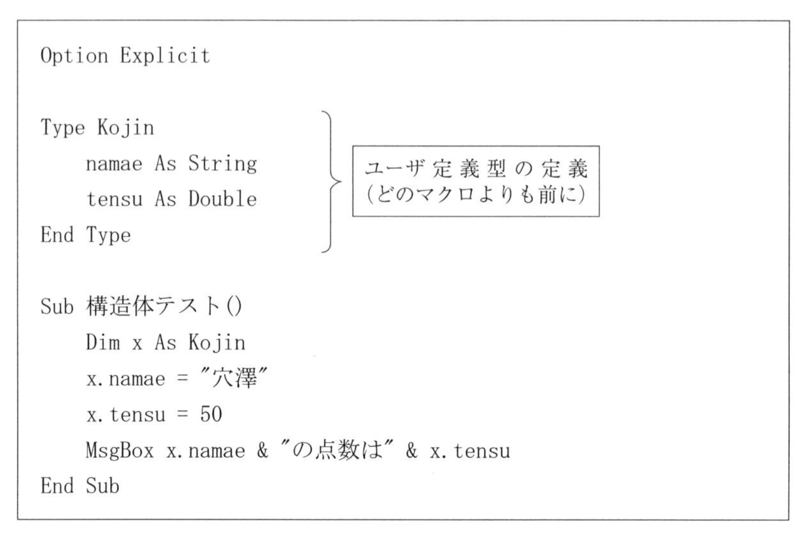

```
Option Explicit

Type Kojin
    namae As String
    tensu As Double
End Type

Sub 構造体テスト()
    Dim x As Kojin
    x.namae = "穴澤"
    x.tensu = 50
    MsgBox x.namae & "の点数は" & x.tensu
End Sub
```


このマクロは，先に例示したユーザ定義型Kojinを定義し，Kojin型変数に1人分の氏名と点数を入力して，最後にその内容を**図7-2**の出力ボックスで表示するように作られている。

図7.2　デモ7.1の出力

※マクロ「構造体テスト」をVBEで実行し（→**実習1.1**），正しく動作するか確かめよ。

〈ポイント7.1〉 ユーザ定義型は，次のような書式で，コードウィンドウ内のどのマクロよりも前に定義する。

```
Type 型名
    メンバ名1 As データ型1
    メンバ名2 As データ型2
        ⋮
End Type
```

マクロ内でユーザ定義型の変数を宣言するには，これまでの変数宣言と同様に

```
Dim 変数名 As 型名
```

とすればよい。ユーザ定義型の変数にデータを読み書きするときは

```
変数名.メンバ名
```

とする。この形式は，オブジェクトのプロパティ（属性を表す変数）に読み書きするときの形式「オブジェクト.プロパティ」に良く似ている（→ポイント3.10）。

【デモ7.2】 マクロ「構造体配列」

```
Sub 構造体配列()
    Dim x(3) As Kojin, i As Integer
    x(1).namae = "穴澤"
    x(1).tensu = 50
    x(2).namae = "鈴木"
    x(2).tensu = 65
    x(3).namae = "渡辺"
    x(3).tensu = 55
    For i = 1 To 3
        MsgBox x(i).namae & "の点数は" & x(i).tensu
    Next i
End Sub
```

このマクロは，次のような3つの要素からなるKojin型配列xを宣言し，そこにデータを図7-3のように代入する。

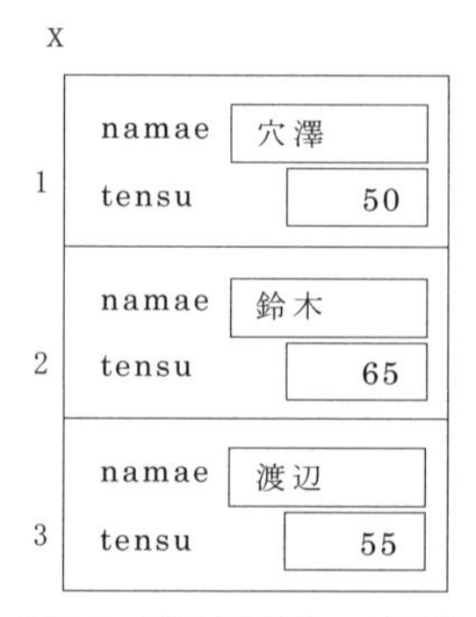

図7-3　構造体配列への格納

さらにそれらの内容を**図7-4**のように連続して表示するように作られている。

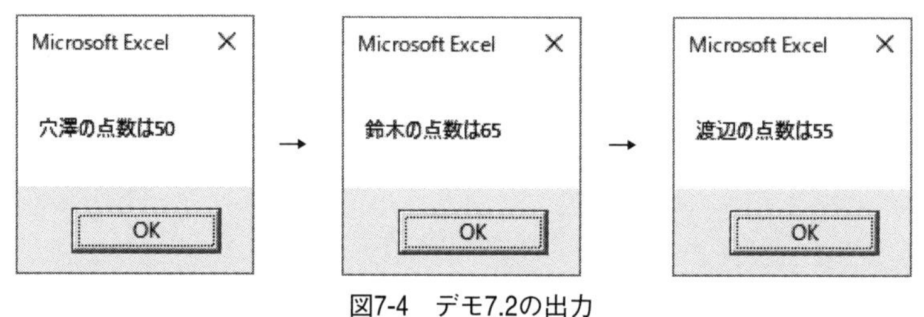

図7-4　デモ7.2の出力

※マクロ「構造体配列」をVBEで実行し（**→実習1.1**），正しく動作するか確かめよ。

〈ポイント7.2〉　配列の各要素がユーザ定義型である配列も，これまでの配列と同様に，次のような書式で宣言する（nは0以上の整数）。

Dim 配列名(n) As 型名

第i要素にデータを読み書きするときは，次のように書く。

配列名(i).メンバ名

※「demo07.xlsm」を閉じよ（上書き保存は不要）。

■ プログラミング

〈準備7.2〉　Excelを起動し（**→準備1.1**），Sheet1シートに**図7-5**のようなデータを入力せよ。

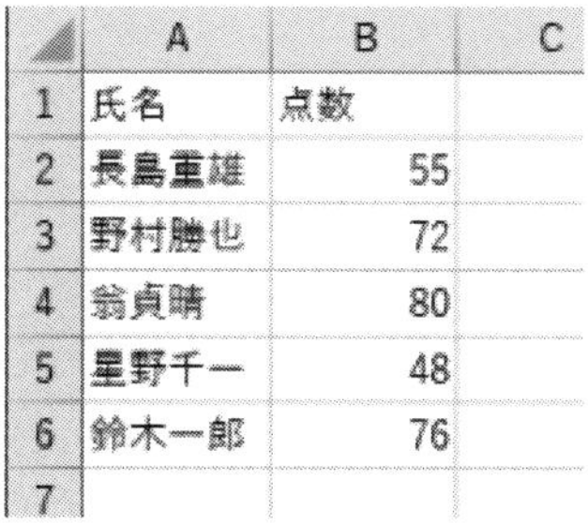

	A	B	C
1	氏名	点数	
2	長島重雄	55	
3	野村勝也	72	
4	翁貞晴	80	
5	星野千一	48	
6	鈴木一郎	76	
7			

図7-5　準備7.2の入力

次に，「開発」タブを確認（ない場合は**準備1.2**）してからVBEを起動せよ（→**準備1.3**）。さらに，変数宣言の強制化を確認（未設定の場合は**準備2.2**④）してから，コードウィドウを新規作成せよ（→**準備1.4**）。

【例題7.1】 **図7-6**のように，範囲指定ボックスで（マウスを用いて）見出し以外のデータ範囲を指定する。

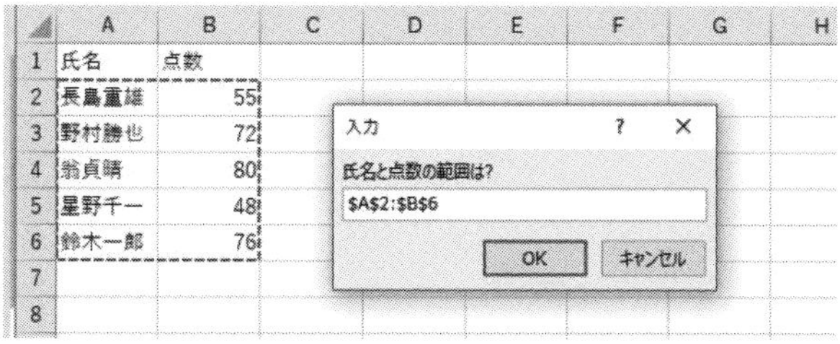

	A	B	C	D	E	F	G	H
1	氏名	点数						
2	長島重雄	55						
3	野村勝也	72						
4	翁貞晴	80						
5	星野千一	48						
6	鈴木一郎	76						
7								
8								

入力　?　×
氏名と点数の範囲は?
$A$2:$B$6
OK　キャンセル

図7-6　例題7.1の入力（範囲指定）

すると，**図7-7**のように各学生の成績を確認する出力ボックスが表示されるようにしたい。

図7-7　例題7.1の出力

コードウィンドウの最後尾に，次のようなマクロ（プログラム）を書いてみよう。

```
Option Explicit

Type Kojin
    namae As String
    tensu As Double
End Type

Sub 成績確認2()
    Dim x() As Kojin
    Dim rng As Range, n As Integer, i As Integer
    Set rng = Application.InputBox(prompt:= _
        "氏名と点数の範囲は?", Type:=8)
    n = rng.Rows.Count
    ReDim x(n)
    For i = 1 To n
        x(i).namae = rng.Cells(i, 1).Value
        x(i).tensu = rng.Cells(i, 2).Value
    Next i
    For i = 1 To n
        MsgBox x(i).namae & "さんの成績は" & x(i).tensu
    Next i
End Sub
```


※マクロ「成績確認2」をSheet1で実行し（→**実習1.2**），正しく動作するか確かめよ。なお，このマクロは，**例題6.3**のマクロ「成績確認」と全く同様に動作する。

※このブックファイルをマクロ有効ブック「ex07（氏名）.xlsm」という名前で保存せよ（→**実習1.4**）。

7.2　ユーザ定義型の応用

【例題7.2】　例題7.1と同様に，範囲指定ボックスで（マウスを用いて）見出し以外のデータ範囲を指定（→**図7-6**）すると，今度は各データを点数の高い順（降順）に，**図7-8**のように表示させたい。

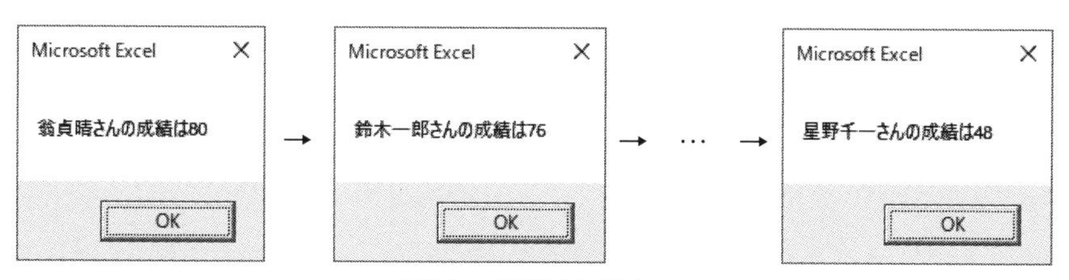

図7-8　例題7.2の出力

そのためのマクロを，コードウィンドウの最後尾に，次のように書いてみよう。（※マクロ「成績確認2」を丸々コピーして，必要な部分（下線部，点線内）を追加・修正しても良い。）

```
Sub 降順で表示()
    Dim x() As Kojin
    Dim rng As Range, n As Integer, i As Integer
    Dim s As Kojin, j As Integer, m As Integer
    Set rng = Application.InputBox(prompt:= _
        "氏名と点数の範囲は?", Type:=8)
    n = rng.Rows.Count
    ReDim x(n)
    For i = 1 To n
        x(i).namae = rng.Cells(i, 1).Value
        x(i).tensu = rng.Cells(i, 2).Value
    Next i
    For i = 1 To n - 1
        m = i
        For j = i + 1 To n
            If x(m).tensu < x(j).tensu Then
```

```
                m = j
            End If
        Next j
        s = x(i): x(i) = x(m): x(m) = s
    Next i
    For i = 1 To n
        MsgBox x(i).namae & "さんの成績は" & x(i).tensu
    Next i
End Sub
```

※マクロ「降順で表示」をSheet1で実行し（→**実習1.2**），正しく動作するか確かめよ。

〈ポイント7.3〉　マクロ「降順で表示」の点線内が，降順の**ソート**（並べ替え）を行う部分である。ここでは，**選択ソート**という最も原始的かつわかりやすいアルゴリズムを採用している。そのアイデアは次のとおりである。

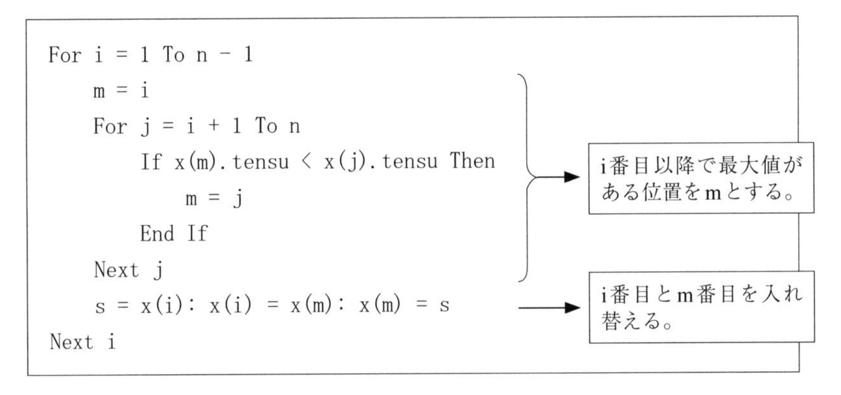

```
For i = 1 To n - 1
    m = i
    For j = i + 1 To n
        If x(m).tensu < x(j).tensu Then
            m = j
        End If
    Next j
    s = x(i): x(i) = x(m): x(m) = s
Next i
```


ソートのアルゴリズムについては第12章で検討する。さて，ここでi番目とm番目を入れ替える手順がたった3文（1行）で表現できることが，ユーザ定義型を用いる大きなメリットである。つまり，メンバごとの入れ替え，すなわち

```
s.namae = x(i).namae: s.tensu = x(i).tensu
x(i).namae = x(m).namae: x(i).tensu = x(m).tensu
x(m).namae = s.namae: x(m).tensu = s.tensu
```

という6文を書かなくても，メンバのかたまり（構造体）の単位で

```
s = x(i): x(i) = x(m): x(m) = s
```

と入れ替えができることが，プログラムの簡略化とわかりやすさにつながっている。

【例題7.3】 例題7.1と同様に，範囲指定ボックスで（マウスを用いて）見出し以外のデータ範囲を指定（→図7-6）し，さらに出力先の先頭セルを図7-9のように指定する。

	A	B	C	D	E	F	G
1	氏名	点数					
2	長島重雄	55					
3	野村勝也	72					
4	翁貞晴	80					
5	星野千一	48					
6	鈴木一郎	76					
7							
8							
9							

入力
出力先の先頭セルは?
$D$2
OK　キャンセル

図7-9　例題7.3の入力（出力先指定）

すると，そこから各データを点数の高い順（降順）に，図7-10のように出力したい。

	A	B	C	D	E	F
1	氏名	点数				
2	長島重雄	55		翁貞晴	80	
3	野村勝也	72		鈴木一郎	76	
4	翁貞晴	80		野村勝也	72	
5	星野千一	48		長島重雄	55	
6	鈴木一郎	76		星野千一	48	
7						

図7-10　例題7.3の出力

そのためのマクロを，コードウィンドウの最後尾に，次のように書いてみよう。（※マクロ「降順で表示」を丸々コピーして，必要な部分（下線部，点線内）を追加・修正しても良い。）

```
Sub 降順で出力()
    Dim x() As Kojin
    Dim rng As Range, n As Integer, i As Integer
    Dim s As Kojin, j As Integer, m As Integer
    Dim saki As Range
    Set rng = Application.InputBox(prompt:= _
        "氏名と点数の範囲は?", Type:=8)
    Set saki = Application.InputBox(prompt:= _
        "出力先の先頭セルは?", Type:=8)
    n = rng.Rows.Count
    ReDim x(n)
    For i = 1 To n
        x(i).namae = rng.Cells(i, 1).Value
        x(i).tensu = rng.Cells(i, 2).Value
    Next i
    For i = 1 To n - 1
        m = i
        For j = i + 1 To n
            If x(m).tensu < x(j).tensu Then
                m = j
            End If
        Next j
        s = x(i): x(i) = x(m): x(m) = s
    Next i
    For i = 1 To n
        saki.Offset(i - 1, 0).Value = x(i).namae
        saki.Offset(i - 1, 1).Value = x(i).tensu
    Next i
End Sub
```

※マクロ「降順で出力」をSheet1で実行し（→**実習1.2**），正しく動作するか確かめよ。

〈ポイント7.4〉 Offset（→ポイント2.4）は，基準となるセル（この場合はsaki）から縦方向・横方向にそれぞれどれだけシフトするかを指定して使う。1番目の人のデータは（sakiと同じ行だから）sakiから縦に0個ずれたセルに，2番目の人のデータはsakiから縦に1個ずれたセルに出力する。つまり，i番目の人のデータはsakiから縦にi－1個ずれたセルに出力する。だから，i番目の人の名前を出力する文は

```
saki.Offset(i - 1, 0).Value = x(i).namae
```

となっているのである。

演習課題

【課題7.1】 例題7.1と同様に，範囲指定ボックスで（マウスを用いて）見出し以外のデータ範囲を指定（→図7-6）し，次に点数を照会したい学生の名前を入力すると，その学生の成績が表示されるようにしたい（図7-11）。

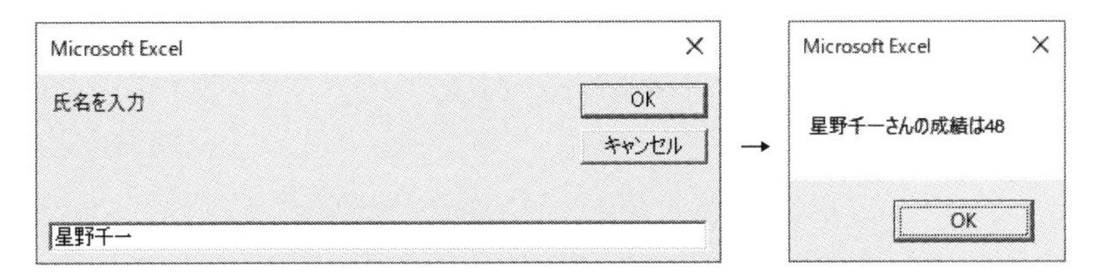

図7-11　課題7.1の実行（存在する学生）

但し，存在しない学生の名前を入力すると，その旨を警告するメッセージを表示したい（図7-12）。

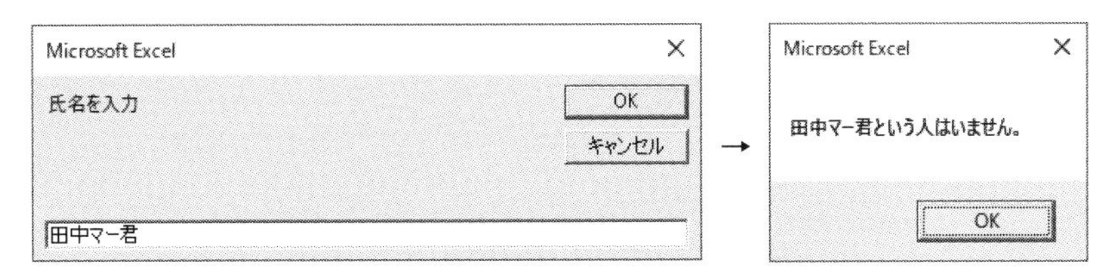

図7-12　課題7.1の実行（存在しない学生）

このようなマクロ「成績照会2」を作成せよ。但し，ユーザ定義型であるKojin型の配列を活用すること。

※このマクロは，例題6.4のマクロ「成績照会」と全く同様に動作する。

【課題7.2】 例題7.1と同様に，範囲指定ボックスで（マウスを用いて）見出し以外のデータ範囲を指定（→図7-6）すると，平均点を図7-13のように表示する。

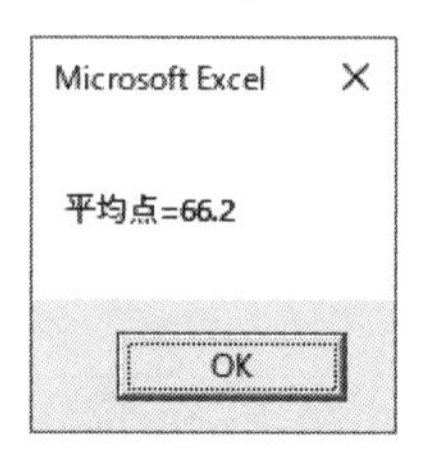

図7-13　課題7.2の出力（平均点の表示）

さらに，平均点以上の学生を図7-14のように表示したい。

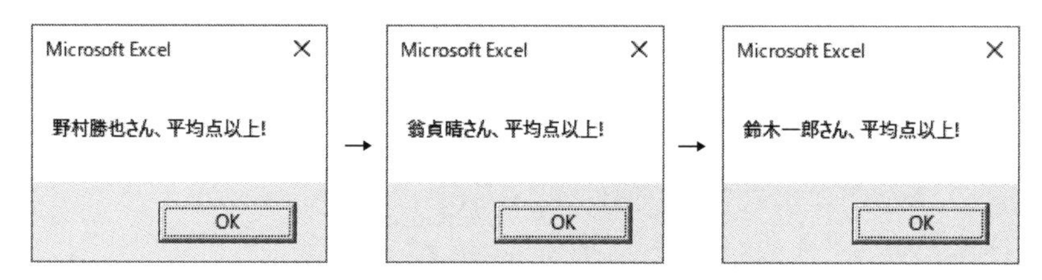

図7-14　課題7.2の出力（平均点以上の学生の表示）

と表示するマクロ「平均点以上2」を作成せよ。但し，ユーザ定義型であるKojin型の配列を活用すること。

※このマクロは，例題6.5のマクロ「平均点以上」と全く同様に動作する。

【課題7.3】 例題7.1と同様に，範囲指定ボックスで（マウスを用いて）見出し以外のデータ範囲を指定（→図7-6）し，さらに順位を図7-15のように指定する。

図7-15　課題7.3の入力（順位）

すると，その順位の人のデータを図7-16のように表示したい。

図7.16 課題7.3の出力

そのためのマクロ「順位で検索」を，下記の穴埋めをした上でコードウィンドウの最後尾に作成せよ。(※例題7.2のマクロ「降順で表示」を丸々コピーして用いても良い)

```
Sub 順位で検索()
    Dim x() As Kojin
    Dim rng As Range, n As Integer, i As Integer
    Dim s As Kojin, j As Integer, m As Integer
    Dim juni As Integer
    Set rng = Application.InputBox(prompt:= _
        "氏名と点数の範囲は?", Type:=8)
    n = rng.Rows.Count
    ReDim x(n)
    For i = 1 To n
        x(i).namae = rng.Cells(i, 1).Value
        x(i).tensu = rng.Cells(i, 2).Value
    Next i
    For i = 1 To n - 1
        m = i
        For j = i + 1 To n
            If x(m).tensu < x(j).tensu Then
                m = j
            End If
        Next j
        s = x(i): x(i) = x(m): x(m) = s
    Next i
```

```
    juni = Val(InputBox("第何位の人を表示?"))
    MsgBox "第" & juni & "位の人は" & [          ]
End Sub
```

8——副プログラム

1.4節で，プログラムは入力を原材料とし，それを加工して製品となるものを出力する，工場みたいなものと説明した。しかし，ものづくりの現場では，原始的な原材料から大きな製品を作る工程を1つの工場で行うことはまれである。通常は，下請けとなる部品業者（サプライヤー）が原料から部品などの中間財を作り，組立業者（アセンブラー）が中間財を用いて最終的な製品を作る（図8-1）。

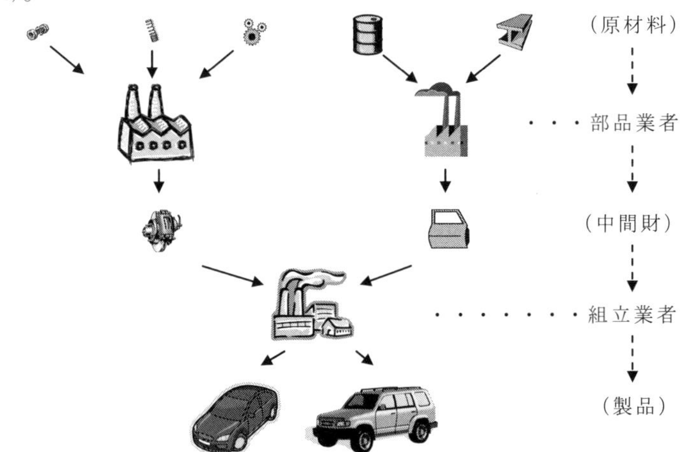

図8-1　副プログラムは部品業者のようなもの

この章では，部品業者（言い換えれば下請け企業）に相当する2種類のマクロを作成する方法を学ぶ。1つはユーザ定義関数，もう1つは引数（ひきすう）のあるSubプロシージャである。

- マクロ
  - Subプロシージャ
    - 引数のないSubプロシージャ（第1章以降）
    - **引数のあるSubプロシージャ**（8.2節）
  - Functionプロシージャ（**ユーザ定義関数**）（8.1節）

これまで，Sub文で始まり()の中に何も書かないマクロを単に「マクロ」と呼んできたが，正確には「引数のないSubプロシージャ」という（※「プロシージャ」はプログラムと同じ意味で，しばしば「手続き」と訳される。ここではマクロと同じ意味に捉えてよい）。8.1節で学ぶユーザ定義関数（Functionプロシージャ）は，原料となるいくつかの値（引数）を受け取り，中間財となる値（戻り値）を1つだけ返す。一方，8.2節で学ぶ引数のあるSubプロシージャは，2つ以上の戻り値を返すことのできるマクロである。このように，原料を受け取って中間財を戻すようなプログラムを総称して**副プログラム**ということがある。

8.1　ユーザ定義関数

これから説明するユーザ定義関数は，親会社に相当するマクロから呼び出して利用できるだけでなく，ワークシート関数と同様にセル内に記述して利用することが可能である。

■ デモンストレーション

〈準備8.1〉　マクロ有効ブック「demo08a.xlsm」をダウンロードしてから開き，「コンテンツの有効化」をクリックして（→準備1.6），VBEを起動せよ（→準備1.3）。

【デモ8.1】　ユーザ定義関数「奇偶判定」

```
Function 奇偶判定(ByVal n As Integer) As String
    If n Mod 2 = 0 Then
        奇偶判定 = "偶数"
    Else
        奇偶判定 = "奇数"
    End If
End Function
```

これは，**図8-2**のように引数としてセルを指定すると，そのセルが奇数か偶数かを判定してくれるように作られている。

B1　=奇偶判定(A1)

	A	B	C	D	E
1	-3	奇数			
2	-2	偶数			
3	-1	奇数			
4	0	偶数			
5	1	奇数			

図8-2　デモ8.1の実行

※Sheet1シートを表示し，B1セルをアクティブにしてから，

fx をクリック　→　関数の分類：ユーザ定義

→　関数名：奇偶判定　→　N：A1

という手順で関数を入力せよ。また，B1の内容をB2:B10にコピーして，関数が正しい結果を返すか確かめよ。

〈ポイント8.1〉　ユーザ定義関数の基本的な構造は，次のとおりである。

```
Function 関数名(ByVal 引数 As データ型) As 戻り値のデータ型
          ⋮
     関数名 = 戻り値
          ⋮
End Function
```

ここで，**引数**(ひきすう)は計算に必要なデータを受け取るための変数であり，**戻り値**は関数の計算結果となるデータである。例えば，関数「奇偶判定」は，指定したセル内の値を引数nで受け取り，その値に応じて「偶数」か「奇数」というString型のデータを戻り値として返す。関数名に最後に代入されたデータが戻り値となる。よって，戻り値を返すユーザ定義関数には，関数名への代入文が最低1つなければならない。なお，ByValの部分には，まれにByRefを記述することがある（ByValとByRefの違いは後に述べる）。

【デモ8.2】　マクロ「入力値判定」

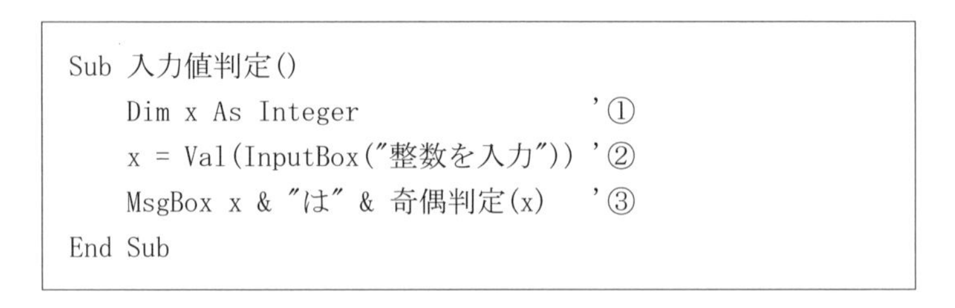

```
Sub 入力値判定()
    Dim x As Integer                    '①
    x = Val(InputBox("整数を入力"))  '②
    MsgBox x & "は" & 奇偶判定(x)     '③
End Sub
```

これは，**図8-3**の入力ボックスで整数を入力する。

図8-3　デモ8.2の入力

そして，それが奇数か偶数かを**図8-4**のように表示させるように作られている。

図8-4　デモ8.2の出力

※マクロ「入力値判定」をVBEで実行し（→**実習1.1**），その動作を確かめよ。

〈ポイント8.2〉　文③のように，ユーザ定義関数はセルに入力できるだけでなく，マクロの中で他の関数（Sqr, Int, Left, …）と同じように呼び出して使うことができる。この場合，マクロ「入力値判定」は**呼び出す側**，関数「奇偶判定」は**呼び出される側**となる。ビジネスに例えれば，親会社（呼び出す側）が子会社（呼び出される側）に仕事を下請けに出すような関係である。

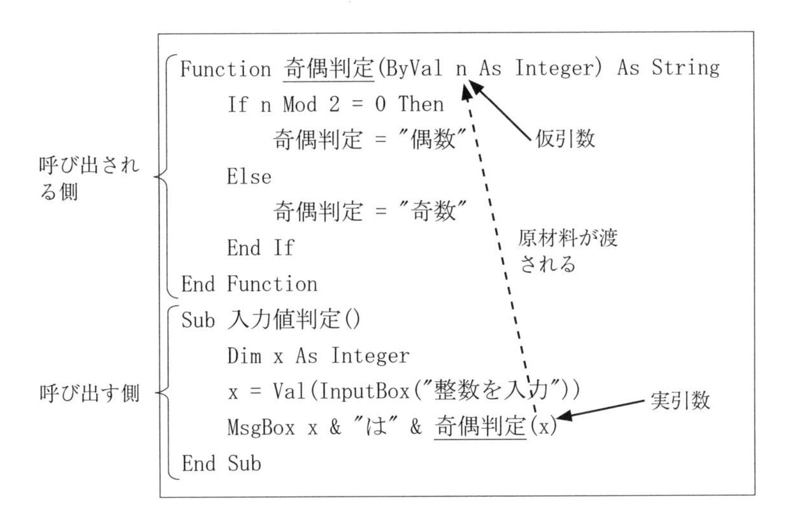

呼び出す側の引数（この場合はx）を**実引数**(じつひきすう)，呼び出される側の引数（この場合はn）を**仮引数**(かりひきすう)という。関数を呼び出すと，実引数のデータ（原材料）が仮引数に渡されて，そのデータを用いて関数が仕事をし始める。

【デモ8.3】 マクロ「連続判定」

```
Sub 連続判定()
    Dim i As Integer, rng As Range, n As Integer
    Set rng = Range("A1:A10")
    For i = 1 To rng.Cells.Count
        n = rng.Cells(i).Value
        MsgBox n & "は" & 奇偶判定(n)
    Next i
End Sub
```

これは，Sheet1のセル範囲A1:A10内の各セルの値が奇数か偶数かを，**図8-5**のように連続して判定するように作られている。

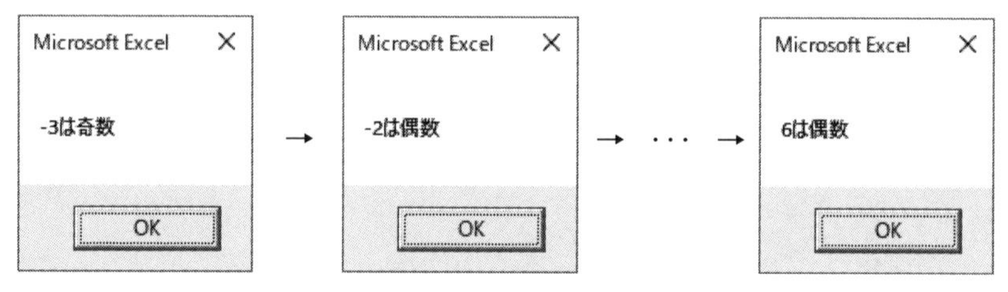

図8-5　デモ8.3の出力

※マクロ「連続判定」をVBEで実行し（→**実習1.1**），その動作を確かめよ。
※「demo08a.xlsm」を閉じよ（上書き保存は不要）。

■ プログラミング

〈準備8.2〉　Excelを起動し（→**準備1.1**），Sheet1シートに**図8-6**のようなデータを直接入力せよ。次に，「開発」タブを確認（ない場合は**準備1.2**）してからVBEを起動せよ（→**準備1.3**）。さらに，変数宣言の強制化を確認（未設定の場合は**準備2.2④**）してから，コードウィンドウを新規作成せよ（→**準備1.4**）。

	A	B	C
1	-3		
2	-2		
3	-1		
4	0		
5	1		
6	2		
7	3		
8	4		
9	5		
10	6		
11			
12	1.5	2.6	
13	3.4	2.8	
14	5.5	5.5	
15	7.6	7.7	
16			

図8-6　準備8.2の入力

【例題8.1】　**図8-7**のように，引数の値の2乗を返す関数「自乗」を作成したい。

B1　=自乗(A1)

	A	B	C	D	E
1	-3	9			
2	-2	4			
3	-1	1			
4	0	0			
5	1	1			
6	2	4			

図8-7　例題8.1の実行

コードウィンドウに，次のようなマクロ（プログラム）を書いてみよう。

```
Function 自乗(ByVal x As Double) As Double
    自乗 = x ^ 2
End Function
```

※入力が終わったら，Sheet1 シートを表示し，B1セルをアクティブにしてから，

f_x をクリック → 関数の分類：ユーザ定義
→ 関数名：自乗 → X：A1

という手順で関数を入力せよ。また，B1の内容をB2:B10にコピーして，関数が正しい結果を返すか確かめよ。

※このブックファイルをマクロ有効ブック「ex08a（氏名）.xlsm」という名前で保存せよ（→実習1.4）。

【例題8.2】 図8-8のように，引数として2つのセルを指定すると，その中で大きい方の値を返してくれる関数「大きい値」を作成したい。

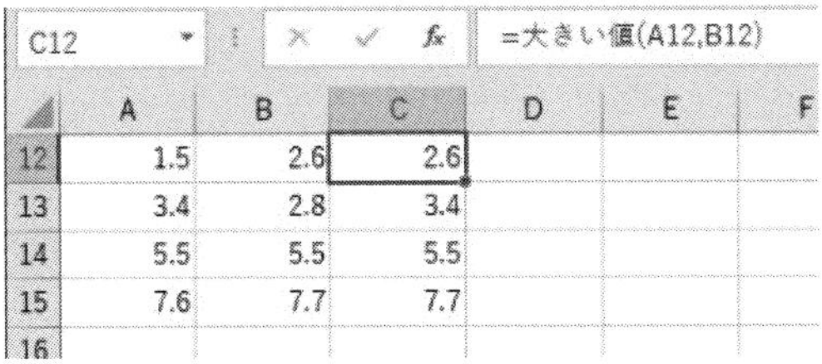

C12 =大きい値(A12,B12)

	A	B	C	D	E	F
12	1.5	2.6	2.6			
13	3.4	2.8	3.4			
14	5.5	5.5	5.5			
15	7.6	7.7	7.7			
16						

図8-8　例題8.2の実行

コードウィンドウに，次のようなマクロ（プログラム）を書いてみよう。

```
Function 大きい値(ByVal x As Double, ByVal y As Double) As Double
    If x > y Then
        大きい値 = x
    Else
        大きい値 = y
    End If
End Function
```

※入力が終わったら，Sheet1 シートを表示し，C12セルをアクティブにしてから，

fx をクリック　→関数の分類：ユーザ定義
→関数名：大きい値 →X：A12, Y：B12

という手順で関数を入力せよ。また，C12の内容をC13:C15にコピーして，関数が正しい結果を返すか確かめよ。

〈ポイント8.3〉 関数「大きい値」のように，複数の引数をカンマ , で区切って宣言することもできる。

【例題8.3】 図8-9のように，引数として2つのセルを指定し，

- 第1引数の値が第2引数の値より小さければ-1,
- 第1引数の値が第2引数の値と等しければ0,
- 第1引数の値が第2引数の値より大きければ1

をそれぞれ返してくれる関数「大小判定」を作成したい。

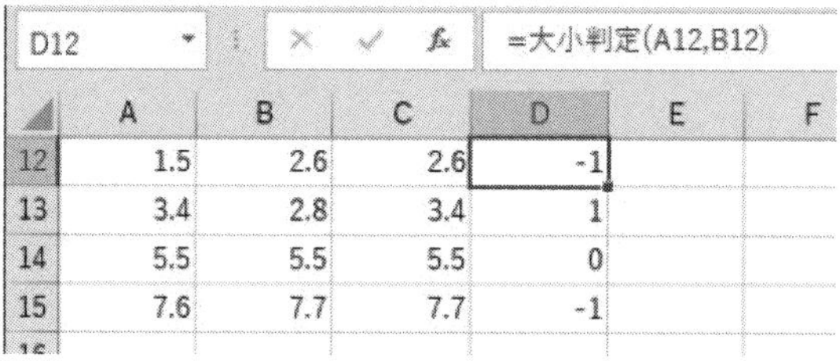

D12　=大小判定(A12,B12)

	A	B	C	D	E	F
12	1.5	2.6	2.6	-1		
13	3.4	2.8	3.4	1		
14	5.5	5.5	5.5	0		
15	7.6	7.7	7.7	-1		

図8-9　例題8.3の実行

コードウィンドウに，次のようなマクロ（プログラム）を書いてみよう。

```
Function 大小判定(ByVal x As Double, ByVal y As Double) As Integer
    If x < y Then
        大小判定 = -1
    ElseIf x = y Then
        大小判定 = 0
    Else
        大小判定 = 1
    End If
End Function
```

※入力が終わったら，Sheet1シートを表示し，D12セルに関数「大小判定」を入力し，その内容をD13:D15にコピーして正しい結果を返すか確かめよ。
※「ex08a（氏名）.xlsm」を上書き保存して閉じよ。

8.2 引数のあるSubプロシージャ

■ デモンストレーション

〈準備8.3〉 マクロ有効ブック「demo08b.xlsm」をダウンロードしてから開き，「コンテンツの有効化」をクリックして（→準備1.6），VBEを起動せよ（→準備1.3）。

【デモ8.4】 マクロ「二進数1」と「二進数変換1」

```
Sub 二進数1(ByVal n As Integer, ByRef b As String)
    b = ""
    Do
        b = (n Mod 2) & b
        n = n ¥ 2
    Loop Until n = 0
End Sub

Sub 二進数変換1()
    Dim bin As String, i As Integer
    For i = 1 To 16
        二進数1 i, bin
        MsgBox i & "の二進数表現は" & bin
    Next i
End Sub
```

これらは，1から16までの各自然数に対する二進数を図8-10のように順番に表示するように作られている。

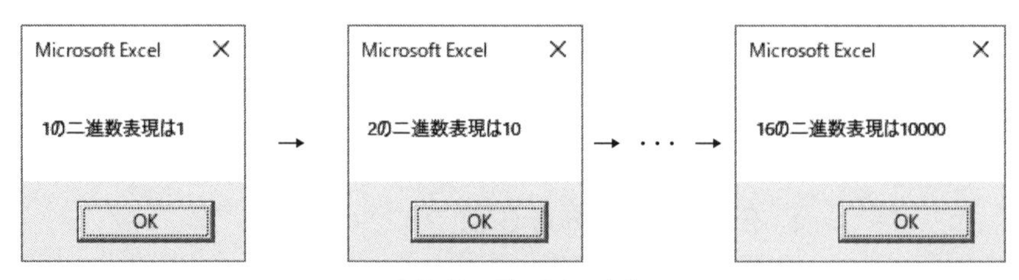

図8-10　デモ8.4の出力

※2つ目のマクロ「二進数変換1」をVBEで実行し（→実習1.1），正しく動作するか確かめよ。

〈ポイント8.4〉　この例題では，1つ目のマクロ「二進数1」が部品業者にあたる「引数のあるプロシージャ」，2つ目のマクロ「二進数変換1」が組立業者にあたる「引数のないプロシージャ」である。実行は必ず引数のないプロシージャから始まる。「二進数変換1」は，下線部の

```
二進数1 i, bin
```

という文で，実引数をi, binとして「二進数1」を呼び出している。一方，呼び出された「二進数1」は，i, binに対応する仮引数をそれぞれn, bとして作業を開始する。その際，

- nは**ByVal宣言**されている。これは，実引数iの値がnにコピーされること（**値渡し**）を意味する。一方，
- bは**ByRef宣言**されている。これは，実引数binをbと読み替えて作業が行われること（**参照渡し**）を意味する。

このことから，「二進数1」の処理結果（二進数の文字列）は最終的にbに格納され，しかもbはbinの読み替えであるから，下線部実行後のbinには結果となる二進数が格納されている。

このことを単純に理解するには，**原材料を受け取る仮引数はByValで，中間財を返す仮引数はByRef**で宣言する，と覚えるとよい。

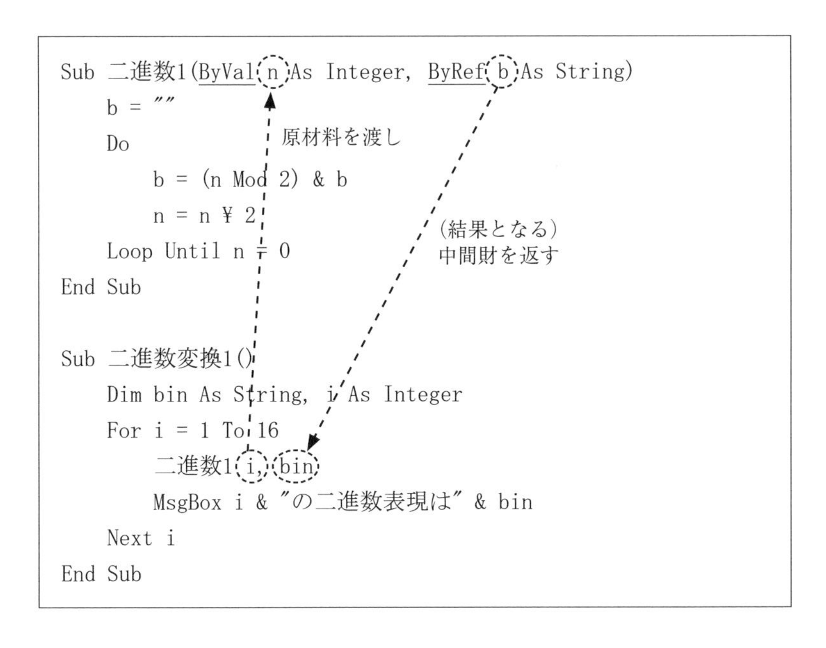

```
Sub 二進数1(ByVal n As Integer, ByRef b As String)
    b = ""
    Do
        b = (n Mod 2) & b
        n = n ¥ 2
    Loop Until n = 0
End Sub

Sub 二進数変換1()
    Dim bin As String, i As Integer
    For i = 1 To 16
        二進数1 i, bin
        MsgBox i & "の二進数表現は" & bin
    Next i
End Sub
```


※マクロ「二進数1」の戻り値は1つ（二進数の文字列）だけなので，同じ作業をするマクロをユーザ定義関数として作っても良い。詳しくは課題8.1をみよ。

〈ポイント8.5〉 二進数は，数をコンピュータ内で扱うための表現法であり，0と1という2つの数字だけで表現する。例えば，13という数は

$$13 = 2^3 \times \underline{1} + 2^2 \times \underline{1} + 2^1 \times \underline{0} + 2^0 \times \underline{1}$$

より，二進数で「1101」と表される。この計算は，**図8-11**のように割り算の繰り返しにより簡単にできる。

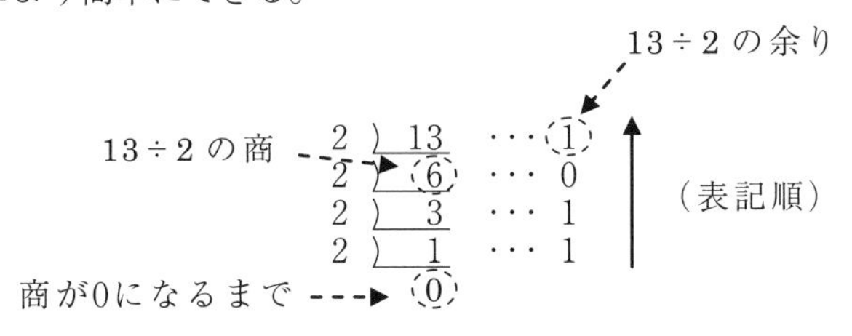

図8-11　二進数の求め方

二進数の詳細は，コンピュータの原理を扱う教科書等で学習すると良い。

※「demo08b.xlsm」を閉じよ（上書き保存は不要）。

■ プログラミング

〈準備8.4〉 Excelを起動し（→準備1.1），「開発」タブを確認（ない場合は準備1.2）してからVBEを起動せよ（→準備1.3）。次に，変数宣言の強制化を確認（未設定の場合は準備2.2④）してから，コードウィドウを新規作成せよ（→準備1.4）。

【例題8.4】 日付を表す4桁の数字列（例えば3月4日ならば「0304」）を受け取り，月と日を表す2つの整数値（この場合は3と4）を返すマクロ「月日数値化」を作成したい。また，それをテストするためのマクロ「月日確認」も作成したい。例えば，マクロ「月日確認」を実行して**図8-12**のように入力する。

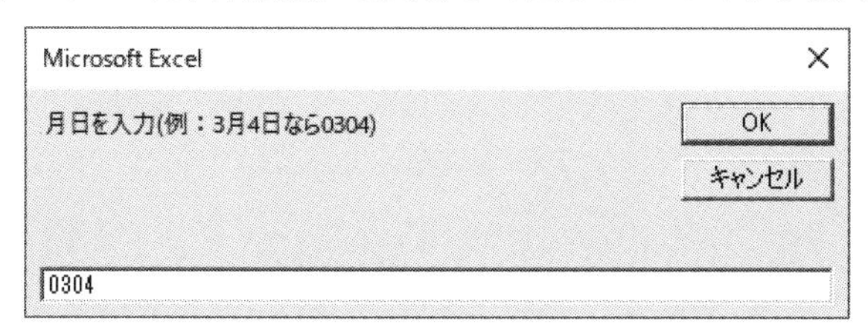

図8-12　例題8.4の入力

そして，**図8-13**のように表示させたい。

図8-13　例題8.4の出力

そのための2つのマクロをコードウィンドウに書いてみよう。

```
Sub 月日数値化(ByVal st As String, ByRef m As Integer, ByRef d As Integer)
    m = Val(Left(st, 2))
    d = Val(Right(st, 2))
End Sub
```

```
Sub 月日確認()
    Dim md As String, mm As Integer, dd As Integer
    md = InputBox("月日を入力(例：3月4日なら0304)")
    月日数値化 md, mm, dd
    MsgBox mm & "月" & dd & "日ですね?"
End Sub
```

※入力が終わったらマクロ「月日確認」をVBEで実行し（→**実習1.1**），正しく動作するか確かめよ。

※このブックファイルをマクロ有効ブック「ex08b（氏名）.xlsm」という名前で保存せよ（→**実習1.4**）。

〈ポイント8.6〉 部品業者にあたるマクロ「月日数値化」は，ByVal宣言された仮引数stで，マクロ「月日確認」の実引数mdの値（4桁の数字列）を原材料として受け取る。stを加工してできた「月」の値と「日」の値は，ByRef宣言された仮引数m, dにそれぞれ格納される。それら仮引数m, dの値は，マクロ「月日確認」の実引数mm, ddにそれぞれ中間財として返される。

【例題8.5】 日付「m月d日」における2つの整数m, d，およびうるう年かどうかを表す真理値（うるう年のときTrue，そうでないときFalse）を受け取り，その日が元旦から数えて何日目なのかを返すユーザ定義関数「日数」を作成したい。また，この関数「日数」と**例題8.4**のマクロ「月日数値化」を応用して，日付を**図8-14(a)** のように，うるう年かどうかを**図8-14(b)** のように入力すると，元旦からの日数を**図8-15**のように表示させたい。

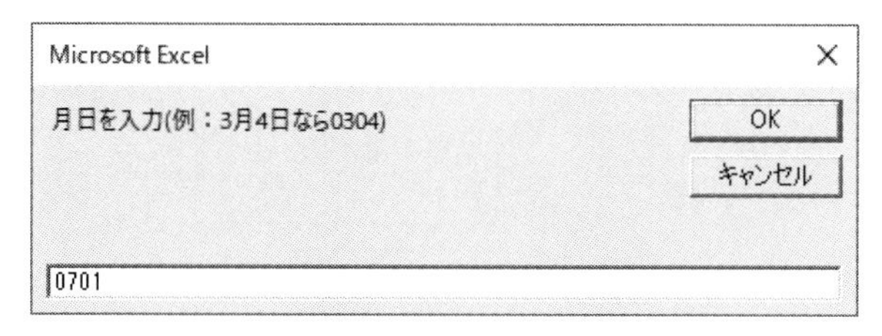

図8-14(a)　例題8.5の入力（月日(4桁)の入力）

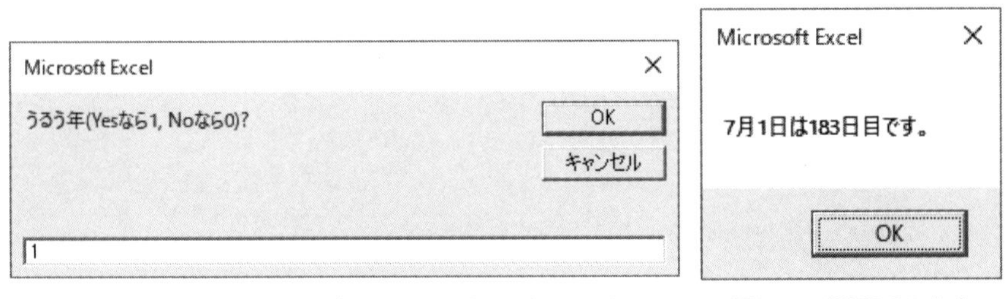

図8-14 (b)　例題8.5の入力（うるう年 (0 or 1) の入力）　　図8-15　例題8.5の出力

そのためのマクロ「月日から日数へ」を，コードウィンドウの最後尾に，次のように書いてみよう。

※マクロ「月日から日数へ」は，先に作ったマクロ「月日確認」を丸々コピーして修正すると，時間をちょっとだけ短縮できる。

```
Function 日数(ByVal m As Integer, ByVal d As Integer, _
        ByVal uruu As Boolean) As Integer
    Dim x(12) As Integer, i As Integer, n As Integer
    For i = 1 To 12
        If i = 2 Then
            x(i) = 28
        ElseIf i = 4 Or i = 6 Or i = 9 Or i = 11 Then
            x(i) = 30
        Else
            x(i) = 31
        End If
    Next i
    If uruu = True Then
        x(2) = 29
    End If
    n = 0
    For i = 1 To m - 1
        n = n + x(i)
    Next i
    n = n + d
    日数 = n
```

第i月の日数をx(i)に代入

うるう年のみ2月の日数を変更

前月（m-1月）までの日数をnに加算

当月（m月）の日数dをnに加算

```
End Function

Sub 月日から日数へ()
    Dim md As String, mm As Integer, dd As Integer
    Dim u As Integer, isuruu As Boolean
    md = InputBox("月日を入力(例：3月4日なら0304)")
    月日数値化 md, mm, dd
    u = Val(InputBox("うるう年(Yesなら1, Noなら0)?"))
    If u = 1 Then
        isuruu = True
    Else
        isuruu = False
    End If
    MsgBox mm & "月" & dd & "日は" & _
        日数(mm, dd, isuruu) & "日目です。"
End Sub
```

※入力が終わったらマクロ「月日から日数へ」をVBEで実行し（→**実習1.1**），正しく動作するか確かめよ。

【例題8.6】 例題8.5とは逆に，元旦から数えた日数nと，うるう年かどうかを表す真理値を受け取り，第n日が何月何日なのかを返すマクロ「月日」を作成したい。また，そのマクロを応用して，元旦から数えた日数を**図8-16(a)**のように、うるう年かどうかを**図8-16(b)**のように入力すると，月日を**図8-17**のように表示したい。

図8-16(a)　例題8.6の入力（日数の入力）

図8-16 (b)　例題8.6の入力（うるう年（0 or 1）の入力）

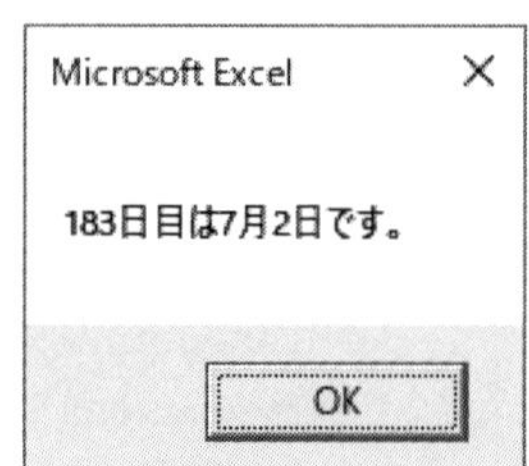

図8-17　例題8.6の出力

そのためのマクロ「日数から月日へ」を，コードウィンドウの最後尾に，次のように書いてみよう。

※マクロ「月日」は，**例題8.5**のユーザ定義関数「日数」をコピーして修正してもよい。

※入力が終わったらマクロ「日数から月日へ」をVBEで実行し（→**実習1.1**），正しく動作するか確かめよ。

```
Sub 月日(ByVal n As Integer, ByVal uruu As Boolean, _
        ByRef m As Integer, ByRef d As Integer)
    Dim x(12) As Integer, i As Integer
    For i = 1 To 12
        If i = 2 Then
            x(i) = 28
        ElseIf i = 4 Or i = 6 Or i = 9 Or i = 11 Then
            x(i) = 30
        Else
            x(i) = 31
        End If
    Next i
    If uruu = True Then
        x(2) = 29
    End If
    m = 1: d = n
    Do Until d <= x(m)
        d = d - x(m)
        m = m + 1
    Loop
```

（For i = 1 To 12 ～ Next i）第i月の日数をx(i)に代入

（If uruu = True Then ～ End If）うるう年のみ2月の日数を変更

（m = 1: d = n ～ Loop）$n = x(1)+x(2)+・・・+x(m-1)+d$（但し$d \leqq x(m)$）となるような月数mと日数dを計算

```
End Sub

Sub 日数から月日へ()
    Dim mm As Integer, dd As Integer, nn As Integer
    Dim u As Integer, isuruu As Boolean
    nn = Val(InputBox("日数を入力"))
    u = Val(InputBox("うるう年(Yesなら1, Noなら0)?"))
    If u = 1 Then
        isuruu = True
    Else
        isuruu = False
    End If
    月日 nn, isuruu, mm, dd
    MsgBox nn & "日目は" & mm & "月" & dd & "日です。"
End Sub
```

※「ex08b（氏名）.xlsm」を上書き保存して閉じよ。

演習課題

【課題8.1】 マクロ有効ブック「ex08a（氏名）.xlsm」を開け（→準備1.6)。図8-18のように，引数の値の3乗を返すユーザ定義関数「三乗」を作成せよ。

C1 =三乗(A1)

	A	B	C	D	E
1	-3	9	-27		
2	-2	4	-8		
3	-1	1	-1		
4	0	0	0		
5	1	1	1		
6	2	4	8		

図8-18　課題8.1の実行

※「ex08a（氏名）.xlsm」を上書き保存して閉じよ。

【課題8.2】 マクロ有効ブック「ex08b（氏名）.xlsm」を開け（→準備1.6）。デモ8.4（二進数への変換）とまったく同様に動作するマクロ群を作成したい。但し，二進数の文字列は，ユーザ定義関数で返すようにしたい。次のユーザ定義関数「二進数2」とマクロ「二進数変換2」の空欄を埋めて完成させ，正しく動作するか確かめよ。

```
Function 二進数2(ByVal n As Integer) As String
    Dim b As String
    b = ""
    Do
        b = (n Mod 2) & b
        n = n ¥ 2
    Loop Until n = 0
    二進数2 = [        ]
End Function

Sub 二進数変換2()
    Dim i As Integer
    For i = 1 To 16
        MsgBox i & "の二進数表現は" & 二進数2([    ])
    Next i
End Sub
```

【課題8.3】 （やや難）ある期間の初日と終了日の日付を入力し，その期間の日数を計算したい。例えば，初日として図8-19（a）のように，終了日として図8-19（b）のように，うるう年かどうかを図8-19（c）のように入力すると，その期間の日数を図8-20のように表示させたい。

(a) 期間初日（4桁）の入力

(b) 期間終了日（4桁）の入力

(c) うるう年（0 or 1）の入力

図8-19　課題8.3の入力

図8-20　課題8.3の出力

但し，期間中に年末，年始は挟まないものとする。そのように動作するマクロ「期間内日数」を，コードウィンドウの最後尾に作成せよ。

《ヒント》 例えば，初日の日付入力用にmd1, mm1, dd1，終了日の日付入力用にmd2, mm2, dd2という変数を用意する。これまでに作ったマクロ「月日数値化」や，ユーザ定義関数「日数」を応用する。

※「ex08b（氏名）.xlsm」を上書き保存して閉じよ。

9 ―― コントロールの活用

Excelに限らず，WindowsなどのGUI（グラフィック・ユーザ・インターフェイス）のOSで動く応用ソフトには，マウスでクリックしてPCに指令を伝えるためのコマンドボタンや，文字列を入力するためのテキストボックスなど，様々な部品がある。こうした部品を総称して**コントロール**という。ワークシートや**ユーザフォーム**（ユーザが自由に設計できる小ウィンドウ）の上にコントロールを配置することで，Excelのブックファイルは使い勝手の良い「システム」に改良することができる。

9.1 コントロールがあるワークシート

ワークシート上には，**コマンドボタン**や**スピンボタン**などのコントロール（部品）を置いて，それをクリックすると仕事が始まるような仕組みを作ることができる（図9-1）。

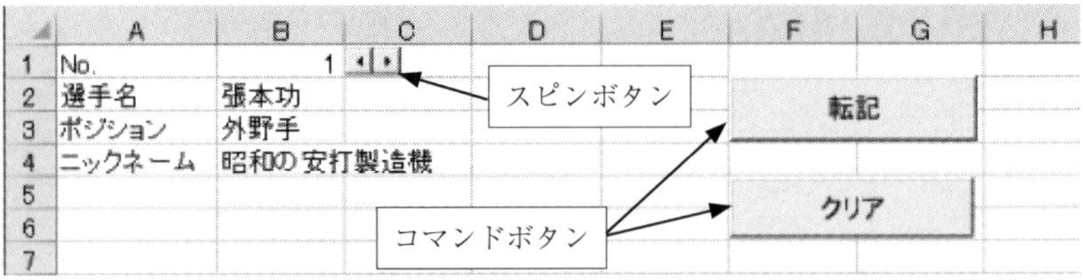

	A	B	C	D	E	F	G	H
1	No.	1						
2	選手名	張本功						
3	ポジション	外野手						
4	ニックネーム	昭和の安打製造機						
5								
6								
7								

スピンボタン
転記
クリア
コマンドボタン

図9-1　コントロールがあるワークシート

コントロールにクリック等の操作をすると動き始めるマクロを**イベントプロシージャ**という。この節では，こうした仕組みの作り方について学習する。

※この節にはデモンストレーションはなく，すぐにプログラミングに入る。

■ プログラミング

〈準備9.1〉 「検索」シートと「名簿」シートにそれぞれ**図9-2**のように入力されたブックファイル「ex09a.xlsx」をダウンロードして開くか，自分で作成せよ。

	A	B	C	D	E	F
1	No.					
2	選手名					
3	ポジション					
4	ニックネーム					
5						
6						

検索 | 名簿 | Sheet3

(a)「検索」シート

	A	B	C	D	E
1	No.	選手名	ポジション	ニックネーム	
2	1	張本功	外野手	昭和の安打製造機	
3	2	野村勝也	捕手	月見草	
4	3	翁貞治	内野手	ワンちゃん	
5	4	堀内常夫	投手	小天狗悪太郎	
6	5	高木森道	内野手	いぶし銀	
7	6	若松務	外野手	小さな巨人	
8	7	鈴木一郎	外野手	平成の安打製造機	
9	8	長島重雄	内野手	ミスター	
10	9	清原一浩	内野手	番長	
11	10	ジョン・シピン	内野手	ライオン丸	
12	11	川上鉄春	内野手	打撃の神様	
13	12	金田政一	投手	カネヤン	
14	13				
15	14				
16	15				
17	16				
18	17				
19	18				
20	19				
21	20				
22					

検索 | 名簿 | Sheet3

(b)「名簿」シート

図9-2　準備9.1の入力済みデータ

次に，「開発」タブを確認（ない場合は**準備1.2**）してからVBEを起動せよ（→**準備1.3**）。さらに，変数宣言の強制化を確認（未設定の場合は**準備2.2**④）してから，コードウィドウを新規作成せよ（→**準備1.4**）。

【例題9.1】 「検索」シートのB1セルに入力した番号の選手情報を，「名簿」シートから「検索」シートに一気に転記させたい。コードウィンドウに，次のようなマクロ（プログラム）を書いてみよう。

```
Sub 転記()
    Dim n As Integer
    Sheets("検索").Select
    n = Range("B1").Value
    Range("B2").Value = Sheets("名簿").Range("A1").Offset(n, 1).Value
    Range("B3").Value = Sheets("名簿").Range("A1").Offset(n, 2).Value
```

```
    Range("B4").Value = Sheets("名簿").Range("A1").Offset(n, 3).Value
End Sub
```

※入力が終わったら，「検索」シートを表示し，B1に適当な選手番号（1～12）を入力してから，マクロ「転記」を実行し（→実習1.2），マクロが目的どおり動作したか確かめよ。

※このブックファイルをマクロ有効ブック「ex09a（氏名）.xlsm」という名前で保存せよ（→実習1.4）。

【例題9.2】「検索」シートのF2:G3の付近に，図9-3のようなコマンドボタンを用意し，それをクリックするとマクロ「転記」が実行されるようにしたい。次の手順で，その仕組みを完成させよ。

	A	B	C	D	E	F	G	H
1	No.	7						
2	選手名	鈴木一郎				転記		
3	ポジション	外野手						
4	ニックネーム	平成の安打製造機						
5								

図9-3　例題9.2の目標

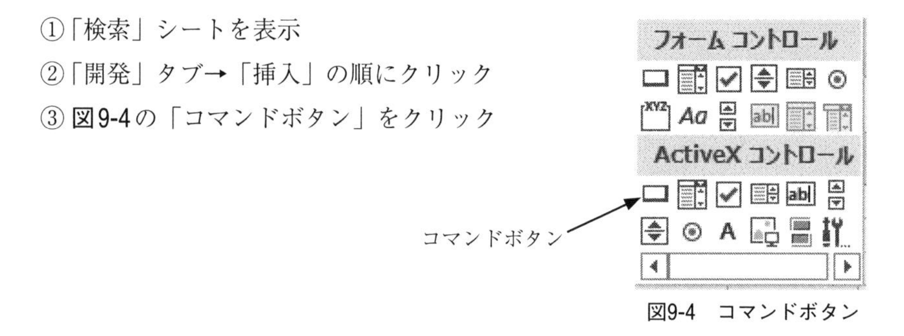

①「検索」シートを表示

②「開発」タブ→「挿入」の順にクリック

③ 図9-4の「コマンドボタン」をクリック

図9-4　コマンドボタン

④ 図9-5の範囲をドラッグ

	A	B	C	D	E	F	G	H
1	No.	7						
2	選手名	鈴木一郎						
3	ポジション	外野手						
4	ニックネーム	平成の安打製造機						
5								

図9-5　コマンドボタンの配置位置

⑤ コマンドボタンを右クリック→「プロパティ」をクリック

⑥ Caption：転記として，プロパティウィンドウを閉じる（図9-6）

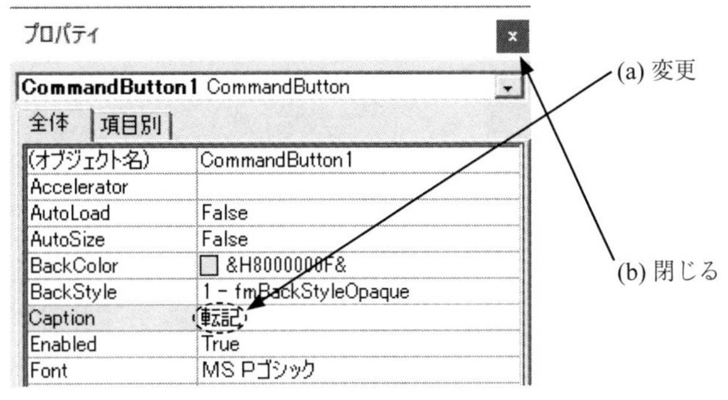

図9-6　プロパティの設定

⑦ コマンドボタンをダブルクリック

⑧ 次の一文を追加

```
Private Sub CommandButton1_Click()
    転記   ←（追加）
End Sub
```

※入力が終わったら，**「検索」シートに戻り**，デザインモードをオフ（ をクリック）してから，「転記」ボタンをクリックし，正しく動作するか確かめよ。もちろん，B1の数値をいろいろ変更して実行すること。

〈ポイント9.1〉　コマンドボタンなどのコントロールも含め，Excelを構成するあらゆる「もの」（セル範囲，グラフ，ワークシート，ブックファイルなど）を総称して**オブジェクト**という（**→ポイント3.4**，図9-7）。

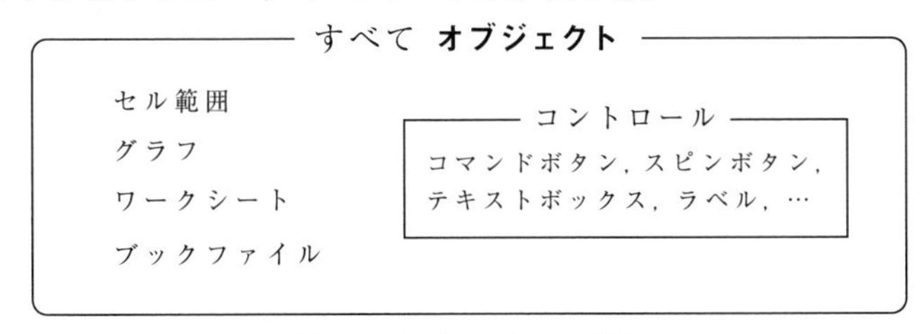

図9-7　オブジェクトの種類

オブジェクトには，それを識別するための**オブジェクト名**という名前が付く。例えば，**例題9.2**の手順④で配置したコマンドボタンには，自動的に「CommandButton1」というオブジェクト名が付く（コマンドボタンを増やすと，末尾の番号が加算されたオブジェクト名が自動命名される）。

また，オブジェクトにはその特徴を表すいくつかの属性（**プロパティ**）があり，プロパティウィンドウやマクロなどで変更できる（**→ポイント3.1**）。例えば，手順⑥では，

> 「CommandButton1」という名前のオブジェクトの，「Caption」プロパティ（表面に表示する文字列）を，「転記」に設定

という操作を行った。

〈ポイント9.2〉　手順⑧で作成したのが，CommandButton1をクリックしたときに実行されるイベントプロシージャである。イベントプロシージャの書式は以下のとおりである。

```
Private Sub オブジェクト名_イベント()
    (処理)
End Sub
```

ここで**イベント**とはマクロ実行のきっかけとなる操作や状態変化（クリック，ダブルクリックなど）のことである（※オブジェクトの種類によって指定できるイベントが異なる）。(処理）の部分には，通常のマクロと同様に，Dim文，代入文，IfやForで始まる構文などを盛り込んで，普通のプログラムを書くことができる。今回の手順⑧のように，マクロ名「転記」だけを書くと，そのマクロの内容が呼び出されて実行される。

なお，「検索」シート（オブジェクト名：Sheet1）上に置いたオブジェクトのイベントプロシージャは，「Sheet1」と書かれた特別なコードウィンドウに作られる（**図9-8**）。

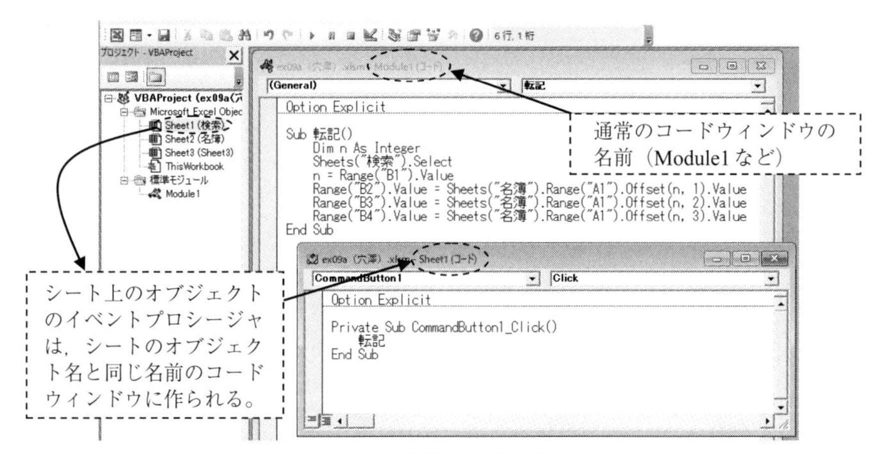

図9-8　コードウィンドウの色々

※コントロールのプロパティやイベントプロシージャを再編集するときは，（デザインモードのアイコン）をクリックしてデザインモードをオンにする（図9-9）。

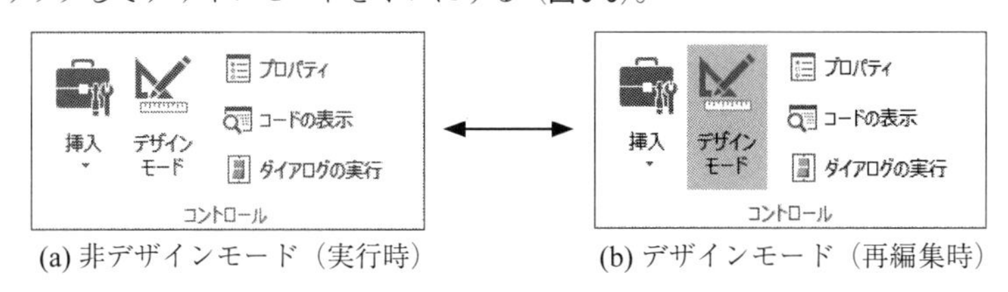

(a) 非デザインモード（実行時）　(b) デザインモード（再編集時）

図9-9　デザインモードのON, OFF

【例題9.3】「検索」シートのF5:G6の付近に，図9-10のようなコマンドボタンを用意し，それをクリックするとB1:B4の内容がクリアできるようにしたい。

	A	B	C	D	E	F	G	H
1	No.	2						
2	選手名	野村勝也				転記		
3	ポジション	捕手						
4	ニックネーム	月見草						
5						クリア		
6								
7								

図9-10　例題9.3の目標

次の手順で，その仕組みを完成させよ。

①「検索」シートを表示

②「開発」タブ→「挿入」の順にクリック

③ 図9-11の「コマンドボタン」をクリック

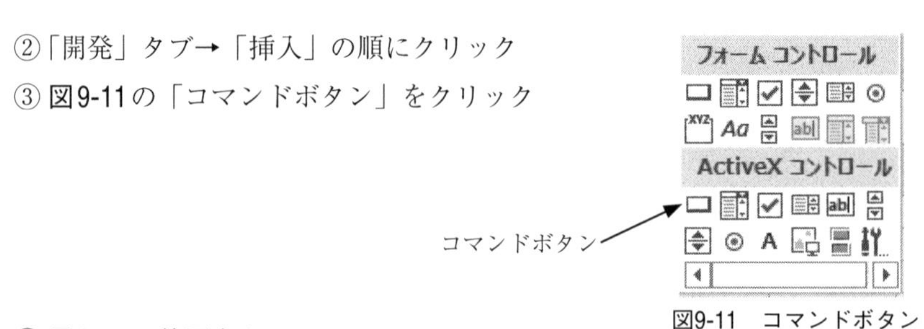

図9-11　コマンドボタン

④ 図9-12の範囲をドラッグ

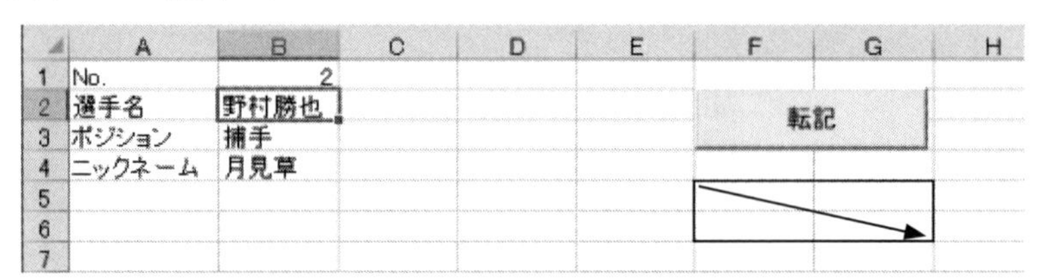

図9-12　コマンドボタンの配置位置

⑤ コマンドボタンを右クリック→「プロパティ」をクリック

⑥ Caption：クリアとして，プロパティウィンドウを閉じる（図9-13）

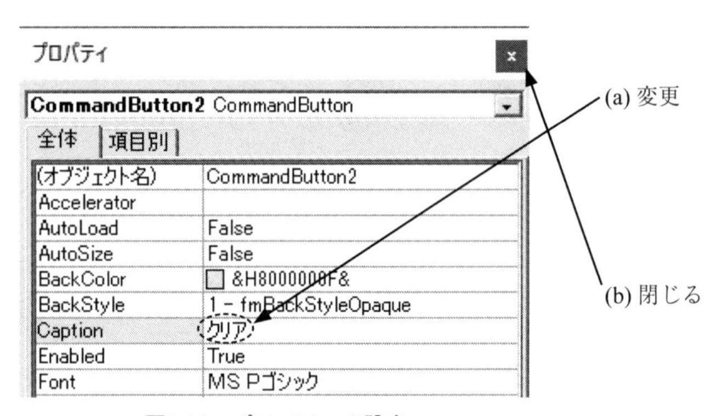

図9-13　プロパティの設定

⑦ コマンドボタンをダブルクリック

⑧ 次のように入力

```
Private Sub CommandButton2_Click()
    If MsgBox("クリアしてもいいですか?", vbYesNo) = vbYes Then
        Range("B1:B4").ClearContents
    End If
End Sub
```
（追加）

※入力が終わったら，**「検索」シートに戻り**，デザインモードをオフ（ をクリック）してから，「クリア」ボタンをクリックし，正しく動作するか確かめよ。

〈ポイント9.3〉 これまでMsgBox文は，「OK」ボタンだけがある出力ボックスを表示する命令として紹介してきた。しかし，メッセージの後に「vbYesNo」などの指定をすると，**図9-14**のように，ボタンの個数や種類を変えることができる。

図9-14 「はい」と「いいえ」がある出力ボックス

しかも，どのボタンがクリックされたかを示す値（この場合，「はい」ならばvbYes，「いいえ」ならばvbNoという値）が返される。つまり，**MsgBoxは関数**なのである。MsgBoxで指定できるボタンの数と種類，および返す値については，VBEのオブジェクトブラウザ などで調べることができる。

※出力ボックスを表示するだけで，戻り値を使用しない場合は，MsgBoxの後の引数は括弧( )で囲まず，MsgBoxと第1引数（メッセージ）の間に半角スペースを入れる（これまでのMsgBoxの使い方がそうであったように）。

〈ポイント9.4〉 指定したセル範囲の内容をクリアするための書式は次のとおりである（**→ポイント3.8**）。

```
Range(セル範囲番地).ClearContents
```

もちろん,「セル範囲番地」の部分に単一のセル番地を指定することもできる。

※次の例題の準備として,「検索」シートのB1に（例えば）1を入力して「転記」ボタンをクリックせよ。

【例題9.4】「検索」シートのC1セル内に，図9-15のようなスピンボタンを用意し，それをクリックするとB1のカウントアップ・ダウンおよび内容の転記が同時にできるようにしたい。

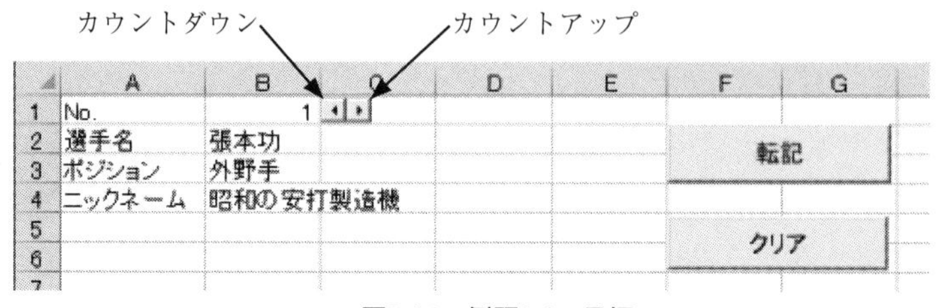

図9-15　例題9.4の目標

次の手順で，その仕組みを完成させよ。

①「検索」シートを表示

②「開発」タブ→「挿入」の順にクリック

③ 図9-16の「スピンボタン」をクリック

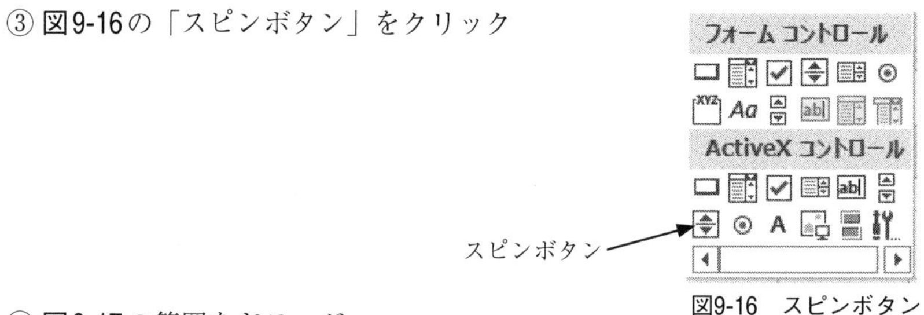

図9-16　スピンボタン

④ 図9-17の範囲をドラッグ

	A	B	C	D
1	No.	1		
2	選手名	張本功		
3	ポジション	外野手		
4	ニックネーム	昭和の安打製造機		
5				

図9-17　スピンボタンの配置位置

⑤ スピンボタンを右クリック→「プロパティ」をクリック

⑥ 図9-18のように設定して，プロパティウィンドウを閉じる

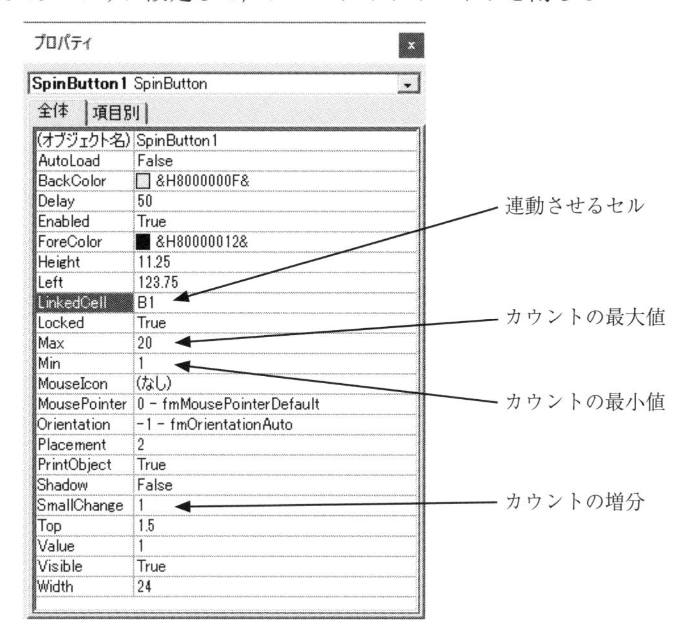

図9-18　プロパティの設定

⑦ スピンボタンをダブルクリック

⑧ 次の一文を追加

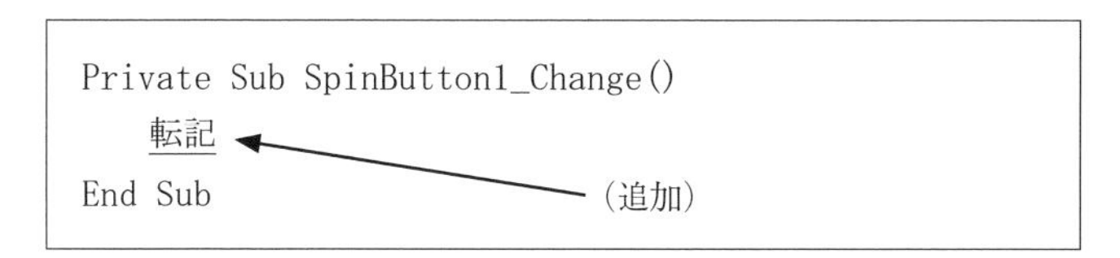

```
Private Sub SpinButton1_Change()
    転記
End Sub
```


※入力が終わったら，**「検索」シートに戻り**，デザインモードをオフ（ をクリック）してから，スピンボタンをクリックし，正しく動作するか確かめよ。また，B1に値を直接入力しても，内容が更新されることを確かめよ。

〈ポイント9.5〉　例題9.4の手順①～⑥によって，B1セルの内容がスピンボタンのクリックで変化するための設定が行われた。さらに，手順⑦，⑧で，スピンボタンのクリックと同時にマクロ「転記」が呼び出され，選手情報も更新され

るようになった。

この一見「そうなんだあ」で済ませてしまいそうな機能には，実は巧妙なからくりが隠されている。スピンボタンにはValueと呼ばれるプロパティ（属性）があって，スピンボタンをクリックするとValueの値がアップ・ダウンする。その値とセル（この場合B1）の値を連動させるための設定が，手順⑥のLinkedCellプロパティの設定なのである。手順⑧で書いたイベントプロシージャは，スピンボタンのValueプロパティが変化したとき動作するものである。したがって，図9-19のような流れで，目的の動作が実現できるのである。

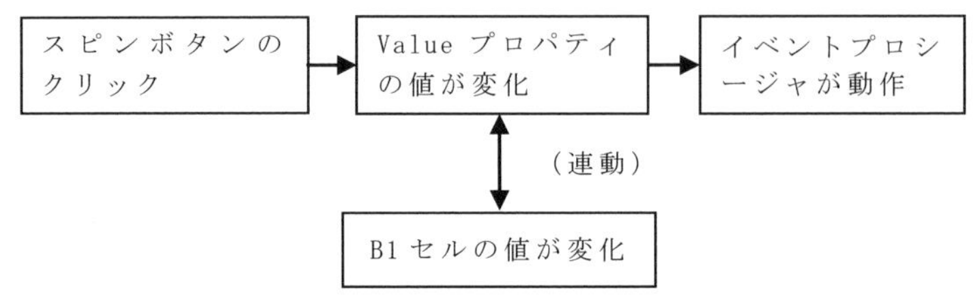

図9-19　スピンボタンの動作原理

また，この流れから，B1に直接値を入力しても，選手情報が更新されることも，理解できるであろう。

※「ex09a.xlsm」を上書き保存してから閉じよ。

9.2　ユーザフォームの活用

これまで，マクロの実行中にキー入力を複数回行うには，その回数だけInputBox関数を呼び出す必要があった。例題8.5では，図9-20左のように2つの入力ボックスで別々に入力を行った。しかし，それらの入力を図9-20右のようにいっぺんに行うことができた方が，手間の軽減や入力ミスの防止ができて明らかに便利である。

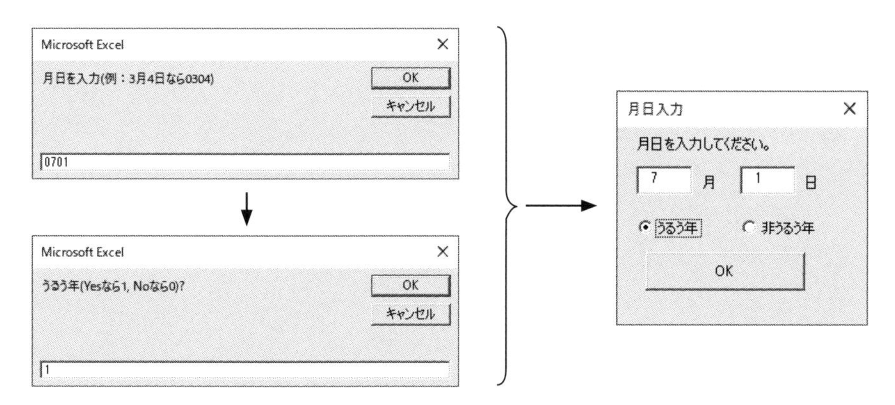

図9-20　ユーザフォームで一括入力が可能に

このように，色々な情報をいっぺんに入力するためのボックスは，ユーザ（プログラマ）が自分で作る必要があることから，**ユーザフォーム**と呼ばれる。この節では，ユーザフォームの作り方と使い方について学習する。

※この節にはデモンストレーションはなく，すぐにプログラミングに入る。

■ プログラミング

〈準備9.2〉 Excelを起動し（→**準備1.1**），「開発」タブを確認（ない場合は**準備1.2**）してからVBEを起動せよ（→**準備1.3**）。次に，変数宣言の強制化を確認（未設定の場合は**準備2.2④**）してから，コードウィドウを新規作成せよ（→**準備1.4**）。

【例題9.5】 図9-21左のようなユーザフォームで2つの数を入力し，その和を出力ボックスで図9-21右のように表示したい。

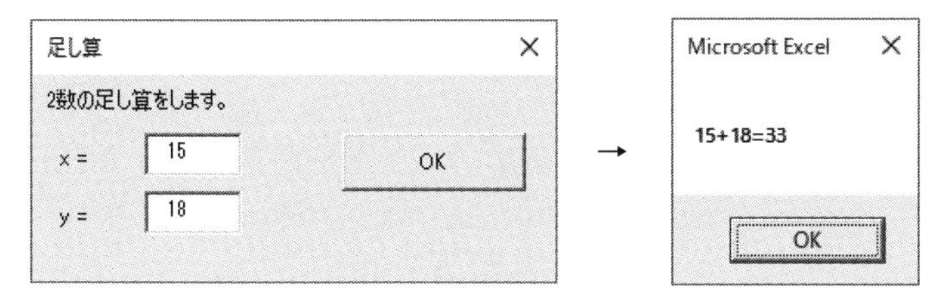

図9-21　例題9.5の実行

次の手順でそのような仕組みを作成せよ。

◎ユーザフォームの作成

① VBEの画面で，「挿入」→「ユーザフォーム」

②（プロパティウィンドウが表示されていない場合は）「表示」→「プロパティウィンドウ」

③（オブジェクト名）：足し算，Caption：足し算と変更

④ 空のユーザフォームをクリック

⑤ ツールボックスのラベル A をクリック

⑥ 大体図9-22のようにラベルの範囲をドラッグ

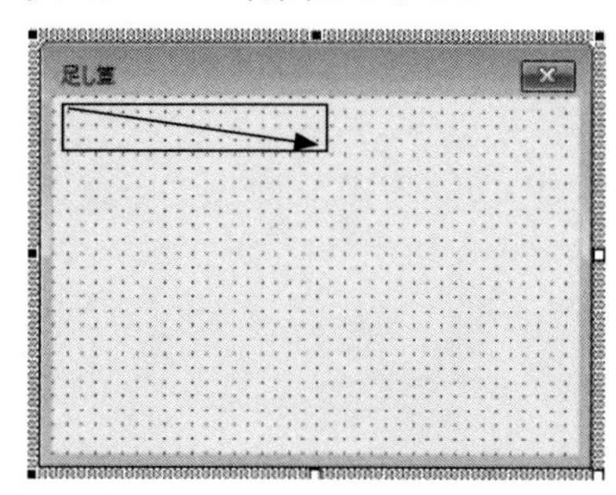

図9-22　ラベルの配置位置

⑦ Caption：2数の足し算をします。と変更

⑧ ユーザフォームをクリック

⑨ 以下，手順⑤～⑧を繰り返して，大体図9-23のようにラベルを配置

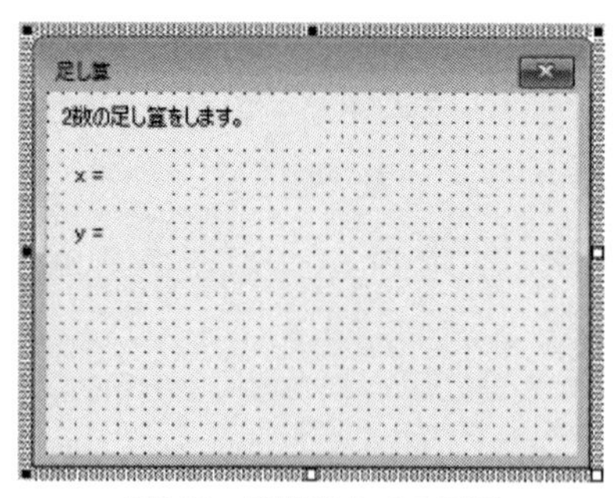

図9-23　手順⑨までの目標

⑩ ツールボックスのテキストボックス abl をクリック

⑪ 大体図9-24のようにテキストボックスの範囲をドラッグ

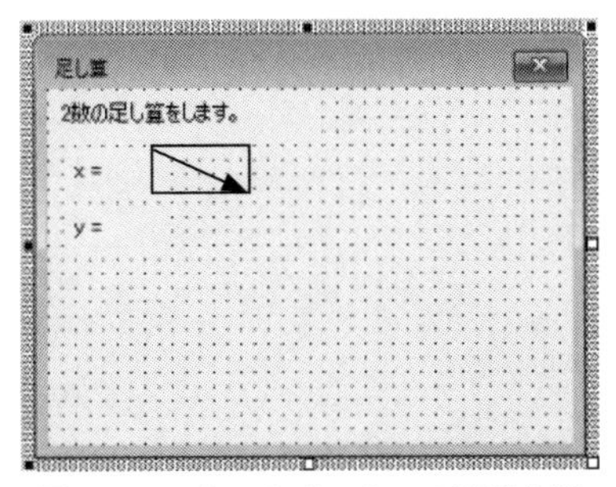

図9-24　テキストボックスの配置位置

⑫ 手順⑩，⑪を繰り返して，大体図9-25のようにテキストボックスを配置

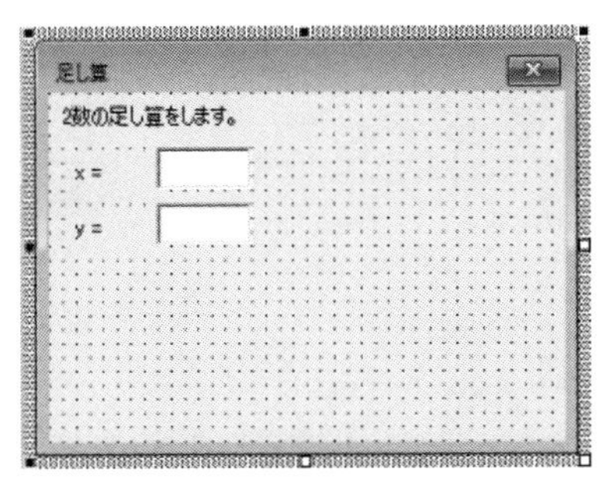

図9-25　手順⑫までの目標

⑬ ツールボックスのコマンドボタン ab をクリック

⑭ 大体図9-26のようにコマンドボタンの範囲をドラッグ

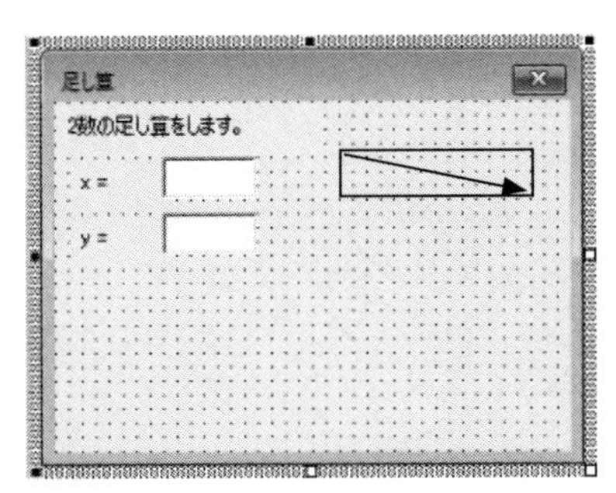

図9-26　コマンドボタンの配置位置

⑮ Caption：OKに変更

⑯ ユーザフォームの内部をクリック

⑰ 内部のコントロール（ラベル，テキストボックス，コマンドボタン）の位置や大きさ，およびユーザフォームの大きさを微調整

◎グローバル変数の宣言

マクロ内のDim文で宣言される変数は，そのマクロの中だけでしか読み書きができない。そのような変数を**ローカル変数**という。それに対して，**グローバル変数**はどのマクロやユーザフォームからも読み書きできる変数で，コードウィンドウの最上部にPublic文で宣言する。ここでは，ユーザフォームの情報を制御マクロ（後述）に伝えるために用いる。

① コードウィンドウ（Module1）を表示

② 次のように入力

```
Option Explicit

Public x As Double  ┐
Public y As Double  ┘（追加）
```

◎イベントプロシージャの作成

①ユーザフォームを表示（隠れている場合は，プロジェクトウィンドウ内の「足し算」をダブルクリック）

②コマンドボタン（OK）をダブルクリック

③次のように入力

```
Private Sub CommandButton1_Click()
    x = Val(TextBox1.Text)  ┐
    y = Val(TextBox2.Text)  ├（追加）
    Unload Me               ┘
End Sub
```

④イベントプロシージャのコードウィンドウを閉じる

◎制御マクロの作成

制御マクロとは，ユーザフォームを表示したり，ユーザフォームから得られた情報を処理するためのマクロである。

①コードウィンドウ（Module1）を表示（隠れている場合は，プロジェクトウィンドウ内の「Module1」をダブルクリック）
②その最後尾に次のようなマクロを入力

```
Sub xプラスy()
    足し算.Show
    MsgBox x & "+" & y & "=" & x + y
End Sub
```

※入力が終わったらマクロ「xプラスy」をVBEで実行し（**→実習1.1**），正しく動作するか確かめよ。
※このブックファイルをマクロ有効ブック「ex09b（氏名）.xlsm」という名前で保存せよ（**→実習1.4**）。

〈ポイント9.6〉 前節では，ワークシート上にコントロール（コマンドボタンなどの部品）を置いたが，今回はそれらをユーザフォーム上に置いて使用する仕組みである。作成手順が良く似ていることに気づいたであろう。

ここで初めて登場するのは，テキストボックスとラベルである。**テキストボックス**は，文字を入力するためのコントロールで，ユーザフォーム上で大変よく用いるものである。テキストボックスのオブジェクト名はTextBox1（2つ目以降，最後の番号が加算される）であり，その主なプロパティ（オブジェクトが持つ変数）とイベント（マクロ実行のきっかけ動作）は**表9-1**の通りである。

表9-1　テキストボックスの主なプロパティとイベント

種　類	名　前	意　味
プロパティ	Text	テキストボックスに入力された文字列
イベント	Change	テキストボックスの値が変わること

一方，**ラベル**は文字列を表示するためのコントロールで，ユーザフォーム内の

コメントや項目名を表すときなどに用いられる。ラベルのオブジェクト名はLabel1（2つ目以降，最後の番号が加算される）であり，その主なプロパティは表9-2の通りである。

表9-2　ラベルの主なプロパティ

種　類	名　前	意　味
プロパティ	Caption	ラベルに表示する文字列

〈ポイント9.7〉　イベントプロシージャ「CommandButton1_Click」にあるUnload Meは，Me（自分自身…この場合はユーザフォーム「足し算」）を画面から消去するという意味である。

一方，制御マクロ「xプラスy」にある

足し算.Show

は，「足し算」という名前のユーザフォーム（オブジェクト）にShowというメソッドを適用して，ユーザフォームを表示せよ，という意味である（→ポイント3.10）。

〈ポイント9.8〉　例題9.5で体験したように，ユーザフォームのあるシステムは，多くの場合

(1) ユーザフォームの作成
(2) グローバル変数の宣言
(3) イベントプロシージャの作成
(4) 制御マクロの作成

という手順で作成される。但し，この手順は必ず守るべきものというのではなく，場合によっては順番が変わったり，途中の手順が省略されても良い。特に(2)は，ユーザフォームから制御マクロにデータの受け渡しがない場合は省略される。

〈準備9.3〉　次の作業を円滑に行うため，ユーザフォーム「足し算」のデザインウィンドウを図9-27のようにして閉じよ。

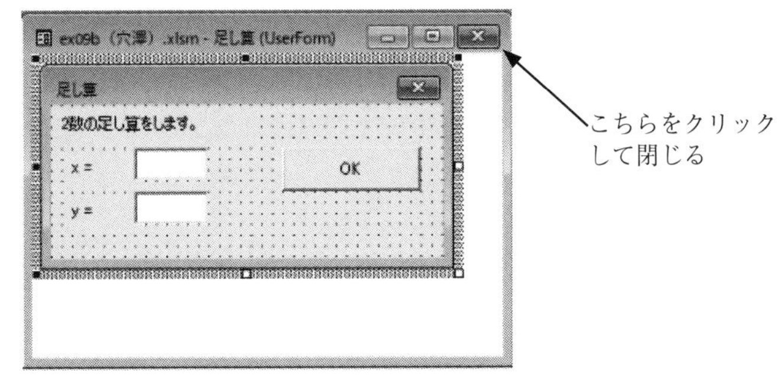

図9-27　デザインウィンドウを閉じる

【例題9.6】　これから,「入力」「計算」「出力」の3作業からなるシステムを作成すると仮定し，そのメニューウィンドウを図9-28のように表示させたい。

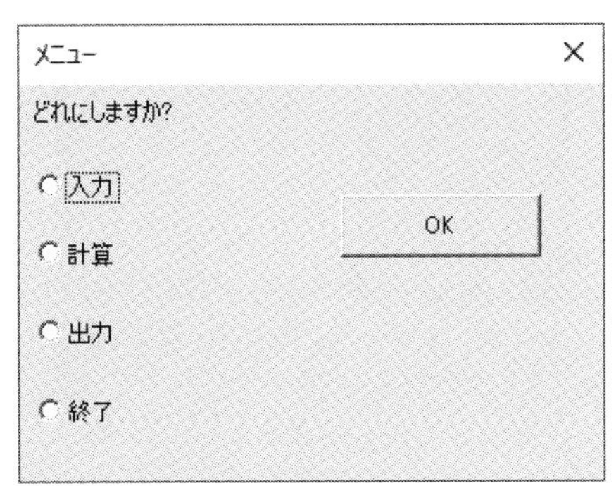

図9-28　例題9.6の目標

このウィンドウは,「終了」が選択されるまで繰り返し表示されるものとする。次の手順でそのような仕組みを作成せよ。

◎ユーザフォームの作成

① VBEの画面で,「挿入」→「ユーザフォーム」

②（プロパティウィンドウが表示されていない場合は）「表示」→「プロパティウィンドウ」

③（オブジェクト名）：メニュー，Caption：メニューと変更

④ 空のユーザフォームをクリック

⑤ ツールボックスのラベル **A** をクリック

⑥ 大体図9-29のようにラベルの範囲をドラッグ

⑦ Caption：どれにしますか？と変更

⑧ ユーザフォームをクリック

⑨ ツールボックスのオプションボタン ◉ をクリック

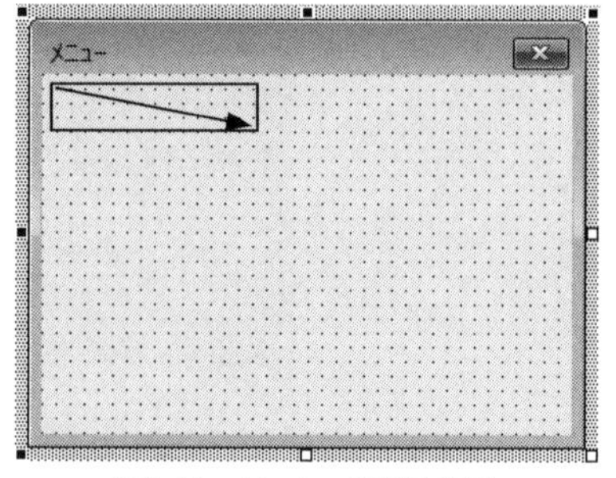

図9-29　ラベルの配置位置

⑩ 大体図9-30のようにオプションボタンの範囲をドラッグ

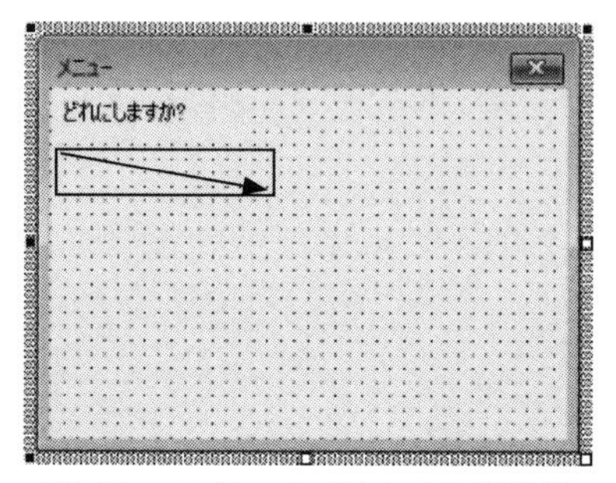

図9-30　オプションボタンの配置位置

⑪ Caption：入力と変更

⑫ ユーザフォームをクリック

⑬ 以下，手順⑨～⑫を繰り返して，オプションボタンを図9-31のように配置

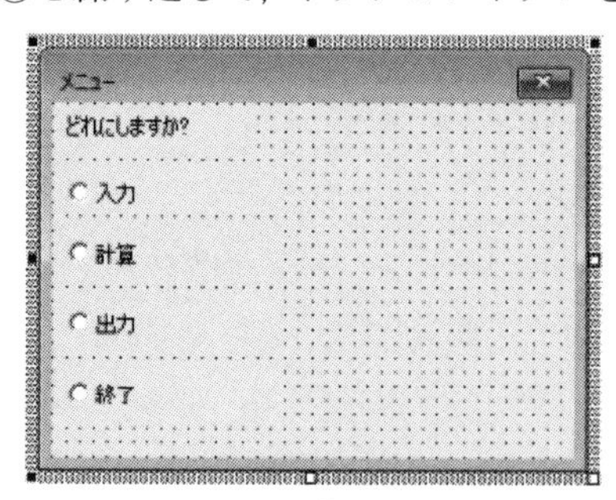

図9-31　手順⑬までの目標

⑭ ツールボックスのコマンドボタン ab をクリック

⑮ 大体図9-32のようにコマンドボタンの範囲をドラッグ

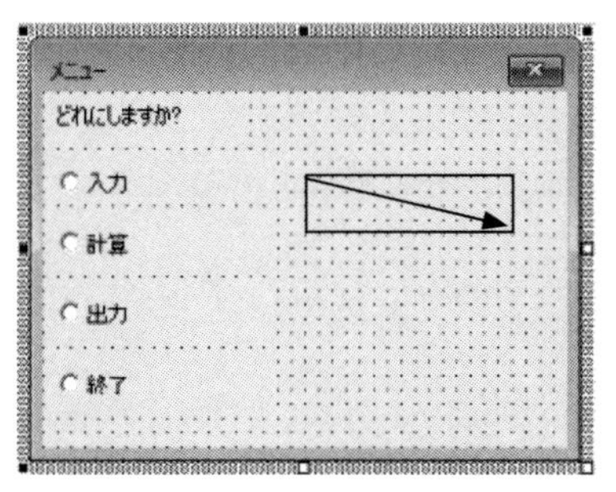

図9-32　コマンドボタンの配置位置

⑯ Caption：OKに変更

⑰ ユーザフォームの内部をクリック

⑱ 内部のコントロール（ラベル，テキストボックス，コマンドボタン）の位置や大きさ，およびユーザフォームの大きさを微調整

◎グローバル変数の宣言

① コードウィンドウ（Module1）を表示

② 次のように入力

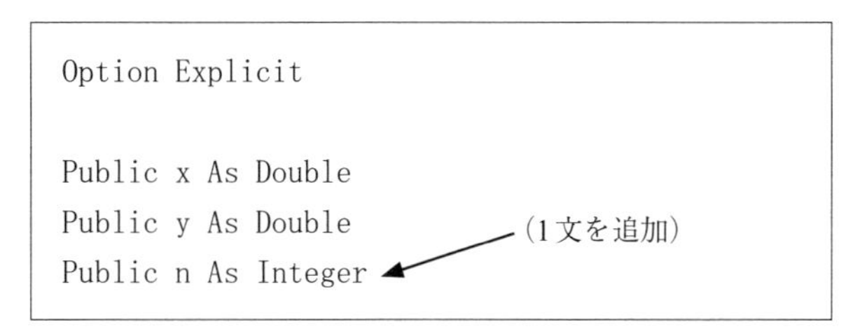

```
Option Explicit

Public x As Double
Public y As Double
Public n As Integer
```


◎イベントプロシージャの作成

① ユーザフォーム「メニュー」を表示

② コマンドボタン（OK）をダブルクリック

③ 次のように入力

```
Private Sub CommandButton1_Click()
    If OptionButton1.Value = True Then         ┐
        n = 1                                  │
    ElseIf OptionButton2.Value = True Then     │
        n = 2                                  │
    ElseIf OptionButton3.Value = True Then     │
        n = 3                                  │
    ElseIf OptionButton4.Value = True Then     ├（追加）
        n = 9                                  │
    Else                                       │
        n = 0                                  │
    End If                                     │
    Unload Me                                  ┘
End Sub
```

④ イベントプロシージャのコードウィンドウを閉じる

◎制御マクロの作成

① コードウィンドウ（Module1）を表示

② その最後尾に次のようなマクロを入力

```
Sub メニュー3()
    Do
        メニュー.Show
        If n = 1 Then
            MsgBox "入力します（未完成）"
        ElseIf n = 2 Then
            MsgBox "計算します（未完成）"
        ElseIf n = 3 Then
            MsgBox "出力します（未完成）"
        ElseIf n = 9 Then
            MsgBox "終了します"
        Else
```

```
            MsgBox "何も選択されていません"
        End If
    Loop While n <> 9
End Sub
```

※入力が終わったらマクロ「メニュー3」をVBEで実行し（→**実習1.1**），正しく動作するか確かめよ。

〈ポイント9.9〉　オプションボタンは，複数の選択肢の中から1つだけを選択するためのコントロールである。オプションボタンのオブジェクト名はOptionButton1（2つ目以降，最後の番号が加算される）であり，その主なプロパティは**表9-3**の通りである。

表9-3　オプションボタンの主なプロパティ

種　類	名　前	意　味
プロパティ	Value	選択されているときはTrue，そうでないときはFalse

※オプションボタンとよく似たコントロールにチェックボックスがある。これは選択肢の中から複数個を選択することができる。

※「ex09b（氏名）.xlsm」を上書き保存して閉じよ。

演習課題

【課題9.1】 マクロ有効ブック「ex09a（氏名）.xlsm」を開き（→準備1.6），Sheet3のシート名を「ナベアツ」に変更せよ。「ナベアツ」シートのA1セルにスピンボタンを，B3:C4付近にコマンドボタンを以下のように配置して，図9-33のようなカウンティングシステムを作成したい。

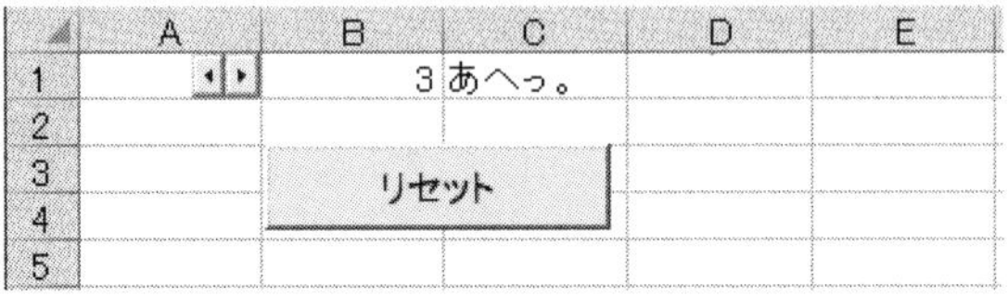

	A	B	C	D	E
1	◂▸	3	あへっ。		
2					
3		リセット			
4					
5					

図9-33　課題9.1の目標

ここで，スピンボタンのクリックによって，B1の値は0から40まで変化し，コマンドボタンをクリックするとB1の値が0になるようにしたい。但し，

- B1が0のとき，C1には「これから3の倍数と3の付く数字のときアホになり，8の倍数のとき気持ち良くなります。」と表示，
- B1が3の倍数か3の付く数字のとき，C1には「あへっ。」と表示，
- B1が8の倍数のとき，C1には「あはーん。」と表示，
- B1が上記以外のとき，C1には「!!」と表示，

という具合に動作するものとする。次の手順で，カウンティングシステムを完成させよ。

(1) スピンボタンをA1内に配置（→例題9.4の③，④）

(2) スピンボタンのプロパティを次のように変更（→例題9.4の⑤，⑥）

Min : 0，Max : 40，SmallChange : 1，LinkedCell : B1

(3) スピンボタンのイベントプロシージャを次のように入力（→例題9.4の⑦）

```
Private Sub SpinButton1_Change()
    Dim n As Integer, sakebi As String
    n = SpinButton1.Value
    sakebi = ""
```

```
    If n = 0 Then
        sakebi = "これから3の倍数と3の付く数字のときアホになり，" & _
        "8の倍数のとき気持ち良くなります。"
    Else
        If n Mod 3 = 0 Then
            sakebi = "あへっ。"
        ElseIf n Mod 10 = 3 Then
            sakebi = "あへっ。"
        ElseIf n ¥ 10 = 3 Then
            sakebi = "あへっ。"
        End If
        If n Mod 8 = 0 Then
            sakebi = sakebi & "あはーん。"
        End If
    End If
    If Len(sakebi) = 0 Then
        sakebi = "!!"
    End If
    Range("C1").Value = sakebi
End Sub
```

1文が長くなるときは，アンダーバー _ を用いて文を分割できる（→ポイント1.2）

(4) コマンドボタンをB3:C4付近に配置（→例題9.3の③，④）

(5) コマンドボタンのCaptionを「リセット」に変更（→**例題9.3**の⑤，⑥）

(6) コマンドボタンのイベントプロシージャを次のように入力（→**例題9.3**の⑦）

```
Private Sub CommandButton1_Click()
    Range("B1").Value = 0
End Sub
```

【課題9.2】「ex09a（氏名）.xlsm」において，**図9-34**のようなユーザフォーム上のスピンボタンをクリックすると「名簿」シートの選手情報が次々と表示されるようにしたい。

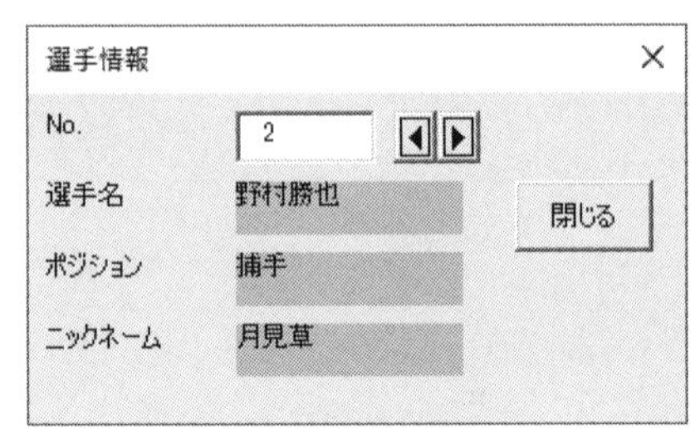

図9-34　課題9.2の目標

次の手順でそのような仕組みを作成せよ。

◎ユーザフォームの作成（図9-35）

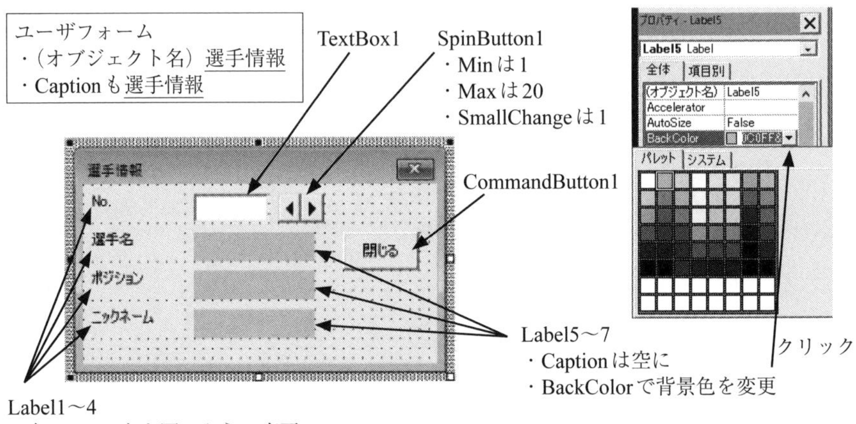

図9-35　各コントロールの配置と設定

◎グローバル変数の宣言　→　この課題では不要

◎イベントプロシージャの作成（コードウィンドウ「Sheet3」）

```
Private Sub CommandButton1_Click()
    Unload Me
End Sub


Private Sub SpinButton1_Change()
```

```
    Dim n As Integer
    n = SpinButton1.Value
    TextBox1.Text = n
    Label5.Caption = Sheets("名簿").Range("A1").Offset(n, 1).Value
    Label6.Caption = Sheets("名簿").Range("A1").Offset(n, 2).Value
    Label7.Caption = Sheets("名簿").Range("A1").Offset(n, 3).Value
End Sub

Private Sub TextBox1_Change()
    SpinButton1.Value = Val(TextBox1.Text)
End Sub
```

◎制御マクロの作成（コードウィンドウ「Module1」）

```
Sub 選手情報表示()
    選手情報.Show
End Sub
```

※ワークシートに配置したときのスピンボタン（→例題9.4）にはLinkedCellプロパティがあって，Valueプロパティとセルの値の連動ができた。ここでも本来ならばTextBox1の値とValueプロパティを連動させたいところだが，残念ながらそのような仕組みはない。よってこの例題では，イベントプロシージャ「TextBox1_Change」で，TextBox1の値が変わったとき，SpinButton1のValueプロパティも変化するような仕組みにした。

※「ex09a（氏名）.xlsm」を上書き保存して閉じよ。

10 ――システム製作実践

本書のこれまでの内容で，Excel VBAの文法についてはかなり修得できたものと考えられる。しかし，オフィスなどの現場で「役に立つ」システムを製作するには，Excelが本来持っている機能を最大限引き出すための，もっと有益な仕組みを身につけるべきである。その仕組みの一つが「マクロ記録」である。

この章では，「マクロ記録」を足掛かりに，より実践的なシステム製作のノウハウを紹介する。

10. 1　マクロ記録

Excel VBAにおいて，最も特筆すべき機能である**マクロ記録**を習得しよう。マクロ記録とは，ワークシート上の一連の操作を，VBAの文法でマクロとして記録する機能である（図10-1）。

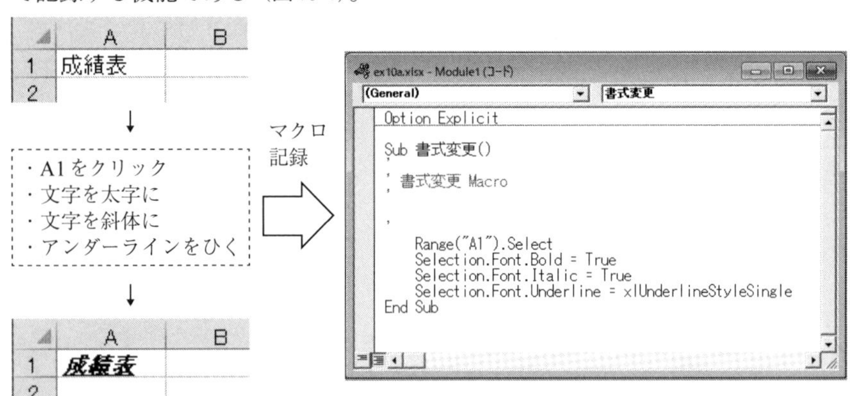

図10-1　マクロ記録とは

この機能のメリットは次の通りである。

- 手順が複雑な処理を，複数のワークシートで繰り返し行う際に，最初のワークシートの処理をマクロ記録しておけば，後はマクロを呼び出すだけで自動的に実行される。

- 場合によっては，記録したマクロにほんの少しの修正を加えるだけで，汎用性のある本格的な処理システムを作ることができる。
- オブジェクトが持つプロパティ（属性）やメソッド（操作）を調べるのに役立つ。例えば，「セルを赤く塗りつぶす」という操作をVBAで表現する方法がわからないときは，その操作をマクロ記録して調べればよい。

Excelをベースとした処理システムを本格的に作成するためには，マクロ記録は不可欠な機能と言っても，過言ではないであろう。

※市販されているVBAテキストには，最初の方で「マクロ記録」を紹介するものが多い。その理由は，マクロ記録によって，プログラミングをほとんど知らない段階でもシステム作りの楽しさを体感できるからである。しかし本書では，さまざまなプログラミング言語に共通する知識や技能の習得を重要視したので，VBAの最も特徴的な機能であるマクロ記録は後回しにした。

※この節にはデモンストレーションはなく，すぐにプログラミングに入る。

プログラミング

〈準備10.1〉 すでに図10-2のように入力されたブックファイル「ex10a.xlsx」をダウンロードして開くか，または新規ブックファイルに直接入力せよ。

	A	B	C
1	成績表		
2			
3	氏名	点数	評価
4	長島重雄	55	D
5	野村勝也	72	B
6	翁貞晴	80	A
7	星野千一	48	D
8	鈴木一郎	76	B
9			
10			
11			

A組　B組　C組

(a)「A組」シート

	A	B	C
1	成績表		
2			
3	氏名	点数	評価
4	青木勲	75	B
5	岡本彩子	81	A
6	尾崎正志	68	C
7	宮里愛	90	A
8	石川良	58	D
9	古賀美穂	70	B
10	植田桃子	65	C
11			

A組　B組　C組

(b)「B組」シート

	A	B	C
1	成績表		
2			
3	氏名	点数	評価
4	北島浩介	92	A
5	谷涼子	55	D
6	朝原伸治	75	B
7	上野雪子	88	A
8	吉田沙織	72	B
9	太田勇樹	63	C
10			
11			

A組　B組　C組

(c)「C組」シート

図10-2　準備10.1の入力済みデータ

※今回は普段と異なり，コードウィンドウの新規作成は行わない。

【例題10.1】「A組」シートのA1セルにある文字「成績表」の書体を，太字かつ斜体に変更し，アンダーラインをひく，という作業をマクロ記録し，どのように記録されるか確めたい。次の手順で記録してみよう。

① B1セルをクリック（あとでA1セルのクリックを記録させるため）

② (マクロ記録の開始)「開発」タブ→「マクロの記録」をクリック

③ マクロ名：書式変更として「OK」

④ 以下の順番で操作

(a) A1セルをクリック

(b)「ホーム」タブ→太字ボタン B をクリック

(c) 斜体ボタン I をクリック

(d) 下線ボタン U をクリック

⑤ (マクロ記録の終了)「開発」タブ→「記録終了」をクリック

※記録終了後，VBEを表示し，図10-3のようにしてコードウィンドウを表示せよ。

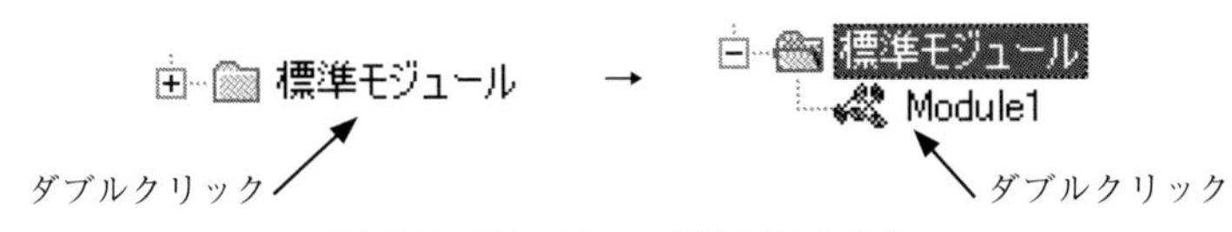

図10-3 「Module1」が非表示の場合

※記録したマクロの内容が，ほぼ以下のとおりであることを確認せよ。

```
Sub 書式変更()
'
' 書式変更 Macro
'


'
    Range("A1").Select
    Selection.Font.Bold = True
    Selection.Font.Italic = True
    Selection.Font.Underline = xlUnderlineStyleSingle
End Sub
```

※「B組」シートを表示してマクロ「書式変更」を実行し（→**実習1.2**），「A組」シートでの処理が再現されることを確かめよ。「C組」シートに対しても試みよ。

※このブックファイルをマクロ有効ブック「ex10a（氏名）.xlsm」という名前で保存

せよ（→**実習1.4**）。

〈ポイント10.1〉 マクロ記録中に行った1つ1つの操作が，それぞれ命令文に対応していることを確認しよう。**Selection**は，直前にSelectメソッドで選択されたオブジェクトを表し，この場合はA1セルを指す。なお，シングルクォーテーション'から行末までの部分は**コメント**といって，VBAの文法に従わない文字列を書いてもよい（→**ポイント1.5**）。よって，マクロ内のメモ書きによく活用される。

【例題10.2】 「A組」シートにあるデータを，新たに追加したワークシートにコピーする作業を，次の手順で記録してみよう。

①「A組」シートの表示
②（マクロ記録の開始）「開発」タブ→「マクロの記録」 をクリック
③ マクロ名：新シートにコピーとして「OK」
④ 以下の順番で操作
(a) A3:C3を範囲指定（ドラッグ）
(b) 指定した範囲を右クリック→「コピー」
(c) ワークシートの挿入（ をクリック）
(d) 新シートのA3をクリック
(e) 選択したセルを右クリック→「貼り付け」
(f) 再び「A組」シートを表示
(g) データ範囲を自動検出
（ア）A4セルをクリック
（イ）[Shift]+[Ctrl]+[↓]（[Shift]キーと[Ctrl]キーを押しながら[↓]キーを叩く）
（ウ）[Shift]+[Ctrl]+[→]
(h) 自動検出した範囲を右クリック→「コピー」
(i) 再び新シート（Sheet1）を表示
(j) A4セルをクリック

(k) 選択したセルを右クリック→「貼り付け」

(l) A1セルをクリック（表示を整える目的で）

⑤（マクロ記録の終了）「開発」タブ→「記録終了」■ をクリック

※記録したマクロの内容が，ほぼ以下のとおりであることを確認せよ。

```
Sub 新シートにコピー()
'
' 新シートにコピー Macro
'

    Range("A3:C3").Select
    Selection.Copy
    Sheets.Add
    Range("A3").Select
    ActiveSheet.Paste
    Sheets("A組").Select
    Range("A4").Select
    Range(Selection, Selection.End(xlDown)).Select
    Range(Selection, Selection.End(xlToRight)).Select
    Application.CutCopyMode = False
    Selection.Copy
    Sheets("Sheet1").Select
    Range("A4").Select
    ActiveSheet.Paste
    Range("A1").Select
End Sub
```

〈ポイント10.2〉 ここでも，マクロ記録中に行った1つ1つの操作が，それぞれ命令文に対応していることを確認しよう。但し，この中で下線部の

Application.CutCopyMode = False

だけは，おそらくどの操作に対応するのかが不明であろう。これは，ワークシート上でコピーや切り取りを行った際に残る，動く点線の表示を消去することを表す。よって，このマクロを再利用する際には，この文が無くても実害は無

いので，省略してもよい。

【例題10.3】 Sheet1シートのデータを点数の降順（大きい順）に並べ替える操作を，次の手順で記録せよ。

①「A組」シートを表示（あとでSheet1選択を記録させるため）

②（マクロ記録の開始）「開発」タブ→「マクロの記録」をクリック

③ マクロ名：点数降順ソートとして「OK」

④ 以下の順番で操作

(a) Sheet1シートを表示

(b) 表の左上端のA3セルをクリック

(c)「データ」→「並べ替え」

(d) 図10-4のように指定して「OK」

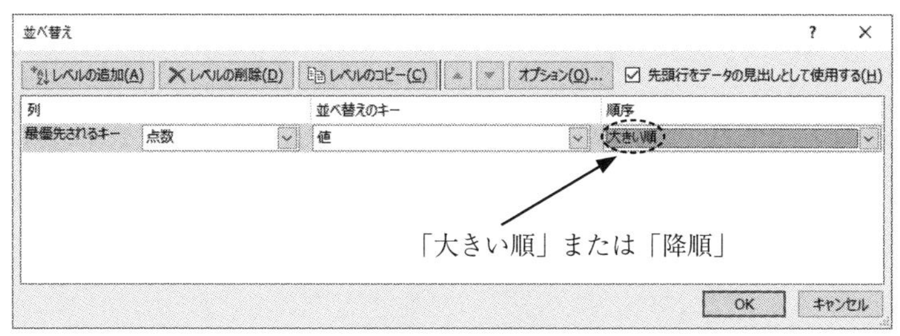

図10-4　並べ替え

(e) A1セルをクリック（表示を整える目的で）

⑤（マクロ記録の終了）「開発」タブ→「記録終了」をクリック

※記録したマクロの内容が，ほぼ以下のとおりであることを確認せよ。

```
Sub 点数降順ソート()
'
' 点数降順ソート Macro
'
    Sheets("Sheet1").Select
    Range("A3").Select
```

```
    ActiveWorkbook.Worksheets("Sheet1").Sort.SortFields.Clear
    ActiveWorkbook.Worksheets("Sheet1").Sort.SortFields.Add Key:=Range("B4:B8"), _
        SortOn:=xlSortOnValues, Order:=xlDescending, DataOption:=xlSortNormal
    With ActiveWorkbook.Worksheets("Sheet1").Sort
        .SetRange Range("A3:C8")
        .Header = xlYes
        .MatchCase = False
        .Orientation = xlTopToBottom
        .SortMethod = xlPinYin
        .Apply
    End With
    Range("A1").Select
End Sub
```

並べ替えに対応する行

〈ポイント10.3〉 ワークシート上の並べ替え（ソート）のように，自前でプログラミングしようとするとかなりの手間がかかる場合，マクロ記録の本領が発揮される。ワークシートの並べ替え機能には，たくさんのパラメータ（設定項目）があって，ユーザが明示的に指定しなかった項目についても，マクロ記録では記録される。よって，並べ替えに対応する文は11行にわたっている。しかし，実際に我々が設定した項目は，以下の3つである。

- Key: 最優先されるキー。大小比較する項目を，そのデータの範囲で指定する。実際には，最初のデータのセル番地だけ指定すればよい。
- Order: 最優先されるキーの並べ替えの順番。降順ならばxlDescending，昇順ならばxlAscendingを指定する。
- Header: 先頭行が見出しである場合はxlYesを指定する。

なお，他のパラメータを調べたい場合は，VBEでオブジェクトブラウザ をクリックし，**図10-5**のようにしてヘルプを見るとよい。

※今後，このような方法でヘルプを積極的に活用してみよう。

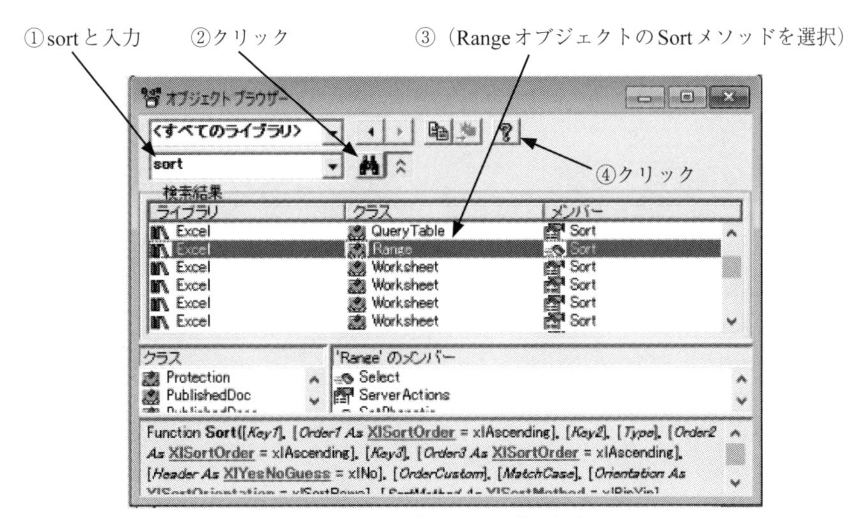

図10-5　オブジェクトブラウザ

〈ポイント10.4〉　マクロ「点数降順ソート」にある**With ... End With**構文は，処理対象となる同一のオブジェクトに様々なメソッド適用やプロパティ設定を行う場合，オブジェクト名を重複して入力することを避けるために用いる。例えば，**例題10.1**で記録したマクロ「書式変更」は，次のように書き換えても同様に動作する。

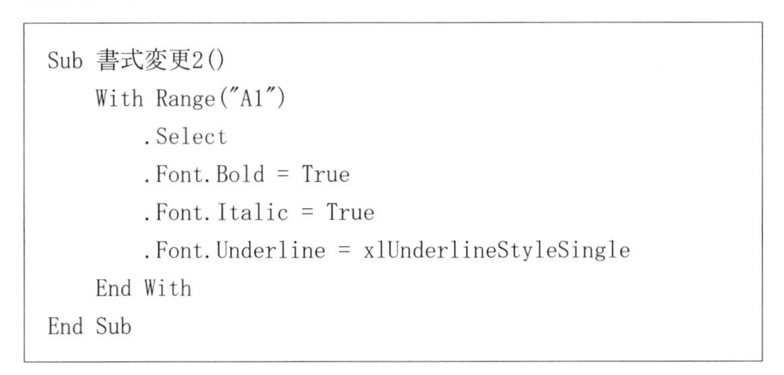

```
Sub 書式変更2()
    With Range("A1")
        .Select
        .Font.Bold = True
        .Font.Italic = True
        .Font.Underline = xlUnderlineStyleSingle
    End With
End Sub
```

【例題10.4】　今まで記録したマクロを組み合わせて，より汎用性のあるマクロを作成しよう。ワークシートを新たに追加して，そこにA組，B組，C組のデータを1列に並べるためのマクロを，コードウィンドウの最後尾に次のように作成せよ。

※これまでに作成したマクロの一部分をコピー＆貼り付けして，必要な修正・追加をしていくと，効率よくプログラミングできる。

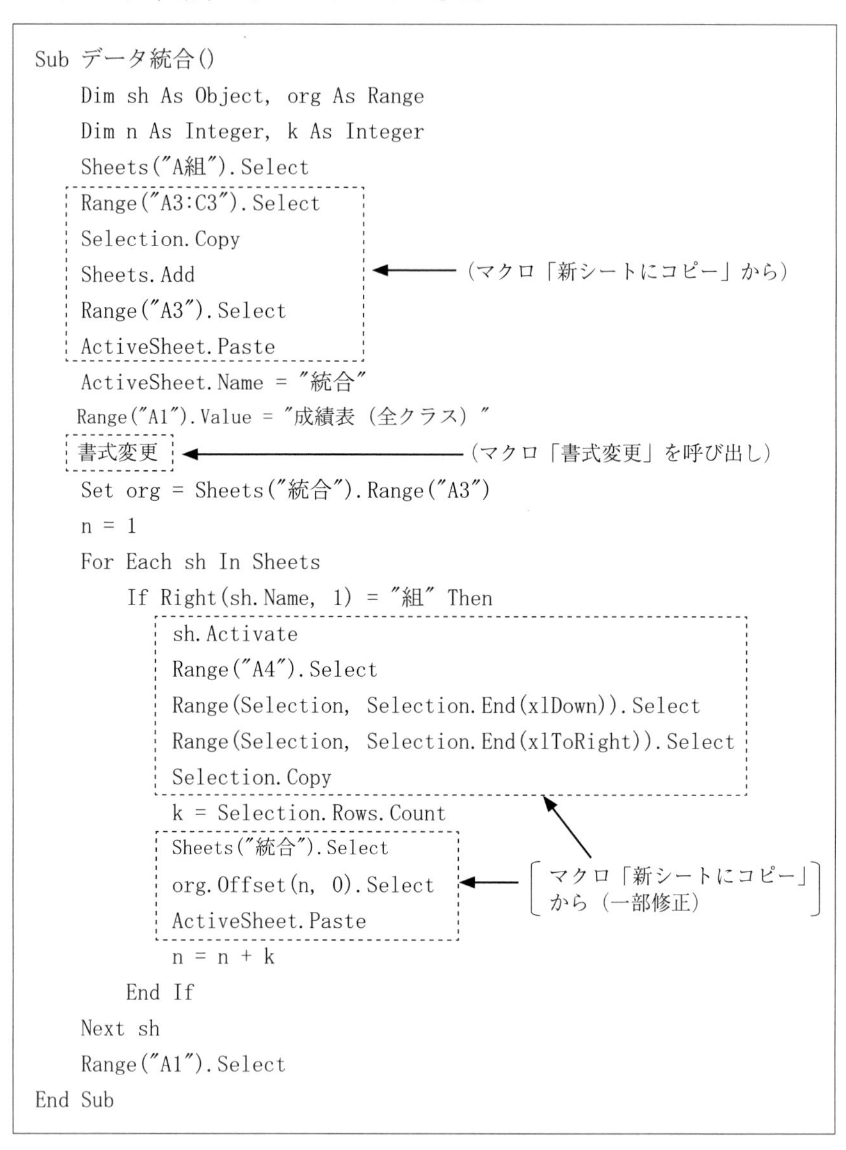

```
Sub データ統合()
    Dim sh As Object, org As Range
    Dim n As Integer, k As Integer
    Sheets("A組").Select
    Range("A3:C3").Select
    Selection.Copy
    Sheets.Add
    Range("A3").Select
    ActiveSheet.Paste
    ActiveSheet.Name = "統合"
    Range("A1").Value = "成績表（全クラス）"
    書式変更
    Set org = Sheets("統合").Range("A3")
    n = 1
    For Each sh In Sheets
        If Right(sh.Name, 1) = "組" Then
            sh.Activate
            Range("A4").Select
            Range(Selection, Selection.End(xlDown)).Select
            Range(Selection, Selection.End(xlToRight)).Select
            Selection.Copy
            k = Selection.Rows.Count
            Sheets("統合").Select
            org.Offset(n, 0).Select
            ActiveSheet.Paste
            n = n + k
        End If
    Next sh
    Range("A1").Select
End Sub
```

※入力が終わったら，**「A組」シートを表示してから**マクロ「データ統合」を実行し（→**実習1.2**），正しく動作するか確かめよ。

〈ポイント10.5〉 マクロ「データ統合」の中の**For Each … Next**構文とは何だろう？　そのためには「コレクション」の知識が必要である。同種のオブジェクトの集まりを**コレクション**という。実は，これまでにコレクションは何度も登場している。ワークシートの集まりを表すSheetsや，セルの集まりを表すCellsはいずれもコレクションである。このように複数形で表されることが多い。For Each … Next構文は，コレクションの各要素に対して同じ処理を繰り返し行う場合に用いる。そのためには，要素を表す変数をObject型で宣言する。

```
Dim 要素変数 As Object
```

そして，次のようにプログラミングする。

```
For Each 要素変数 In コレクション
    (要素変数に対する処理)
Next 要素変数
```

※「ex10a（氏名）.xlsm」を上書き保存して閉じよ。

10. 2　システム製作実践

この節では，より実用的なシステムを作成するための実践的な学習をする。例題として，ある会社の名簿検索・印刷システムを考える。

Excel上で動く実用的なシステムを作成する場合は，VBAマクロを一から作成するよりも，**マクロ記録をしてからマクロを書きかえる**という方法が有効な場合がある。ここでは，そのような方法でシステム製作を試みる。

〈準備10.2〉 すでに図10-6のように入力されたブックファイル「ex10b.xlsx」をダウンロードして開くか，または新規ブックファイルに直接入力せよ。

あさやけ商事・名簿

氏名	フリガナ	性別	入社年	所属部署
相田 祥子	アイダ ショウコ	女	2014	営業課
阿部 譲司	アベ ジョウジ	男	2011	総務課
阿部 律子	アベ リツコ	女	2015	総務課
伊藤 務	イトウ ツトム	男	2013	人事課
大江 真理子	オオエ マリコ	女	2013	人事課
小野田 弘雄	オノダ ヒロオ	男	2016	営業課
風見 慎吾	カザミ シンゴ	男	2015	システム課
木村 太朗	キムラ タロウ	男	2015	人事課
佐々木 真也	ササキ シンヤ	男	2013	営業課
島田 信介	シマダ シンスケ	男	2016	総務課
鈴木 幸子	スズキ サチコ	女	2016	営業課
千住 万里子	センジュ マリコ	女	2014	営業課
高橋 みなみ	タカハシ ミナミ	女	2013	経理課
田中 優子	タナカ ユウコ	女	2016	人事課
永井 一朗	ナガイ イチロウ	男	2012	総務課
中島 恒之	ナカジマ ツネユキ	男	2016	総務課
早見 悠	ハヤミ ユウ	女	2014	人事課
樋口 尚子	ヒグチ ヒサコ	女	2014	システム課
三上 宏	ミカミ ヒロシ	男	2014	システム課
茂木 賢一郎	モギ ケンイチロウ	男	2012	人事課
矢代 安芸	ヤシロ アキ	女	2011	経理課
山本 太朗	ヤマモト タロウ	男	2015	経理課
吉田 英作	ヨシダ エイサク	男	2012	経理課
和田 勳	ワダ ツトム	男	2012	システム課
渡辺 真由	ワタナベ マユ	女	2011	営業課

名簿 追加データ

(a)「名簿」シート

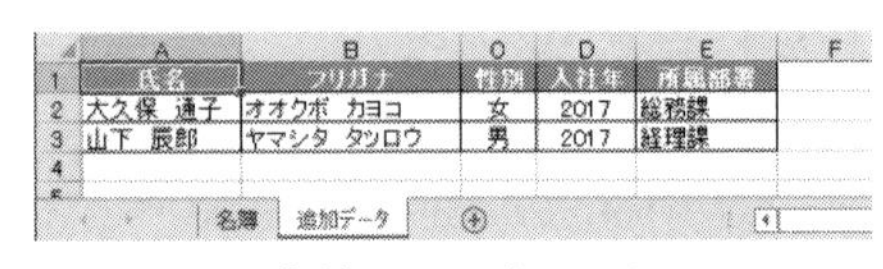

氏名	フリガナ	性別	入社年	所属部署
大久保 通子	オオクボ カヨコ	女	2017	総務課
山下 辰郎	ヤマシタ タツロウ	男	2017	経理課

名簿 追加データ

(b)「追加データ」シート

図10-6 準備10.2の入力済みデータ

◎目標

まずは，入力ボックスで部署名を図10-7のように入力すると，その部署の名簿（入社年順）を印刷プレビューし，プレビュー後は元の（フリガナ順の）名簿に戻すようなマクロを作成したい。

図10-7 部署名の入力

また，そのマクロをコマンドボタンのクリックだけで実行できるようにしたい。

次のステップとして，上記のような入力ボックスでは入力ミスを誘発するので，部署名の代わりに部署番号を図10-8のように入力して同じ結果が得られるような仕組みを作りたい。

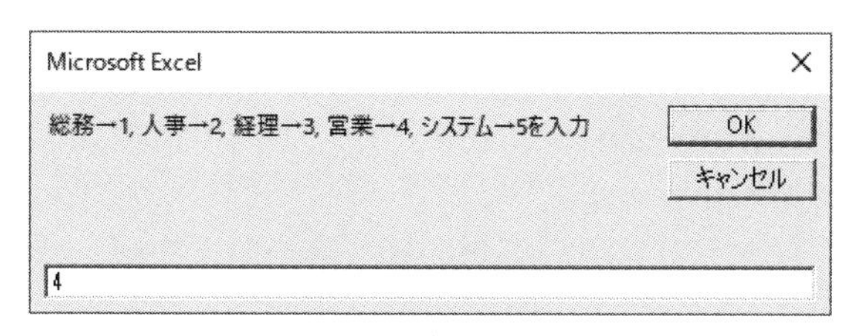

図10-8　部署番号の入力

〈準備10.3〉（マクロ記録のリハーサル）名簿を入社年の昇順で並べ替えてから，「営業課」の職員だけを抽出して印刷プレビューし，プレビュー後に抽出を解除してから元の順番（フリガナ順）に戻す，という操作を実行せよ。次の手順で実行すればよい。

①表の一部（例えばA3）をクリック
②「データ」タブ→「並べ替え」
③最優先されるキー：入社年，順序：昇順（または小さい順）として「OK」
④「データ」タブ→「フィルタ」
⑤「所属部署」の[▽]をクリック→「営業課」だけを選択して「OK」
⑥（印刷プレビュー）「ファイル」タブ→「印刷」→確認後 
⑦「データ」タブ→「フィルタ」（抽出の解除）
⑧「データ」タブ→「並べ替え」
⑨最優先されるキー：フリガナ，順序：昇順として「OK」

【例題10.5】 以下の手順で，**準備10.3**の作業をマクロ記録せよ。

①「名簿」シートのB3セルをクリック（後でA3クリックを記録するため）
②（マクロ記録の開始）「開発」タブ→「マクロの記録」をクリック
③マクロ名：営業課印刷として「OK」
④**準備10.3**の①〜⑨を実行
⑤（マクロ記録の終了）「開発」タブ→「記録終了」■ をクリック
※記録したマクロの内容が，ほぼ以下のとおりであることを確認せよ。

```
Sub 営業課印刷()
'
' 営業課印刷 Macro
'


'
    Range("A3").Select
    ActiveWorkbook.Worksheets("名簿").Sort.SortFields.Clear
    ActiveWorkbook.Worksheets("名簿").Sort.SortFields.Add Key:=Range("D4:D28"), _
        SortOn:=xlSortOnValues, Order:=xlAscending, DataOption:=xlSortNormal
    With ActiveWorkbook.Worksheets("名簿").Sort
        .SetRange Range("A3:E28")
        .Header = xlYes
        .MatchCase = False
        .Orientation = xlTopToBottom
        .SortMethod = xlPinYin
        .Apply
    End With
    Selection.AutoFilter
    ActiveSheet.Range("$A$3:$E$28").AutoFilter Field:=5, Criteria1:="営業課"
    Selection.AutoFilter
    ActiveWorkbook.Worksheets("名簿").Sort.SortFields.Clear
    ActiveWorkbook.Worksheets("名簿").Sort.SortFields.Add Key:=Range("B4:B28"), _
        SortOn:=xlSortOnValues, Order:=xlAscending, DataOption:=xlSortNormal
    With ActiveWorkbook.Worksheets("名簿").Sort
        .SetRange Range("A3:E28")
        .Header = xlYes
        .MatchCase = False
        .Orientation = xlTopToBottom
        .SortMethod = xlPinYin
        .Apply
    End With
End Sub
```

【例題10.6】 マクロ「営業課印刷」をWith ... End With構文で以下のように見やすく修正せよ（不要なコメント行も削除する）。また，記録されなかった下線部の文も追加せよ。続いて「名簿」シートに戻り，修正した「営業課印刷」を実行せよ。

```
Sub 営業課印刷()
    Range("A3").Select
    With ActiveWorkbook.Worksheets("名簿").Sort
        .SortFields.Clear
        .SortFields.Add Key:=Range("D4:D28"), _
        SortOn:=xlSortOnValues, Order:=xlAscending, DataOption:=xlSortNormal
        .SetRange Range("A3:E28")
        .Header = xlYes
        .MatchCase = False
        .Orientation = xlTopToBottom
        .SortMethod = xlPinYin
        .Apply
    End With
    Selection.AutoFilter
    ActiveSheet.Range("$A$3:$E$28").AutoFilter Field:=5, Criteria1:="営業課"
    ActiveWindow.SelectedSheets.PrintPreview
    Selection.AutoFilter
    With ActiveWorkbook.Worksheets("名簿").Sort
        .SortFields.Clear
        .SortFields.Add Key:=Range("B4:B28"), _
        SortOn:=xlSortOnValues, Order:=xlAscending, DataOption:=xlSortNormal
        .SetRange Range("A3:E28")
        .Header = xlYes
        .MatchCase = False
        .Orientation = xlTopToBottom
        .SortMethod = xlPinYin
        .Apply
    End With
End Sub
```

※下線部の文は，印刷プレビューに相当する。Excel 2013よりも前のバージョンでは，マクロ記録によって記録されていたが，それ以降のバージョンでは記録されなくなった。そのため，本書のようにマクロ記録後に加筆している。

※このブックファイルをマクロ有効ブック「ex10b（氏名）.xlsm」という名前で保存せよ（→実習1.4）。

【例題10.7】（実験）「追加データ」シートにある2人分のデータを「名簿」シートの最後尾に追加し，フリガナ順で並べ替えてから，マクロ「営業課印刷」を実行してみよ。何かおかしくはないか？　おかしい場合は，その原因を推察せよ。

〈ポイント10.6〉 印刷プレビューすると，本来一番上に表示されるべき「渡辺真由」さんが一番下に表示された。どうしてそうなったのか？　理由は，入社年の昇順でソートする際に，ソート範囲が（2人を追加する前の）A3:E28のままだったからである。このように，データに増減があるデータベースを処理するためのマクロは，記録したままでは正しく動作しないことがあり，これから行う修正が必要となる。

【例題10.8】 表全体の範囲を自動的に検出することを，以下の手順でマクロ記録せよ。

①「名簿」シートでA3以外のセルをクリック
②（マクロ記録の開始）「開発」タブ→「マクロの記録」をクリック
③ マクロ名：<u>表全体選択</u>として「OK」
④ A3をクリック
⑤ [Ctrl]+[Shift]+[↓]
⑥ [Ctrl]+[Shift]+[→]
⑦（マクロ記録の終了）「開発」タブ→「記録終了」■ をクリック

【例題10.9】 入社年のデータ範囲（見出しを除く）を自動的に検出することを，以下の手順でマクロ記録せよ。

①「名簿」シートでD4以外のセルをクリック

②（マクロ記録の開始）「開発」タブ→「マクロの記録」をクリック

③マクロ名：入社年全体選択として「OK」

④D4をクリック

⑤[Ctrl]+[Shift]+[↓]

⑥（マクロ記録の終了）「開発」タブ→「記録終了」■をクリック

【例題10.10】 例題10.9と同様の方法で，フリガナのデータ範囲（見出しを除く）を自動的に検出することを，マクロ記録せよ。マクロ名はフリガナ全体選択とする。

※例題10.8～10.10によって，以下の3つのマクロが記録されただろうか？（不要なコメント文は削除すると良い。）

```
Sub 表全体選択()
    Range("A3").Select
    Range(Selection, Selection.End(xlDown)).Select
    Range(Selection, Selection.End(xlToRight)).Select
End Sub
Sub 入社年全体選択()
    Range("D4").Select
    Range(Selection, Selection.End(xlDown)).Select
End Sub
Sub フリガナ全体選択()
    Range("B4").Select
    Range(Selection, Selection.End(xlDown)).Select
End Sub
```

【例題10.11】 マクロ「営業課印刷」を次のように変更（特に下線部を加筆・修正）して，名簿データに追加や削除があっても正しく動作するようにせよ。変更後，「名簿」シートに戻ってマクロが正しく動作することを確かめよ。

```
Sub 営業課印刷()
    Range("A3").Select
    With ActiveWorkbook.Worksheets("名簿").Sort
        .SortFields.Clear
        入社年全体選択
        .SortFields.Add Key:=Selection, _
        SortOn:=xlSortOnValues, Order:=xlAscending, DataOption:=xlSortNormal
        表全体選択
        .SetRange Selection
        .Header = xlYes
        .MatchCase = False
        .Orientation = xlTopToBottom
        .SortMethod = xlPinYin
        .Apply
    End With
    Selection.AutoFilter
    表全体選択
    Selection.AutoFilter Field:=5, Criteria1:="営業課"
    ActiveWindow.SelectedSheets.PrintPreview  ←〔印刷プレビュー〕
    Selection.AutoFilter                      ←〔オートフィルタOFF〕
    With ActiveWorkbook.Worksheets("名簿").Sort
        .SortFields.Clear
        フリガナ全体選択
        .SortFields.Add Key:=Selection, _
        SortOn:=xlSortOnValues, Order:=xlAscending, DataOption:=xlSortNormal
        表全体選択
        .SetRange Selection
        .Header = xlYes
        .MatchCase = False
        .Orientation = xlTopToBottom
        .SortMethod = xlPinYin
        .Apply
    End With
End Sub
```

名簿を入社年の昇順でソート

営業課の社員を抽出

名簿をフリガナの昇順でソート

〈ポイント10.7〉 データの増減に対応するために，具体的な範囲が書いてあった文の直前に，**例題10.8～10.10**で作成した3つのマクロのいずれかを呼び出し，範囲指定部分をSelectionと置き換えた（下線部に注目）。

【例題10.12】 図10-9のような入力ボックスを用いて，部署を自由に選んで名簿印刷ができるマクロ「部署別印刷」を，次のように作成せよ。

Microsoft Excel

部署は?

OK

キャンセル

総務課

図10-9　例題10.12の入力

（※マクロ「営業課印刷」をコードウィンドウに丸々コピーしてから，下線部のように加筆・修正してよい。）

```
Sub 部署別印刷()
    Dim busho As String
    busho = InputBox("部署は?")
    Range("A3").Select
    With ActiveWorkbook.Worksheets("名簿").Sort
        .SortFields.Clear
        入社年全体選択
        .SortFields.Add Key:=Selection, _
        SortOn:=xlSortOnValues, Order:=xlAscending, DataOption:=xlSortNormal
        表全体選択
        .SetRange Selection
        .Header = xlYes
        .MatchCase = False
        .Orientation = xlTopToBottom
        .SortMethod = xlPinYin
        .Apply
    End With
```

```
    Selection.AutoFilter
    表全体選択
    Selection.AutoFilter Field:=5, Criteria1:=busho
    ActiveWindow.SelectedSheets.PrintPreview
    Selection.AutoFilter
    With ActiveWorkbook.Worksheets("名簿").Sort
        .SortFields.Clear
        フリガナ全体選択
        .SortFields.Add Key:=Selection, _
        SortOn:=xlSortOnValues, Order:=xlAscending, DataOption:=xlSortNormal
        表全体選択
        .SetRange Selection
        .Header = xlYes
        .MatchCase = False
        .Orientation = xlTopToBottom
        .SortMethod = xlPinYin
        .Apply
    End With
End Sub
```

※変更後，ワークシートに戻り，マクロ「部署別印刷」が正しく動作するか確かめよ。

【例題 10.13】　マクロ「部署別印刷」を実行するためのコマンドボタンを，おおむね図10-10の位置に配置せよ。次の手順で実行すればよい。

	A	B	C	D	E
1	あさやけ商事・名簿			部署別印刷	
2					
3	氏名	フリガナ	性別	入社年	所属部署
4	相田　祥子	アイダ　ショウコ	女	2014	営業課
5	阿部　譲司	アベ　ジョウジ	男	2011	総務課
6	阿部　律子	アベ　リツコ	女	2015	総務課

図10-10　コマンドボタンの配置

①「開発」タブ→「挿入」

②「Active X コントロール」のコマンドボタンをクリック

③ 配置したい位置をドラッグ（左上から右下へ）

④ コマンドボタンを右クリック→「コマンドボタンオブジェクト」→「編集」

⑤ 文字列を「部署別印刷」に変更→外部の任意のセルをクリック
⑥ コマンドボタンをダブルクリック（イベントプロシージャの編集開始）
⑦ 以下のように，マクロ「部署別印刷」を呼び出す命令文を一文だけ挿入

```
Private Sub CommandButton1_Click()
    部署別印刷
End Sub
```

⑧ ワークシートに戻り，「開発」タブ→「デザインモード」（デザインモードOFF）
※コマンドボタンをクリックして，正しく動作するか確かめよ。新たに何か問題は起きていないか？

〈ポイント10.8〉 印刷プレビューでコマンドボタンが表示されている。これは印刷時に非表示にしたい。そのため，次の例題でコマンドボタンを一時的に非表示にするための修正を加える。

【例題10.14】 印刷プレビューの際に，コマンドボタンが一時的に非表示になるようにせよ。以下の手順を実行すればよい。

① 「開発」タブ→「デザインモード」（デザインモードON）
② コマンドボタンをダブルクリック（イベントプロシージャの編集開始）
③ 次のように，マクロ「部署別印刷」の呼び出し直前に，CommandButton1のVisibleプロパティをFalseにする文を挿入。また，マクロ「部署別印刷」の呼び出し直後に，CommandButton1のVisibleプロパティをTrueにする文を挿入

```
Private Sub CommandButton1_Click()
    CommandButton1.Visible = False
    部署別印刷
    CommandButton1.Visible = True
End Sub
```

④ ワークシートに戻り，「開発」タブ→「デザイン」（デザインモードOFF）
※今度はうまくいくか？

【例題10.15】 部署番号で名簿の印刷プレビューができるマクロ「部署別印刷2」を作成せよ。次の手順を実行すればよい。

① VBEを起動。

② コードウィンドウModule1に入力済みのマクロ「部署別印刷」をコードウィンドウの最後尾に丸々コピー

③ コピーしたマクロを（マクロ名も含めて）以下のように修正

追加・変更

```
Sub 部署別印刷2()
    Dim busho As String
    Dim num As Integer
    num = Val(InputBox("総務→1, 人事→2, 経理→3, 営業→4, システム→5を入力"))
    If num = 1 Then
        busho = "総務課"
    ElseIf num = 2 Then
        busho = "人事課"
    ElseIf num = 3 Then
        busho = "経理課"
    ElseIf num = 4 Then
        busho = "営業課"
    ElseIf num = 5 Then
        busho = "システム課"
    Else
        MsgBox "番号が間違っています。"
        Exit Sub
    End If
    Range("A3").Select
       ⋮
    以下変更なし
       ⋮
End Sub
```

④ ワークシートに戻り,「開発」タブ→「デザインモード」(デザインモードON)

⑤ コマンドボタン「部署別印刷」をダブルクリック（イベントプロシージャの編集開始）

⑥ 呼び出すマクロを「部署別印刷2」に変更

⑦ ワークシートに戻り,「開発」タブ→「デザインモード」(デザインモードOFF)

※上書き保存の後ボタンをクリックし，うまく動作するか確かめよ。

※「ex10b（氏名）.xlsm」を上書き保存して閉じよ。

演習課題

【課題10.1】 マクロ有効ブック「ex10a（氏名）.xlsm」を開け（→準備1.6）。「A組」シートで成績表全体（A3:C8）を自動的に検出することをマクロ記録せよ。マクロ名は「表全体選択」とする。

《ヒント》「A組」シートでA3以外のセルを選択後，マクロ記録を開始し，①A3セルをクリック，②[Ctrl]+[Shift]+[↓]，③[Ctrl]+[Shift]+[→]と操作して，記録終了する。

※「B組」･「C組」シートでも正しく動作することを確かめよ。

【課題10.2】 「A組」シートで見出しを除く点数データ全体（B4:B8）を自動的に検出することをマクロ記録せよ。マクロ名は「点数全体選択」とする。

《ヒント》「A組」シートでB4以外のセルを選択後，マクロ記録を開始し，①B4セルをクリック，②[Ctrl]+[Shift]+[↓]と操作して，記録終了する。

※「B組」･「C組」シートでも正しく動作することを確かめよ。

【課題10.3】 (やや難) ワークシートを新たに追加して，そこにA組，B組，C組のデータを1列に，しかも点数の高い順に並べるためのマクロ「データ統合ソート付き」を作成せよ。なお，統合先の新シートの名前は「統合ソート付き」とすること。

《ヒント》 **例題10.4**のマクロ「データ統合」のコピーを作成し，次のような加筆・修正を加える。シート名「統合」は「統合ソート付き」に変更する。また，**例題10.3**のマクロ「点数降順ソート」の（Sub文とEnd Sub文を除く）全文を組み込む。但し，シート名「Sheet1」は「統合ソート付き」に変更する。ソート範囲も異なるので，「Range(B4:B8)」を含む文の前に**課題10.2**のマクロ「点数全体選択」を呼び出し，Range(B4:B8) をSelectionで置き換える。さらに，「Range(A3:C8)」を含む文の前に課題10.1のマクロ「表全体選択」を呼び出し，Range(A3:C8) をSelectionで置き換える。

※「ex10a（氏名）.xlsm」を上書き保存して閉じよ。

【課題10.4】（やや難）マクロ有効ブック「ex10b（氏名）.xlsm」を開け（**→準備1.6**）。全部署の名簿をいっぺんに印刷（プレビュー）できるようなマクロ「連続印刷」を作成せよ。コマンドボタンを設ける必要はない。

《ヒント》 **例題10.15**で作成した「部署別印刷2」をコードウィンドウの最後尾に丸々コピーして，それを修正すればよい。変数numにInputBoxから入力するのではなく，1, 2, ..., 5と順次代入して印刷プレビューを繰り返すようにすればよい。

※「ex10b（氏名）.xlsm」を上書き保存して閉じよ。

11 ——VBAによる統計解析

本章では，統計処理で重要な集団データを処理し特徴を抽出し計算する方法，確率と確率分布の考え方と確率分布を実現するための乱数の発生法を述べる。また，乱数を用いたモンテカルロ法や各種ゲームを実現するVBAプログラムを示す。

11.1　データの整理

統計学は，集団の情報をもとに集団の特徴を明らかにする。統計学は記述統計学と推測統計学に別れ，前者は集団内の全データを収集し集団の特徴を明らかにする。後者は数理統計学とも呼ばれ，全体の一部から全体の特徴を推測する。本節では推測統計学に絞り，最も基本的な平均と分散から始める。

11.1.1　平均とその種類

集団内データの特徴を数量表現する方法に**平均**と**分散**がある。平均は統計学のデータ分析において，最も使用される指標である。ある都市の平均寿命，1日のスマホ平均使用時間，クラスの平均身長，平均睡眠時間など日常でも使用されることが多い。

平均はさらに以下のように細かく分類される。

(a) 算術平均：データの合計をデータ個数で割ったもので，相加平均とも呼ばれる。平均寿命，平均身長，平均睡眠時間などに用いる。

(b) 幾何平均：N個のデータの積のN乗根で，相乗平均とも呼ばれる。5年間の平均経済成長率などに用いる。

(c) 調和平均：逆数を取ったデータを算術平均し，最後に再度逆数を取ったものである。行きと帰りの時速の平均などに用いる。

11.1.2　VBAによる平均

図11-1にあるアイドル10名の魅力度をExcelに入力する。Excelでも関数を用いれば容易に（算術）平均を求めることができるが，拡張性を考えここではVBAにより合計と平均を求める。以下に，合計と平均を求めるVBAプログラムを示す。

	A	B	C
1	No	アイドル	魅力度
2	1	真夏	50
3	2	絵梨	60
4	3	里奈	40
5	4	飛鳥	70
6	5	玲香	55
7	6	麻衣	75
8	7	一実	30
9	8	七瀬	85
10	9	未央	50
11	10	佑美	35
12		合計	550
13		平均	55

図11-1　アイドルの魅力度の合計と平均

```
Sub 合計平均()
    Dim sum As Integer, i As Integer
    Dim ave As Double
    sum = 0
    For i = 2 To 11
        sum = sum + Cells(i, 3)
    Next i
    ave = sum / 10
    Cells(12, 3) = sum
    Cells(13, 3) = ave
End Sub
```

ここでExcelセルの参照方法に，Range("セル番地")ではなくCells(行番号,列番号)を用いたのはForループで連続セルを参照するときにプログラムを簡潔にするためである。

次に図11-2に5年間の経済成長率をExcelに入力する。以下にデータの幾何平均により5年間の平均経済成長率を求めるVBAプログラムを示す。

	A	B	C
1	No	年度	経済成長率
2	1	1年目	0.1
3	2	2年目	0.2
4	3	3年目	0.15
5	4	4年目	0.3
6	5	5年目	0.15
7		積	0.000135
8		幾何平均	0.16829327

図11-2　5年間の平均経済成長率

```
Sub 平均成長率()
    Dim seki As Double, ave As Double, i As Integer
    seki = 1
    For i = 2 To 6
        seki = seki * Cells(i, 3)
    Next i
    ave = seki ^ (1 / 5)
    Cells(7, 3) = seki
    Cells(8, 3) = ave
End Sub
```

ここで，sekiの(1/5)乗はseki^(1.0/5.0)と書く。

次に図11-3に行きと帰りの時速をExcelに入力する。以下に調和平均により行きと帰りの時速の平均を求めるVBAプログラムを示す。

	A	B	C
1	No	行き帰り	速度
2	1	行き	90
3	2	帰り	60
4		逆数平均	0.01388889
5		平均速度	72

図 11.3 行き帰り速度の平均

```
Sub 平均速度()
    Dim sum As Double, ave As Double, i As Integer
    sum= 0
    For i = 2 To 3
        sum = sum +1/Cells(i, 3)
    Next i
```

```
    sum = sum/2
    ave = 1/sum
    Cells(4, 3) = sum
    Cells(5, 3) = ave
End Sub
```

11.1.3　分散と標準偏差

統計学において，分散とは数値データの散らばり度合を表す。分散は，集団内データにおいて平均値と各データの差の2乗の平均を求め計算される。したがって平均値から離れたデータが多ければ多いほど分散が大きくなる。分散は常に非負の値をとり，散らばりが大きいと分散も大きく，小さいと分散は0に近づく。

例として次の2つのデータの分散を比べる。図11-1のアイドルをグループAとBに分け，それぞれの魅力度平均と分散を図11-4に示す。

	A	B	C	D	E	F	G
1	グループA				グループB		
2	No	アイドル	魅力度		No	アイドル	魅力度
3	1	真夏	50		6	麻衣	75
4	2	絵梨	60		7	一実	30
5	3	里奈	40		8	七瀬	85
6	4	飛鳥	70		9	未央	50
7	5	玲香	55		10	佑美	35
8		平均	55.0			平均	55.0
9		分散	100.0			分散	470.0

図11-4　アイドルのグループAとBの平均と分散

アイドルグループAとBの魅力度の平均はどちらも55.0点で同じであるが，グループAの分散は100.0，グループBの分散は470.0となる（分散の求め方は後述する）。分散の計算により平均だけでは分からない集団の性質がある。この例ではグループBの分散470.0の方がグループAの分散100.0より大きい。これはグループBの魅力度の方がグループAの魅力度の散らばりより大きいことを意味する。

グループBの魅力度を見るとNo.6は75，No.8は85で平均55からそれぞれ

20と30離れている。一方グループAの魅力度を見ると，No.2は60，No.4は70で平均55からそれぞれ5と15離れている。魅力度を全体的にみると，平均からの離れ具合はグループBの方が大きいのでグループBの分散はグループAの分散よりも大きい。

なお分散の正の平方根は**標準偏差**と呼ばれ，標準偏差を使うと入試の難易度などで使われる偏差値を計算できる。

11. 1. 4　VBAによる分散

図11-5に図11-1と同じアイドル10名の魅力度をExcelに入力する。Excelでも関数を用いれば分散を求めることができるが，ここではVBAにより分散と標準偏差を求める。以下に，分散と標準偏差を求めるVBAプログラムを示す。分散を計算するにはまず集団内データの平均値と求めた後，各データと平均の差の2乗の平均を求める。

	A	B	C
1	No	アイドル	魅力度
2	1	真夏	50
3	2	絵梨	60
4	3	里奈	40
5	4	飛鳥	70
6	5	玲香	55
7	6	麻衣	75
8	7	一実	30
9	8	七瀬	85
10	9	未央	50
11	10	佑美	35
12		合計	550
13		平均	55
14		分散	285
15		標準偏差	16.882

図11-5　アイドル魅力度の分散と標準偏差

```
Sub 分散標準偏差()
    Dim sum As Integer, i As Integer
    Dim ave As Double, dev As Double, std As Double
    sum = 0
    For i = 2 To 11
        sum = sum + Cells(i, 3)
    Next i
    ave = sum / 10
    dev = 0
    For i = 2 To 11
        dev = dev + (Cells(i, 3) - ave) ^ 2
```

```
    Next i
    dev = dev / 10
    std = Sqr(dev)
    Cells(12, 3) = sum
    Cells(13, 3) = ave
    Cells(14, 3) = dev
    Cells(15, 3) = std
End Sub
```

11. 2　確率の基礎

確率とは，ある事象が起こる割合である。確率とはある事象がどれくらい起こり得るかの程度であり，0以上1以下の数字（または0%～100%）で表される。

現実世界では，絶対というものはほとんどなく，同じことを繰り返しても別の結果を得ることが多くある。数学や力学の枠組みでは，原因に対し結果が一つに定まる因果律が成立するが，確率の枠組みでは原因に対し偶然性により結果が変わる。

分かりやすい例として，サイコロを振る試行がある。1回目に1 の目が出ても次に同じ1が出るとは限らない。しかしそれぞれの目は6回に1回つまり1/6の確率で出ると考える。すなわち，サイコロのように全事象の確率が等しい場合，場合の数を計算しその逆数が当該事象が起こる確率である。すなわち，3個のサイコロの目の組合せは全部で6 × 6 × 6=216 通りあるので，各事象が起こる確率は1/216である。

確率の例として，3個のサイコロを振り全て同じ目である確率を求める。3個のサイコロの目の組合せは全部で6 × 6 × 6=216 通りある。全てが同じものは 6 通りである。したがって，目が全て同じになる確率は6/216=1/36となる。

11. 3　確率変数と確率分布

確率変数は確率の値をもつ変数である。例えば，サイコロの目は1, 2, 3, 4,

5, 6のいずれかで各目の確率は1/6なのでサイコロの目は確率変数である。確率変数（サイコロ目）をXとおくと各確率は次式で表すことができる。

$$P(X)=1/6 \quad (X=1, 2, 3, 4, 5, 6) \qquad \cdots\cdots (式11\text{-}1)$$

式11-1において，右側のカッコ内は変数の取る範囲であり，確率変数Xが1～6の整数値を取ることを表す。

確率変数がとる値と確率の対応を「**確率分布**」と言う。例えばサイコロの例では，図11-6は1～6までの確率変数に確率1/6が対応する確率分布である。確率分布図11-6は図11-7のようにグラフ表示することもできる。

サイコロの目	1	2	3	4	5	6
確　率	1/6	1/6	1/6	1/6	1/6	1/6

図11-6　サイコロの確率変数と確率分布

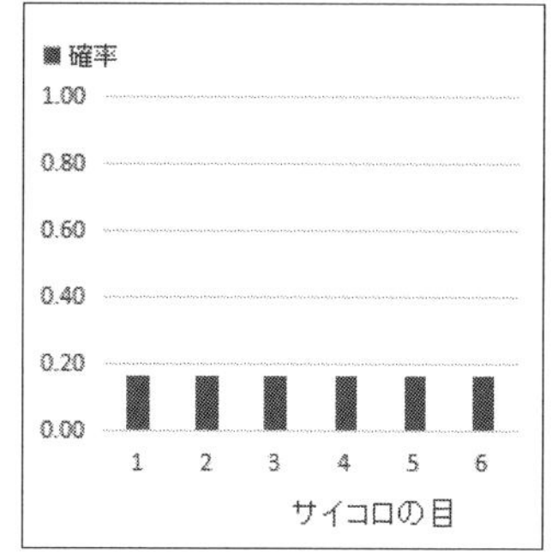

図11-7　サイコロの確率変数と確率分布のグラフ表示

11.4　確率のシミュレーション

確率は概念的には難しくその理論もやや難解である。しかし確率を実際に応用することは非常に簡単である。本節では確率を応用するときに欠かせない乱数とその発生法，さらに乱数を用いた確率シミュレーション例をいくつか述べる。

11.4.1　乱数列の種類

乱数とは次の値が予測できない数字のことである。例えばサイコロの1～6の目は振らないと何が出るかはわからない。乱数の応用として，セキュリティのためのパスワード暗号化，ゲームアプリへのランダム性の導入，占いや運勢，E-Learningの問題選択など多くのソフトウェアに組み込まれている。

乱数は値や分布によりいくつかに分類される。ここでは**一様乱数**と**正規乱数**を述べる。一様乱数とは，実数の場合はある有限区間を区切りその区間内で全ての実数が同じ確率で現れる乱数である。整数の場合はすべての確率変数において同じ確率をもつ乱数である。

一方，正規乱数とは正規分布を持つ乱数であり，平均0で分散1のときの確率分布を次式に示す。

$$f(z) = \frac{1}{\sqrt{2\pi}} exp(-\frac{z^2}{2}) \quad \cdots\cdots (式11\text{-}2)$$

式11-2の正規分布を図示すると図11-8になる。

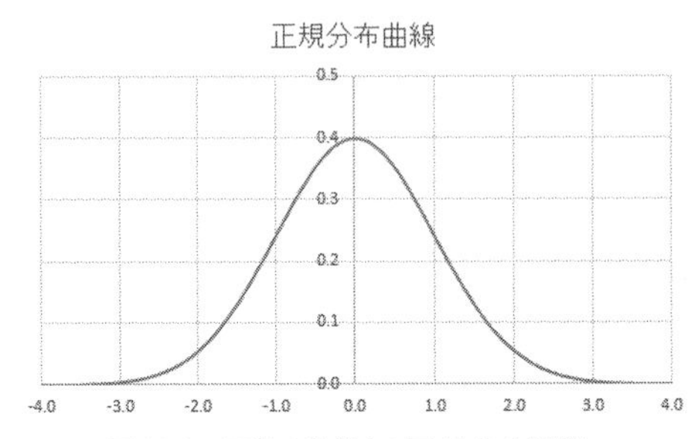

図11-8　平均0分散1の正規分布関数

図から，正規分布では，平均値近傍の確率が高く平均値から離れるに従い確率が低くなる。

11.4.2　一様乱数の生成

VBAで一様乱数を発生するにはRnd関数を使う。Rnd関数は0以上1未満のランダムな実数を返すので整数乱数を生成するには工夫が必要である。例として0〜9の整数乱数の場合，Rnd関数結果を10倍し小数第1位を整数位置に繰り上げ，さらにInt関数を用い整数化すると整数乱数が得られる。以下に，整数乱数を生成するVBAプログラムを示す。

```
Sub 整数乱数()
   MsgBox Int(Rnd * 10)
End Sub
```

Rnd関数は0も返すので上記プログラムは整数0〜9を生成する。2桁の乱数

00～99が欲しいときは100倍すればいい。Randomize文を用いRandomize(num)と書くと，乱数系列の再設定のために乱数生成器を初期化する。乱数生成のRnd関数は予め定めた乱数表に従い乱数を発生する。Randomize文では引数numで使用する乱数表を指定する。引数numを省略すると現在時刻を用いる。引数numが同じならば毎回同じ乱数系列が生成される。これは同じ実験を繰り返し実行するときには有用である。しかし毎回同じ系列ではなく異なる系列を発生したい場合は引数を省略する。現在時刻は毎回変わるので異なる系列を発生する。

コンピュータで発生する乱数は真の乱数とは異なり，内部の計算により発生する乱数であり擬似乱数と呼ぶ。真の乱数は規則性も再現性も無いので予測不可能であるが，擬似乱数は計算によるので予測可能である。擬似乱数の用途は多用で，シミュレーション実験，暗号，ゲーム，占いなどに利用される。また，物理乱数よりも手軽で，初期値に同じシードを使うと同じ乱数列を生成でき実験の再現性を実現できる利点がある。

擬似乱数には数多くの発生法があるが，初期の疑似乱数で用いられ現在ほとんど使用されていない平方採中法を例に乱数発生メカニズムを見る。

◎ 4桁整数乱数のための平方採中法のアルゴリズム

《Step1》 適当に4桁の初期値を決め2乗した値の中央の4桁をとり次の乱数とする。これを繰り返し乱数列とする。

《Step2》 中央は4桁を必要とするが，2乗値が7桁の時は最上位の前に0を付け足して8桁とする。

◎ 平方採中法の計算例

《Step1》 初期値を1763とする。

《Step2》 1763*1763 = 3108169 = 03108169 → 1081

《Step3》 1081*1081 = 1168561 = 01168561 → 1685

《Step4》 1685*1685 = 2839225 = 02839225 → 8392

《Step5》 8392*8392 = 70425664 → 4256

《Step6》 4256*4256 = 18113536 → 1135 ……

以上から擬似乱数列［1763, 1081, 1685, 8392, 4256, 1135, …］を得る。

11.4.3　正規乱数の生成

一様乱数を用いて，正規乱数を簡単に生成する方法を述べる。12個の一様乱数［0, 1］を生成しその和から6を減ずると擬似的な正規乱数を生成できる。これは中心極限定理と呼ばれ，サンプル数が大きくなると一様乱数の和の確率分布は正規分布に従うことが保証されている。12個の一様乱数［0, 1］を用いれば，和の分散が1となる。

以下に一様乱数から平均0，分散1の正規乱数を生成するVBAプログラム，図11-9に実行例を示す。

```
Sub 正規乱数()
    Dim i As Integer, j As Integer, k As Integer
    Dim s As Double
    For i = 1 To 10
        For j = 1 To 10
            s = 0
            For k = 1 To 12
                s = s + Rnd
            Next k
            Cells(i + 2, j + 1) = s - 6
        Next j
    Next i
End Sub
```

	A	B	C	D	E	F	G	H	I	J	K
1	平均0, 分散1の正規乱数の生成										
2		1	2	3	4	5	6	7	8	9	10
3	1～10	-0.0576	1.16779	0.948009	-0.17227	-1.11321	-0.82233	1.163032	-0.84683	-1.25646	0.252255
4	11～20	-1.8424	-0.46451	-0.50299	-2.37409	0.416076	-0.29093	1.131589	0.533009	-0.57715	-0.59172
5	21～30	-0.36835	0.207932	-1.33772	0.367506	-0.01844	1.885052	-1.38124	0.321116	0.165696	-0.20126
6	31～40	0.776656	0.003485	0.168439	-0.81662	-0.37966	-0.85101	-0.02584	1.273346	-1.36581	0.492003
7	41～50	0.567235	0.303005	0.302585	-2.2331	-0.06796	1.506737	-0.89011	-0.29194	1.052945	0.118916
8	51～60	-0.45951	1.049852	-0.08567	-0.62608	-0.92124	1.526655	-0.49943	-1.49388	0.209064	-0.12716
9	61～70	-1.20396	-1.25011	-0.58421	0.82279	1.785108	-0.6604	-0.8167	1.110872	0.452157	-1.49036
10	71～80	-1.00402	-1.52854	-0.21844	-0.50562	-0.6618	0.638941	-1.24231	0.528191	0.694335	0.347677
11	81～90	-0.63507	1.845448	2.548762	1.332049	0.58764	-0.31947	0.385856	-0.67357	-1.58979	0.267803
12	91～100	-1.31001	0.065195	-0.183	0.841652	-1.05446	0.282721	-1.2076	-0.36355	1.636882	0.713381

図11-9　正規乱数生成例

11. 4. 4　モンテカルロ法

理論的に確率を求めることが困難なとき乱数によるシミュレーションで近似値を求めることができ，これを**モンテカルロ法**と呼ぶ。ここでは円周率（π）をモンテカルロ法で求める。一辺が1の正方形とその左下隅を中心とする半径1の4分円を描くと**図11-10**になる。

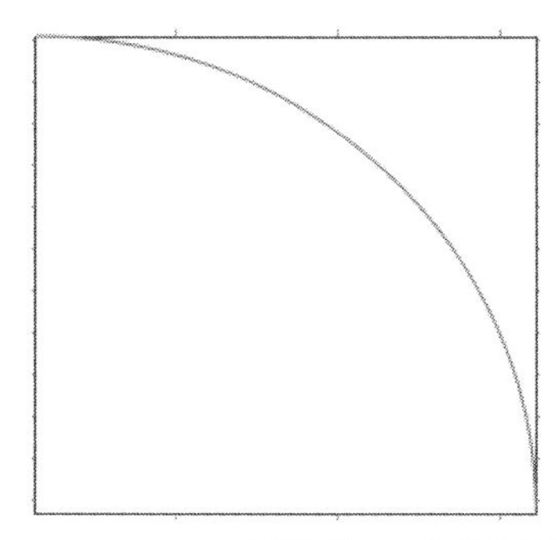
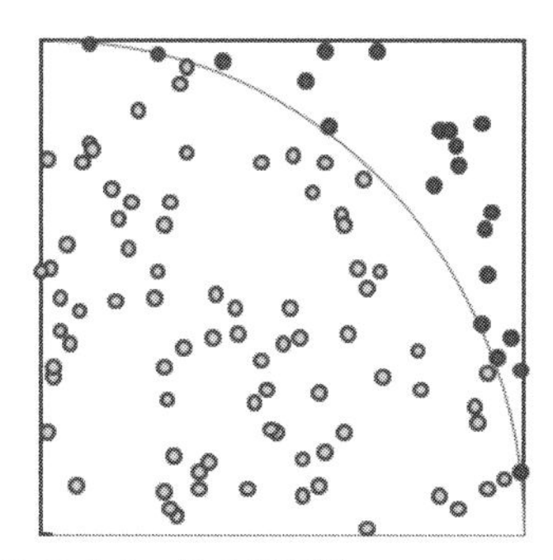

図11-10　πを求めるモンテカルロ法の実行例

正方形内にランダムに点を落とすと，4分円の中に落ちる確率は，正方形面積が1，4分円面積が$\pi/4$なので，次式のようになる。

$\pi / 4 =$（4分円内の点数）/（正方形内の点数）　　……（**式11-2**）

次にVBAプログラムを用いて**式11-2**を実現する。ランダムに点を落とすためにVBAでは0～1の乱数を生成するRnd関数を用いる。**図11-10**の座標系で2度Rnd関数を呼びそれぞれx座標とy座標とすると座標（x, y）に点を落とすことになる。

次に円の内か外かを判定するために，円の内部ならば中心からの距離1以下，外部ならば距離が1以上なので，次式で判定する。

$x^2 + y^2 < 1$（円の内部）　　$x^2 + y^2 \geqq 1$（円の外部）　　……（**式11-3**）

VBAによるモンテカルロ法のプログラムは以下のとおりである。また，実行結果を**図11-11**に示す。

```
Sub pai()
    Dim nai As Integer, i As Integer
    Dim x As Double, y As Double
    Randomize
    nai = 0
    For i = 1 To 100
        x = Rnd()
        y = Rnd()
        Cells(i + 2, 2) = x
        Cells(i + 2, 3) = y
        If (x * x + y * y < 1) Then
            nai = nai + 1
            Cells(i + 2, 4) = "IN"
        Else
            Cells(i + 2, 4) = "OUT"
        End If
    Next i
    Cells(3, 5) = 4 * nai / 100
End Sub
```

	A	B	C	D	E
1	モンテカルロ法によるπの近似				
2	連番	x	y	内外	近似値π
3	1	0.661248863	0.98419106	OUT	3.04
4	2	0.773604214	0.568145514	IN	
5	3	0.38367933	0.277104735	IN	
6	4	0.764247954	0.238059998	IN	
7	5	0.698398769	0.609557748	IN	
8	6	0.187054932	0.959141016	IN	
9	7	0.816649854	0.66032207	OUT	
10	8	0.068209231	0.465336323	IN	
11	9	0.099089324	0.659927487	IN	
12	10	0.778621495	0.456413984	IN	
13	11	0.008912981	0.531286597	IN	
14	12	0.612053931	0.863587379	OUT	
15	13	0.314980686	0.28031981	IN	
16	14	0.613245308	0.3651402	IN	
17	15	0.544941366	0.636580348	IN	
18	16	0.65603596	0.152051449	IN	
19	17	0.688358009	0.943879247	OUT	
20	18	0.771492779	0.943620443	OUT	
21	19	0.149832666	0.300910354	IN	
22	20	0.726034224	0.253091812	IN	

図11-11　モンテカルロ法の実行結果

◎ このプログラムでは実行結果をSheet1の以下のセルに書き込む。

E3（=Cells（3,5））：結果のπの近似値

B列（=Cells（3～102,2）：点のx座標

C列（=Cells（3～102,3）：点のy座標

D列（=Cells（3～102,4）：点が円内か外（INかOUT）

◎ プログラムは以下のステップで実行する。

《Step1》 変数宣言

《Step2》 乱数の初期化

《Step3》 円内の点の個数変数の初期化nai=0

《Step4》 以下を100回繰り返す

《Step4-1》 点の座標（x, y）を乱数（Rnd）で求め，B列とC列に入れる。

《Step4-2》 点（x, y）が円の内部か外か判定する

《Step4-3》 点が内部の時だけ変数naiを1増加

《Step4-4》 判定結果をIN, OUTでD列に入れる

《Step5》 式11-2により円周率πを求めE3に入れる

上記で述べたモンテカルロ法をより理解するために，図11-10のシミュレーション過程をグラフィック表示する。ワークシート上に配置する円や四角の図形はShapeオブジェクトと呼ばれる。Shapeを表示するには位置と大きさを指定する。位置は座標を用い，座標系は左上が原点（0, 0）でy軸が下向きである。数学上は実数であるがグラフィック座標は画面上のドット位置なので整数値（Integer）で指定する。

下記に，シミュレーション過程を図11-10のように表示するプログラム，実行例を図11-12に示す。

```
Sub ShowFigure()
    Dim sh As Shape
    Dim i  As Integer, co As Integer, nai As Integer
    Dim x  As Double, y   As Double
    Dim xx As Integer, yy As Integer
    Set sh = ActiveSheet.Shapes.AddShape(msoShapeRectangle, 150, 50, 150, 150)
    sh.Fill.ForeColor.SchemeColor = 1
    Set sh = ActiveSheet.Shapes.AddShape(msoShapeArc, 150, 50, 150, 150)
    sh.Fill.ForeColor.SchemeColor = 1
    nai = 0
    For i = 1 To 100
        x = Rnd
        y = Rnd
        Cells(i + 2, 2) = x
        Cells(i + 2, 3) = y
        xx = 150 + Int(x * 150)
        yy = 50 + 150 - Int(y * 150)
        Set sh = ActiveSheet.Shapes.AddShape(msoShapeOval, xx - 2, yy - 2, 4, 4)
        If (x * x + y * y < 1) Then
            co = 3
            nai = nai + 1
            Cells(i + 2, 4) = "IN"
        Else
            co = 2
            Cells(i + 2, 4) = "OUT"
        End If
        sh.Fill.ForeColor.SchemeColor = co
        Cells(3, 5) = 4 * nai / 100
    Next i
End Sub
```

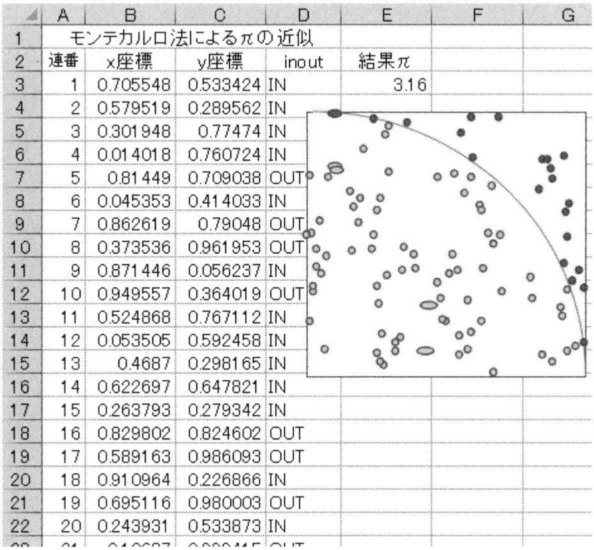

	A	B	C	D	E	F	G
1	モンテカルロ法によるπの近似						
2	連番	x座標	y座標	inout	結果π		
3	1	0.705548	0.533424	IN	3.16		
4	2	0.579519	0.289562	IN			
5	3	0.301948	0.77474	IN			
6	4	0.014018	0.760724	IN			
7	5	0.81449	0.709038	OUT			
8	6	0.045353	0.414033	IN			
9	7	0.862619	0.79048	OUT			
10	8	0.373536	0.961953	OUT			
11	9	0.871446	0.056237	IN			
12	10	0.949557	0.364019	OUT			
13	11	0.524868	0.767112	IN			
14	12	0.053505	0.592458	IN			
15	13	0.4687	0.298165	IN			
16	14	0.622697	0.647821	IN			
17	15	0.263793	0.279342	IN			
18	16	0.829802	0.824602	OUT			
19	17	0.589163	0.986093	OUT			
20	18	0.910964	0.226866	IN			
21	19	0.695116	0.980003	OUT			
22	20	0.243931	0.533873	IN			

図11-12　モンテカルロ法の過程表示の実行例

プログラムは，まずシミュレーションの枠組みとして，左上位置（150, 50），縦150，横150の正方形を次の命令で描く。

```
Set sh = ActiveSheet.Shapes.AddShape(msoShapeRectangle, 150, 50, 150, 150)
```

ここで，**msoShapeRectangle**は四角形を表す。次に正方形に内接する四分円を，左上位置（150, 50），縦150，横150の円弧を次の命令で描く。

```
Set sh = ActiveSheet.Shapes.AddShape(msoShapeArc, 150, 50, 150, 150)
```

ここで，**msoShapeArc**は円弧を表す。次に上記の図形の内部の色を次の命令で設定する。

```
sh.Fill.ForeColor.SchemeColor = co
```

色コードcoは下記の「」内の色に対応する。

1「白」，2「赤」，3「緑」，4「青」，
5「黄」，6「紫」，7「水色」，8「黒」

モンテカルロ法の各点（xx, yy）は下記命令の直径4ドットの円で表示し，円の内部の場合は「緑」，外部の場合は「赤」で塗りつぶす。

```
ActiveSheet.Shapes.AddShape(msoShapeOval, xx - 2, yy - 2, 4, 4)
```

11.4.5　数当てゲーム

コンピュータの出す数（0〜99）をメッセージ（大か小）を基に，10回以内の推理より当てる数当てゲームシミュレーションのVBAプログラムを述べる。コンピュータは0〜99の乱数をRnd関数で作成し変数comに代入する。Rnd関数は0〜1の実数乱数しか発生しないので1〜100の乱数comを発生するにはcom=Int(Rnd*100+1)とする。

プレーヤはcomを推定し1〜100の数をInputBoxから入力しyouとする。youとcomを比較しyouとcomの大小を表示する。youとcomが同じならば，当りなのでForループをGOTO文で抜け出す。For文を抜けたとき，当りの時はそこまでの回数を表示し，はずれた時は残念メッセージを表示する。以下に数当てゲームのプログラム，**図11-13**に実行例を示す。

```
Sub 数当て()
    Dim i As Integer, you As Integer, com As Integer
    MsgBox "数当てゲーム（1〜100までの数字）です。" _
            + "何回で当てられるか挑戦してください"
    com = Int(Rnd * 100 + 1)
    For i = 1 To 10
        you = Val(InputBox("1〜100の範囲で推理=>"))
        Cells(i + 1, 1) = Str(i)
        If you = com Then
            Cells(i + 1, 2) = Str(you) + "は当たりです"
            GoTo 10
        ElseIf you > com Then
            MsgBox "より小さい値です"
            Cells(i + 1, 2) = Str(you) + "より小さい値です"
        Else
            MsgBox "より大きい値です"
            Cells(i + 1, 2) = Str(you) + "より大きい値です"
        End If
    Next i
```

```
10: If (i <= 10) Then
        MsgBox "おめでとう！" + Str(i) + "回で当たりました"
        Cells(i + 3, 2) = Str(i) + "回で当たりました"
    Else
        MsgBox "残念です。10回推理しても当たりませんでした"
        Cells(i + 2, 2) = "10回推理しても当たりませんでした"
    End If
End Sub
```

	A	B
1	回数	判定
2	1	50より小さい値です
3	2	30より小さい値です
4	3	10は当たりです
5		
6		3回で当たりました

図11-13　数当てゲームの実行例

11.4.6　じゃんけんゲーム

コンピュータとじゃんけんを5回勝負するゲームをシミュレーションする。毎回の勝負を表示するとともにトータルの勝敗を表示するVBAプログラムを作成する。コンピュータの手comは0〜2の整数乱数（0ぐう1ちょき2ぱあ）をRnd関数を用いて生成する。ただしRnd関数は0〜1の範囲の実数を発生するので，com=Int(Rnd*3)で0,1,2を生成する。ユーザはキー入力InputBox文を用い，ぐう0ちょき1ぱあ2を入力する。判定はユーザとコンピュータの全組み合せ9通りを論理演算子AndとOrを用いて，勝ち，分け，負けに分類する。

以下にじゃんけんゲームのプログラム，実行例を図11-14に示す。

```
Sub じゃんけん()
    Dim i As Integer, you As Integer, com As Integer
    Dim draw As Integer, win As Integer, lose As Integer
    draw = 0: win = 0: lose = 0
    MsgBox "コンピュータとじゃんけん5回"
    For i = 1 To 5
        Cells(i + 1, 1) = i
        you = Val(InputBox("ぐう0, ちょき1, ぱあ2を番号入力=>"))
        Cells(i + 1, 2) = you
        com = Int(Rnd * 3)
        Cells(i + 1, 3) = com
        If (you = com) Then
            Cells(i + 1, 4).Value = "引き分け"
            draw = draw + 1
        End If
        If (you = 0 And com = 1) Or (you = 1 And com = 2) _
            Or (you = 2 And com = 0) Then
            Cells(i + 1, 4).Value = "君の勝ち"
            win = win + 1
        End If
        If (you = 0 And com = 2) Or (you = 1 And com = 0) _
            Or (you = 2 And com = 1) Then
            Cells(i + 1, 4).Value = "君の負け"
            lose = lose + 1
        End If
    Next i
    Cells(8, 2).Value = Str(win)
    Cells(8, 3).Value = Str(lose)
    Cells(8, 4).Value = Str(draw)
End Sub
```

	A	B	C	D
1	連番	君の手	コンピュータの手	勝敗
2	1	2	2	引き分け
3	2	1	0	君の負け
4	3	2	2	引き分け
5	4	1	2	君の勝ち
6	5	0	2	君の負け
7		勝ち	負け	引き分け
8		1	2	2

図11-14　じゃんけんゲームの実行例

11. 4. 7　ブラックジャック

コンピュータとカードゲーム「ブラックジャック」で対決するVBAシミュレーションプログラムを作成する。コンピュータは1～13の乱数を発生し手を作る。今回はカードを10枚まで引け，コンピュータ戦略は（簡単化のため）16になるまでカードを引き，16以上で下りるものとする。プレイヤも1～13の乱数から手を作り，カードを引く度に「降りる0」か「引く1」をキー入力で選ぶ。今回はカードを10枚まで引け，プレーヤが下りる（0入力）かカード合計が21以上でGOTO文でForループを脱出する。

乱数はRnd関数が0～ 1の実数値乱数を生成するので，Int(Rnd*13＋ 1)で1～ 13の整数乱数を作成する。また乱数が11以上（絵札）はルールにより10に再設定する。またエース「1」は本来のゲームでは1と11の両方に使えるが，プログラムの煩雑を避けるため今回は1のみとする。

ゲーム終了後はコンピュータとプレーヤのそれぞれの合計を表示し，合計の大小により勝敗結果を表示する。また勝敗判定を容易にするために，コンピュータとプレイヤとも21を超えた場合は合計を「-1」に再設定する。

以下にブラックジャックのプログラムを，実行結果を図11-15に示す。

```
Sub BlackJack()
    Dim i As Integer, you As Integer, com As Integer
    Dim Syou As Integer, Scom As Integer, draw As Integer
    MsgBox "コンピュータとブラックジャックで勝負"
    Syou = 0
    For i = 1 To 10
        you = Int(Rnd * 13 + 1)
        If (you >= 11) Then
            you = 10
        End If
        Cells(i + 2, 2).Value = Str(you)
        Syou = Syou + you
        Cells(i + 2, 3).Value = Str(Syou)
        If (Syou > 21) Then
            GoTo 10
        End If
        MsgBox "あなたは現在" + Str(Syou) + "。もう1枚引く？"
        draw = InputBox("引く場合(1) 降りる場合(0) を入力")
        If (draw = 0) Then
            GoTo 10
        End If
    Next i
10: Scom = 0
    For i = 1 To 10
        com = Int(Rnd * 13 + 1)
        If (com >= 11) Then
            com = 10
        End If
        Cells(i + 2, 4).Value = Str(com)
        Scom = Scom + com
        Cells(i + 2, 5).Value = Str(Scom)
        If (Scom >= 16) Then
            GoTo 20
        End If
```

```
    Next i
20: MsgBox "あなた" + Str(Syou) + " コンピュータ" + Str(Scom)
    If (Scom > 21) Then
        Scom = -1
    End If
    If (Syou > 21) Then
        Syou = -1
    End If
    If (Syou > Scom) Then
        MsgBox "おめでとう！　あなたの勝ちです"
        Cells(i + 4, 2).Value = "あなたの勝ちです"
    ElseIf (Syou < Scom) Then
        MsgBox "残念です。 あなたの負けです"
        Cells(i + 4, 2).Value = "あなたの負けです"
    Else
        MsgBox "あなたとコンピュータは引き分けです"
        Cells(i + 4, 2).Value = "引き分け"
    End If
End Sub
```

	A	B	C	D	E
1	Black Jackゲーム				
2	枚数	you	Syou	com	Scom
3	1	10	10	10	10
4	2	5	15	1	11
5	3	10	25	10	21
6	4				
7	5	あなたの負け			

図11-15　ブラックジャックゲームの実行例

11. 4. 8　自動双六ゲーム

位置pos=0～pos=10をもつ1次元双六を考える。0～4の目を出す電子サイコロを用い，開始位置pos=0から上がり位置pos=10を目指す双六プログラムを作成する。for文を30回繰り返しサイコロ目は乱数で生成し整数乱数meに変換する。switch文により0は停止，1, 2, 3は目の数だけ進む（posを増やす）。4は2戻る（posを2減らす）が，posが負になれば0に戻す。目と位置を表示後上がり（posが10以上）を判定しForループをGOTO文で抜ける。

以下に双六ゲームのプログラム，実行結果を図11-16に示す。

```
Sub Sugoroku()
   Dim Sai As Integer, pos As Integer, i As Integer
   MsgBox "自動双六プログラム"
   pos = 0
   For i = 1 To 30
      Sai = Int(Rnd * 5)
      Select Case Sai
         Case 0
            pos = pos
         Case 1
            pos = pos + 1
         Case 2
            pos = pos + 2
         Case 3
            pos = pos + 3
         Case 4
            pos = pos - 2
      End Select
      If pos < 0 Then
         pos = 0
      End If
      Cells(i + 2, 1).Value = Str(i)
      Cells(i + 2, 2).Value = Str(Sai)
      Cells(i + 2, 3).Value = Str(pos)
      If pos >= 10 Then
         GoTo 10
      End If
   Next i
10: Cells(i + 3, 2).Value = "**上がり**"
End Sub
```

	A	B	C
1	自動双六プログラム		
2	回数	目の数	位置
3	1	3	3
4	2	1	4
5	3	3	7
6	4	1	8
7	5	0	8
8	6	2	10
9	**上がり**		
10			

図11-16　自動双六ゲームの実行例

演習課題

【課題11.1】 図11-17に野球とサッカーの日本代表選手の身長データを示す。野球とサッカー身長のそれぞれの平均値と分散を求めよ。また，それらの結果から，野球とサッカーの両種目の特徴について分かることを述べよ。

	A	B	C	D	E
1	連番	野球	身長	サッカー	身長
2	1	青木	175	宇佐美	177
3	2	秋山	183	岡崎	175
4	3	内川	185	香川	168
5	4	大野	177	川島	185
6	5	小林	178	清武	173
7	6	坂本	186	興梠	178
8	7	鈴木	181	酒井	176
9	8	炭谷	180	柴崎	172
10	9	武田	186	永井	175
11	10	千賀	186	長友	170
12	11	筒香	185	西川	183
13	12	中田	183	長谷部	177
14	13	則本	178	原口	180
15	14	平田	177	本田	168
16	15	牧田	177	槙野	182
17	16	増井	181	昌子	182
18	17	松井	174	武藤	176
19	18	松田	181	森重	183
20	19	宮西	180	山口	170
21	20	山田	180	吉田	189
22	平均				
23	分散				

図11-17　野球とサッカー代表の身長

【課題11.2】 図11-18の放物線y=4-x2とx軸とで囲まれる領域の面積をモンテカルロ法で求めよ。

《ヒント》 変数の範囲-2≦x≦+2，0≦y≦4の乱数を生成し，放物線y=4-x2との上部と下部の点を数え，下部/(上部+下部)×16を面積の近似値とする。

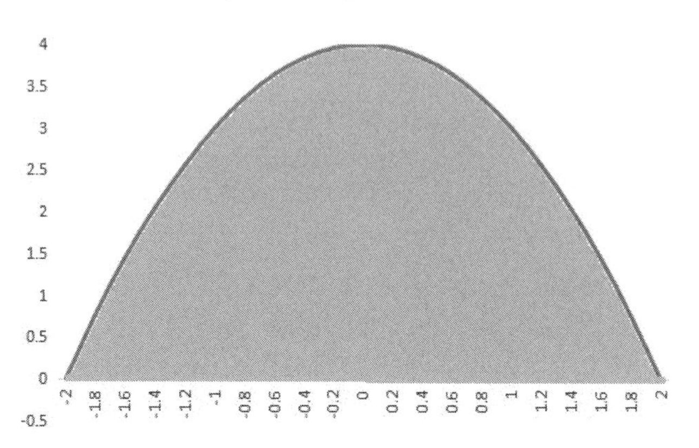

図11-18　モンテカルロ法による面積計算

【課題11.3】 11.4.6のジャンケンプログラムを，パーで勝つと3点，チョキで勝つと2点，グーで勝つと1点を得るように改良し，5回の対戦で合計何点得るかを求めよ。

《ヒント》 下記は勝ったときの処理プログラムである。

【現プログラム】

```
If (you = 0 And com = 1) Or (you = 1 And com = 2) _
    Or (you = 2 And com = 0) Then
    Cells(i, 4).Value = "君の勝ち"
    win=win+1
    draw=draw+1
End If
```

点数変数をtenとおき，以下のプログラムでtenを更新する。

【改良プログラム】

```
If (you = 2 And com = 0) Then
    Cells(i, 4).Value = “君の勝ち”
    ten=ten+3
End If
If (you = 1 And com = 2) Then
    Cells(i, 4).Value = “君の勝ち”
    ten=ten+2
End If
If (you = 0 And com = 1) Then
    Cells(i, 4).Value = “君の勝ち”
    ten=ten+1
End If
```

12 ―― アルゴリズム

マクロ（プログラム）を書くことによってエクセルを自在に操ることができた。では，プログラムの書き方さえ知っていれば良いのであろうか。むしろ，仕事を達成するための処理手順が大事ではないだろうか。この処理手順を**アルゴリズム**と呼び，優れたプログラムを書くためには，このアルゴリズムをいかに工夫するかということが大事な点となる。ここでは，データの探索と整列（ソート）の問題を取り上げアルゴリズムについて考察したい。もちろん，この２つの機能はエクセル上で備わっているが，マクロを書く上で，これらの処理を配列に直接施さねばならなくなる。これらの問題のアルゴリズムの定石を学んでおくことは，今後ＶＢＡを使いこなす上で有用となる。

12. 1　探索アルゴリズム

探索とは，データの中から条件に合った要素を取り出してくる操作である。必要なデータを効率的に探索することは，データを扱う上で必要不可欠な基本操作の一つである。

12. 1. 1　線形探索

学生番号がランダムに並んで積み重ねられている試験の束の中から，学生番号11206の試験を探し出すのにはどのような方法があるであろうか。まず，試験の束の一番上から一枚ずつ次々にめくって調べていく方法があるだろう。これと同じ考え方で作られたアルゴリズムが**線形探索**（linear search）である。**図12-1**のようなデータの中から8をみつけるために，１つずつ上から順に8があるか調べていく最も単純な方法が線形探索である。

	A
1	5
2	1
3	18
4	7
5	10
6	23
7	8
8	22

図12-1　データの並び

このアルゴリズムの手順を**疑似コード**で表す。擬似コードとは，アルゴリズムの内容を伝えることを目的とし，既存のプログラミング言語の構文と，自然言語に近い表現を組み合わせて記述されたものである。制御構造を表すために For，While，If の構文を利用し自然言語を交え，アルゴリズムの大まかな手順，流れを理解させるのに擬似コードを用いる。ここでは，For，While，If は，VBA の構文を簡略化し表記するが，同様な働きを示す。注意として，制御構造が及ぼす範囲は字下げでその働きを表している。

下記が，線形探索の大まかなアルゴリズムである。データは一次元配 data() に格納され，pos はその配列の添え字に対応し，この値をずらしながら探索を進める。データ数は num であり，key は探索したい値である。

```
1: pos = 1
2: While posがnum以下であり かつ data(pos)はkeyと異なる
3:     posを一つ増やす
4: If posがnumを越えている
5:     探索データはない
6: Else
7:     探索データはdata(pos)となる
```

上記では，2行目の While の中の２つの条件が満たされれば3行目が行われ，4行目の if 文の中の条件が成立すれば該当するデータはなく，そうでなければ添え字 pos の位置に探しているデータがある。

通常，プログラムを作る前に，アルゴリズムの大まかな手順を擬似コードなどで表し，全体的な手順を明快にすることによってプログラムの設計を支援する。アルゴリズムを表現するための方法としては，疑似コードで表す以外にもアルゴリズムの流れを示すフローチャートなど幾つかの方法もある。

【例題 12.1】 各要素が正の実数であるデータ列（例えば，**図 12-1** のデータ列）に対する線形探索のマクロを作成せよ。ただし，線形探索のプログラムを関数化しておく。関数の引数として，データが格納された配列data()，データ数num，探索する値keyを用意し，関数の戻り値として見つかったときにはその位置（配列の添え字），見つからなかったときには-1を返すものとする（配列の添え字の最小値が0であるので，-1は例外的な数となる）。また，線形探索の関数を呼び出すメインプログラム（サーチ_実数）では，マウスを用いて範囲指定し入力データを指定する（**例題6.3**を参照せよ）。見つかったときにはその位置情報，見つからなかったときにはその旨を表示させよ。

```
Function LinearSearch(ByRef data() As Double, ByVal num As Integer, _
ByVal key As Double) As Integer
    Dim pos As Integer
    pos = 1
    Do While pos <= num
        If data(pos) = key Then Exit Do
        pos = pos + 1
    Loop
    If pos > num Then
        LinearSearch = -1
    Else
        LinearSearch = pos
    End If
End Function

Sub サーチ_実数()
    Dim x() As Double
    Dim rng As Range, n As Integer, i As Integer
    Dim target As Double, position As Integer
    Set rng = Application.InputBox(prompt:= _
        "データの範囲は?", Type:=8)
    n = rng.Rows.Count
    ReDim x(n)
    For i = 1 To n
        x(i) = rng.Cells(i, 1).Value
```

```
    Next i
    target = InputBox("お探しの数を入れてください。")
    position = LinearSearch(x, n, target)
    If position < 0 Then
        MsgBox "お探しの数はありません。"
    Else
        rng.Cells(position, 1).Select
        MsgBox "お探しの数 " & x(position) & " は，" _
            & position & "番目にあります。"
    End If
End Sub
```

〈ポイント12.1〉 線形探索の関数「LinearSearch」が用意され，引数を通して，データ自身，データ数，探索する値を関数に渡し，位置情報などを戻り値として受け取る。この関数を，メインプログラムであるSubプロシージャ「サーチ_実数」で呼出し，関数の戻り値の値で位置情報を収得する。ここで，関数の引数として配列を渡しているが，配列を引数とする場合の構文は，

【呼出す側】 戻り値 = 関数名（配列名）

【関数（呼び出される側）】 Function 関数名（ByRef 配列名() As データ型）As 戻り値のデータ型

と記述する。また，Subプロシージャの場合も配列引数の扱いは同様な記述となる。注意として，配列はByRef（参照渡し）で引数宣言しなければならない。

〈ポイント12.2〉 探索対象となるデータの入力は，「6 配列の活用」の**例題6.3**を参考とし，エクセル上のデータの領域を指定する。ただし，Cells(i, 1)としてデータを扱っているため，エクセル上のデータ列は縦方向で使用する。

12.1.2　2分探索

線形探索は，簡単で非常に作りやすいアルゴリズムである。しかし，計算のスピードという点から言うと効率の悪いアルゴリズムである。探索という基本

的な計算部分に時間がかかることは，システム全体のパフォーマンスに大きく影響する。それを打開する優れた探索アルゴリズムが求められる。その一つとして，データが並べられているという条件のもとスピードが格段と上がる**2分探索**（binary search）というアルゴリズムを紹介する。

先ほどの試験の束が学生番号ごとに並べられていたら，もっと早く探し出すことができないだろうか。まず，束の真中あたりで試験の束を分け，その真中の試験と学生番号11205を比べてみて，もし真中の試験の学生番号が学生番号11205より小さいならば，半分に分けられている学生番号が小さい方の束には，学生番号11205が入っていないのは当然である。そこで，その半分をこれから探す対象外として問題ないわけである。残った半分の束に見つけたい試験がはいっているので，再度，その残った束の真中あたりを見て半分に分け，見つけたい試験が入っていない方を取り除き，残った束に対して同様な操作を繰り返していけば，最後には見つけたい学生番号11205の試験が見つけられるであろう。これとそっくり同じ考え方で作り出したアルゴリズムが２分探索である。

この考え方の手順を示す擬似コードを下記に示す。まず，小さい順に並んだデータ列があり，探索する範囲が指定されていたとする。それに対して，以下のような手順を実行すれば，探索範囲がステップごとに半分になり，その探索範囲が狭まっていく。それを繰り返し，最後に探索範囲がなくなり終了となる。

```
 1:  While 探索範囲が存在し，かつ 探したいデータが見つかっていない
 2:        x = 探索範囲の真中のデータの値
 3:        If x < 探したいデータの値
 4:              新しい探索範囲を後ろの半分にする
 5:        Else If x > 探したいデータの値
 6:              新しい探索範囲を前の半分にする
 7:        Else
 8:              探したいデータはxである
 9:  If 探索範囲が存在しない
10:        探したいデータは存在しない
```

【例題12.2】 例題12.1の線形探索の関数と同様な引数，および戻り値を用いた2分探索の関数を作成せよ。また，呼び出すメインプログラムは**例題12.1**をそのまま用い，データの指定，結果の出力などは同様な仕様で扱う。ただし，エクセルの表に入力されているデータは小さい順に並べておかねばならない。

```
Function BinarySearch(ByRef data() As Double, ByVal num As Integer, _
ByVal key As Double) As Integer
    Dim pos As Integer, left As Integer, right As Integer
    Dim found As Boolean
    left = 1
    right = num
    found = False
    Do While left <= right And found = False
        pos = (left + right) / 2
        If key < data(pos) Then
            right = pos - 1
        ElseIf key > data(pos) Then
            left = pos + 1
        Else
            found = True
        End If
    Loop
    If found = False Then
        BinarySearch = -1
    Else
        BinarySearch = pos
    End If
End Function
```

〈ポイント12.3〉 データ列は2分探索を行うために並べておかねばならない。2分探索の関数BinarySearchの仕様（引数，戻り値など）は，**例題12.1**の線形探索の関数の仕様と同様である。ここで呼び出す側のメインプログラムの記載は省略しているが，**例題12.1**のメインプログラム（サーチ_実数）をそのまま利用でき，線形探索の関数「LinearSearch(x, n, target)」を「BinarySearch(x, n, target)」と書き換えれば良い。また，メインプログラムのSubプロシージャ名は必要によって変更しておくと良い。

〈ポイント12.4〉 leftとrightは，データ配列data()上の探索範囲の指定領域の左側と右側の添え字を示す。posは，このデータ領域の真ん中を示す添え字となる。またfoundというブール型の変数を用意し，探索の反復の過程で探すデータが見つかったならTrue，そうでないならばFalseとする。

12. 1. 3　探索アルゴリズムの計算の手間

データを探す処理の回数をカウントして，その効率について考えてみたい。その処理の回数が探索にかかる時間に相応し，その値でアルゴリズムの**計算の手間**を表すことができる。

線形探索では，データ数をnとすると探す処理回数は平均してn/2回となる。なぜなら，見つけたいデータが左側にあれば，探す処理回数はすぐ見つかり少なくてすむ。しかし，右側にあればデータ数nに近い処理回数となり，また，見つけたいデータが存在しなければ，データ数nに等しい回数の処理になるので，平均してn/2と考える。これは，データ数nが増加すれば，線形に比例して増加することを意味する。ここでは，この線形に比例して増加することが重要であり，その点に着目して係数の1/2を無視して考え，線形探索に必要な操作の回数をnステップと表すこととする。したがって，データ集合の大きさが2倍になれば，線形探索で必要とする計算時間も2倍になるということである。

2分探索では，探索範囲が狭められていくので効率的であることは予測できるが，いったいどの程度優れているのであろうか。データ数をnとした場合，最初のステップで半分になるので新たな探索範囲のデータ数はn/2となる。同様に，次の2回目のステップでの新たな探索範囲のデータ数はn/4，すなわち$n/2^2$となる。続けて，3回目のステップではn/8，すなわち$n/2^3$となっていく。その更新されていく探索範囲のデータ数は，2の累乗で割られた$n/2^s$という値で更新されていく。ここでのsの値は最初のステップでは1であり，2回目では2，3回目では3という具合に変化していく。さらに，この更新されていく探索範囲のデータ数$n/2^s$が1になれば，探索する必要はなくなりアルゴリズムは終了する。このときのsの値がちょうどアルゴリズムに要するステップ数となるわけである。したがって，$n/2^s = 1$からsを求める式を導いてあげれば，アルゴリズムに必要なステップ数が求まるであろう。そこで，累乗の逆関数である対数によってこの値を求めると，$s = \log_2 n$となる。これはデータ数が増加すれば必要な計算時間は$\log_2 n$で増加していくことを意味している。この対数の振る舞いを示すと**図12-2**のようになり，nの数が大きくなれば，$\log_2 n$の値の増加傾向は極端にゆるやかになることを意味している。ということは，問題の大きさが大きくなっても，アルゴリズムにかかるステップ数の増加傾向もきわめてゆるやかなものとなる。

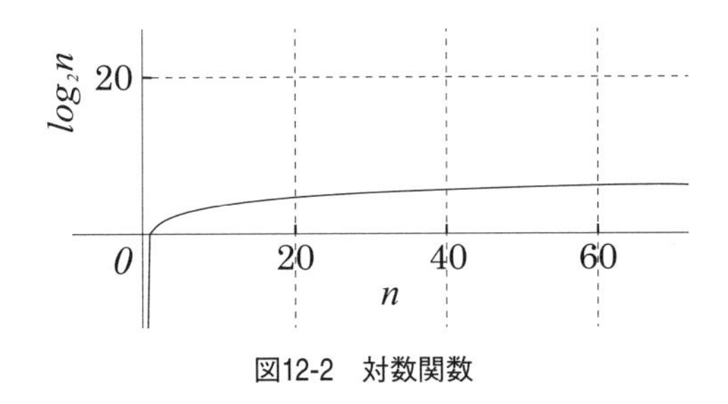

図12-2　対数関数

具体的に，線形探索と2分探索にかかる計算時間を比較してみる。仮に1ステップが0.001秒かかると仮定する。そうすると，8個のデータでは線形探索で$8 \times 0.001=0.008$秒であり，2分探索で$\log_2 8 \times 0.001=0.003$秒かかることとなる。そのように計算していき問題の大きさに対する計算時間の変化を示したのが**表12-1**である。問題のサイズに対して対数関数$\log_2 n$でステップ数を要する2分探索と，nに比例してステップ数を要する線形探索での違いが明らかである。すなわち，線形探索の増加に対して，2分探索の増加がいかに低くおさえられているかが読み取れる。線形探索で10個のデータを探索する間に，2分探索では1000個のデータを探索してしまう。同じ問題を解くアルゴリズムでも，そのアルゴリズムを工夫することにより性能は断然異なってくるわけである。プログラムを生かすも殺すもアルゴリズムの設計にかかってくる。

表12-1　線形探索と２分探索の計算時間

問題の大きさ（n）	線形探索（n）の計算時間（秒）	2分探索（$\log_2 n$）の計算時間（秒）
10	0.01	0.003321928
100	0.1	0.006643856
1000	1	0.009965784
10000	10	0.013287712
100000	100	0.016609640
1000000	1000	0.019931569

12. 2　整列アルゴリズム

2分探索では，探索するデータの並びがある順番に並んでいなければ探索を行うことはできない。そこで，2分探索のアルゴリズムを完成させるためには，データを順番に並べるアルゴリズムが必要になる。データを順番に並べる問題を**整列**（ソート）と呼ぶ。整列の問題は，効果的な探索処理を実現する以外にも，その他多くのケースで必要とされる基本的な処理である。そのため，アルゴリズムの教科書をみると，バブルソート，シェルソート，ヒープソート，マージソート，……という具合に多くのアルゴリズムが紹介されている。

12. 2. 1　単純な整列アルゴリズム

もっとも単純な整列アルゴリズムを示してみたい。先の試験の束を小さい学生番号順に並べることを考えてほしい。まず，束の中から一番小さな番号の試験を取り出す。次に，残りの束の中から一番小さな番号の試験（全体の集まりの中では２番目に小さい番号の試験）を取り出す。同様に，残りの束から一番小さな番号（全体では３番目に小さな番号）を取り出し，残りの試験が一つになるまで繰り返すわけである。この順に取り出された試験の並びは小さい順番に並ぶ。

この考えに基づくアルゴリズムを次の擬似コードで示しておく。便宜上，このアルゴリズムを**単純ソート**と呼ぶこととする。また，配列data()の添え字1からデータ数numまでの場所に扱いたいデータが格納されているものとする。

```
1: For i=1 To num - 1
2:     For j=i+1 To num
3:         If data(i) > data(j)
4:             data(i)とdata(j)の要素の値を交換する
```

動作の過程は，まず，外側のループ変数iが1となり，内側のループ変数jはi+1から始まるので2からnumまで順に変化する。この過程で，data(1)と，順次data(2)，data(3)，・・・，data(num)の値が比較される。data(1)の方が大きいならば，その時点で値の交換がなされ，内側のループが終了するとdata(1)にはデータの中で一番小さい値が収まっている。次に，iが2になり同様な処理を行うと，data(2)には2番目に小さい値が収まっていくという仕組みで最終的にデータは整列されている。

【例題12.3】 ランダムに並べられた実数のデータ列（例えば，**図12-1**のデータ列）に対する単純ソートのマクロを作成せよ。ただし，単純ソートのプログラムはSubプロシージャで構成し，その引数として，格納されたデータを納める配列data()，データ数であるnumを用意する。ランダムに並んだデータ列が引数data()を通して渡され，計算が終了すると引数data()に整列されたデータ列が渡される。整列のSubプロシージャを呼び出すメインプログラム（ソート_実数）では，マウスを用いて範囲指定をして入力データを指定する。さらに整列されたデータの出力先の先頭セルを指定すると，そこに整列されたデータが出力される。

```
Sub SimpleSort(ByRef data() As Double, ByVal num As Integer)
    Dim tmp As Double
    Dim i As Integer, j As Integer
    For i = 1 To num - 1
```

```
        For j = i + 1 To num
            If data(i) > data(j) Then
                tmp = data(i)
                data(i) = data(j)
                data(j) = tmp
            End If
        Next j
    Next i
End Sub

Sub ソート_実数()
    Dim x() As Double
    Dim rng As Range, n As Integer, i As Integer
    Dim saki As Range
    Set rng = Application.InputBox(prompt:= _
        "データの範囲は?", Type:=8)
    Set saki = Application.InputBox(prompt:= _
        "出力先の先頭セルは?", Type:=8)
    n = rng.Rows.Count
    ReDim x(n)
    For i = 1 To n
        x(i) = rng.Cells(i, 1).Value
    Next i
    Call SimpleSort(x, n)
    For i = 1 To n
        saki.Offset(i - 1, 0).Value = x(i)
    Next i
End Sub
```

〈ポイント12.5〉 節8.2で，引数のあるSubプロシージャの呼び出し方が示されている。もう一つのSubプロシージャの呼び出し方として，

Call Subプロシージャ名(引数，引数)

と，Callステートメントを使い呼び出す方法がある。ここではこの書き方を

用い，呼び出す側（ソート_実数）の中で，

```
Call SimpleSort(x, n)
```

と呼び出している。

〈ポイント12.6〉 整列対象となるデータの入力は**例題12.1**の方法を用いると良い。また，データの出力先の指定に関しては，**例題7.3**を参考に作成可能である。

12. 2. 2　クイックソートアルゴリズム

単純ソートは，簡単で作りやすいメリットはあるが，その計算時間は，データ数をnとするとn^2に比例し計算負担が重く，大規模なデータ処理に不向きなアルゴリズムでもある。この問題を打開するために，様々なアルゴリズムが提案され，その一つに**クイックソート**（quick sort）がある。そのアルゴリズムの考え方は，対象となるデータ領域の範囲の中から適当な値を一つ選びそれを基準値として，その値より小さいデータを左側に集め，大きいデータを右側に集め左右に分割する。さらに，それぞれ分割された集合に対して同様な処理を繰り返していく。分割する領域がなくなった時点で，最終的に分轄されたデータを並べると整列されたデータ列が得られる。直感的に示すと**図12-3**のように分割されていく。分割し終わった段階の左側の要素は必ず右側の要素より小さいことは自明である。ちなみに，この計算時間は平均$n \log_2 n$に比例し増加することが分かっており，単純ソートより高速なアルゴリズムとなる。

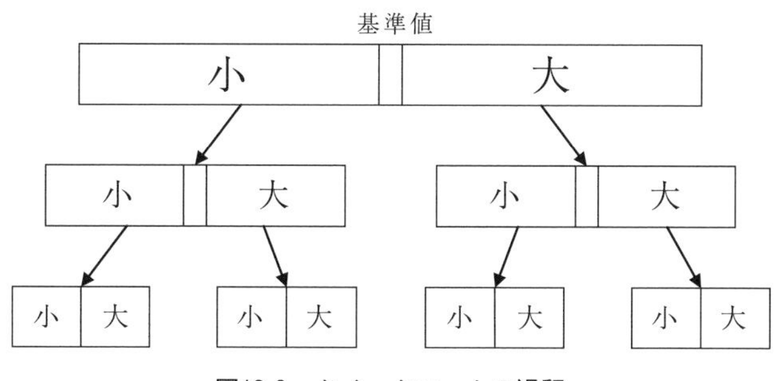

図12-3　クイックソートの過程

この考えに基づくアルゴリズムを，次のSubプロシージャタイプの擬似コードで示しておく。Subプロシージャ名はQuickSort，引数は3つ用意される。引数data()の一次元配列は，格納されたデータに対応する。引数left，rightは，一次元配列上の整列対象領域の左端と右端の添え字に対応する。

```
1: Sub QuickSort(data(), left, right)
2:     If left < right
3:         data(left)からdata(right)の中から基準値pivotを選ぶ
4:         pivot未満の値をdata(left)からdata(p-1)に
           pivot以上の値をdata(p+1)からdata(right)に集める
5:         data(p) = pivot
6:         Call QuickSort(data, left, p-1)
7:         Call QuickSort(data, p+1, right)
```

2行目で，対象とするデータ領域の確認がなされ条件が成立すればデータ領域が存在し，If文以下の処理がなされる。3行目でデータから任意のデータが選ばれ，それを基準値pivotとする。4，5行目で，そのpivotに対する大小に従い左右に分割され，その間にpivotが置かれる。6，7行目では，大小に分轄された集合に対して改めて同様な処理を行っている。QuickSortのプロシージャの中で，そのプロシージャ自身を呼び出すことができ，この処理を**再帰呼び出し**と呼ぶ。たとえば，6行目では，pivotより小さいデータが集められたleftからp-1までの領域に対してクイックソートの処理を改めて行い，分轄が終了するまで同様な処理を再帰的に繰り返していく。

【例題12.4】　例題12.3の単純ソートを，クイックソートのSubプロシージャにせよ。そのSubプロシージャを呼び込むメインプログラムは例題12.3のメインプログラム部を用い，データの指定，結果の出力などは同様な仕様で扱う。

```
Sub QuickSort(ByRef data() As Double, ByVal left As Integer, _
ByVal right As Integer)
    Dim p As Integer, i As Integer, somewhere As Integer
    Dim pivot As Double, tmp As Double
    If left < right Then
        somewhere = (left + right) / 2        } 疑似コードの
        pivot = data(somewhere)               } 3行目の処理
        data(somewhere) = data(left)          }
        p = left                              }
        For i = left+1 To right               }
            If data(i) < pivot Then           }
                p = p + 1                     }
                tmp = data(p)                 } 疑似コードの
                data(p) = data(i)             } 4行目の処理
                data(i) = tmp                 }
            End If                            }
        Next i                                }
        data(left) = data(p)                  }
        data(p) = pivot
        Call QuickSort(data, left, p-1)
        Call QuickSort(data, p+1, right)
    End If
End Sub
```

〈ポイント12.7〉 例題12.3のメインプログラム（ソート_実数）をそのまま利用でき，単純ソートのSubプロシージャ「SimpleSort(x, n)」を「QuickSort(x, 1, n)」と書き換えれば良い。両者の引数はアルゴリズムの機能上異なり，疑似コードで示した引数となる。また，メインプログラムのSubプロシージャ名は必要によって変更しておくと良い。

〈ポイント12.8〉 基準値pivotは，データ領域の中央となる場所（添え字）が選ばれ，その場所の値が基準値となり変数pivotに保持される。

〈ポイント12.9〉 疑似コードの4行目の左右により分ける処理は複数行要し，詳細な理解が難しいところである。ここでは，大まかな仕組みを説明しておきたい。pivotがあった場所に，左端のデータdata(left)を移す。左から見て2番目（left+1）のデータから最後のデータまでpivotと比較し，pivotより小さければ順にleft+1から左詰で置き換えていく。このループ後，添え字left+1から添え字pの場所までにpivotより小さいデータが集められている。次に，左端の添え字leftの場所に添え字pのデータを移動すれば，添え字leftからp-1までにpivot未満の値が納められ，添え字p+1からrightの範囲にpivot以上の値が納められている。また，次の作業で，pの場所にpivotの値を移すことにより，結果としてpivotを中心に大小により分けられている。

演習課題

【課題12.1】 図12-4は学生番号とその学生の点数のデータでありランダムに並べられている。このデータに対して，学生番号の小さい順に並べるソートのマクロを作成せよ。このとき，単純ソート（**例題12.3**），あるいはクイックソート（**例題12.4**）のどちらかのマクロを作成せよ。

《ヒント》 次の構造体

```
Type Gakusei
    bango As Integer
    tensu As Double
End Type
```

を用いて，**例題12.3**あるいは**例題12.4**を修正すれば作成できる。

	A	B
1	学生番号	点数
2	126	91
3	120	71
4	105	89
5	112	93
6	124	75
7	111	95
8	107	100
9	117	96
10	128	95
11	103	95
12	104	69
13	116	84
14	122	73
15	110	75
16	100	64

図12-4　学生番号と点数のデータ

【課題12.2】 上記の**課題12.1**によって，学生番号に対して整列がなされたデータが得られる。そのデータに対し，線形探索（**例題12.1**），あるいは2分探索（**例題12.2**）のどちらかのマクロを作成せよ。すなわち，与えられた学生番号に対し探索を行うプログラムを作れ。

《ヒント》 課題12.1で用いられた構造体を用いて同様に修正できる。

【課題12.3】 上記の**課題12.1**および**課題12.2**の学生番号での項目を，学生の氏名としてマクロを作成せよ。ただし，氏名はカタカナで入力することとする。

《ヒント》 文字列の比較は，StrComp(String1, String2)の関数が用いられ，引数が次のように与えられたとき，右端の戻り値が得られる。

string1はstring2未満	-1
string1とstring2は等しい	0
string1はstring2を超える	1

13 ——データベース処理

この章では，VBAマクロの応用として，あるバーチャル・ラーメン店の売上分析を試みる。なお，Excelのデータベース機能だけによる売上分析とその限界については，付録のA.3, A.4節を参照せよ。

ラーメン店「大穴軒」は2015年1月1日に開店した。年中無休で毎日11〜20時に営業している。この店の店主は，開業前から図13-1(a), (b) のような売上伝票に基づいて，売上分析を行う予定でいた。

伝票ID 1
年月日 2015/1/1
時間帯 11

No.	メニュー	価格	数量	料金
1	ラーメン	600		
2	ラーメン大盛	700		
3	チャーシューメン	750	1	750
4	チャーシューメン大盛	850		
5	ちゃんぽん	600		
6	ちゃんぽん大盛	700		
7	焼きそば	600	1	600
8	焼きそば大盛	700		
9	半チャーハン	400	1	400
10	餃子	400	1	400
11	野菜炒め	400		
12	おにぎり	150		
13	小ライス	150		

合計 2150

お客様数 2

美味しいラーメン 大穴軒

(a) 開店直後の1枚目の伝票

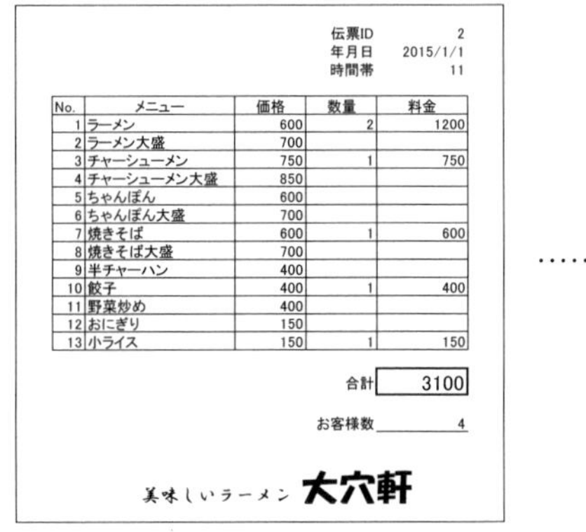

伝票ID 2
年月日 2015/1/1
時間帯 11

No.	メニュー	価格	数量	料金
1	ラーメン	600	2	1200
2	ラーメン大盛	700		
3	チャーシューメン	750	1	750
4	チャーシューメン大盛	850		
5	ちゃんぽん	600		
6	ちゃんぽん大盛	700		
7	焼きそば	600	1	600
8	焼きそば大盛	700		
9	半チャーハン	400		
10	餃子	400	1	400
11	野菜炒め	400		
12	おにぎり	150		
13	小ライス	150	1	150

合計 3100

お客様数 4

美味しいラーメン 大穴軒

(b) 開店直後の2枚目の伝票

……

図13-1　大穴軒の売上伝票

店主は，2015年3月31日までに，13585枚の売上伝票を発行し，そのデータを図13-2のように3枚のワークシートに分割してデータを格納した。

このように分割してデータを格納した理由については，付録A.3節の**ポイントA.10**を見よ。このデータをExcelのデータベース機能だけで分析することには，付録A.4節の**ポイントA.13**で挙げたような限界がある。そこで，次のような基本方針で，VBAマクロを活用した売上分析を試みる。

1. 各テーブルとも，後から計算・参照可能なフィールド（メニュー，単価，売上合計など）は，原則として作らない。（※この「原則」は処理の高速化のために一部破られることになる。）

	A	B	C	D
1	伝票ID	日付	時間帯	人数
2	1	2015/1/1	11	2
3	2	2015/1/1	11	4
4	3	2015/1/1	11	3
5	4	2015/1/1	11	3

⋮

(a)「伝票履歴」シート

	A	B	C	D
1	内訳ID	伝票ID	メニューコード	数量
2	1	1	3	1
3	2	1	7	1
4	3	1	9	1
5	4	1	10	1
6	5	2	1	2
7	6	2	3	1
8	7	2	7	1
9	8	2	10	1
10	9	2	13	1
11	10	3	1	1
12	11	3	5	2
13	12	3	10	1
14	13	3	11	1
15	14	3	12	1
16	15	4	2	1
17	16	4	3	1
18	17	4	5	1
19	18	4	9	1
20	19	4	10	1

⋮

(b)「内訳」シート

	A	B	C
1	メニューコード	メニュー	価格
2	1	ラーメン	600
3	2	ラーメン大盛	700
4	3	チャーシューメン	750
5	4	チャーシューメン大盛	850
6	5	ちゃんぽん	600
7	6	ちゃんぽん大盛	700
8	7	焼きそば	600
9	8	焼きそば大盛	700
10	9	半チャーハン	400
11	10	餃子	400
12	11	野菜炒め	400
13	12	おにぎり	150
14	13	小ライス	150

(c)「メニュー」シート

図13-2　分割格納されたデータ

2. 図13-1のような伝票に似せたデータ入力シートを設け，入力した値をマクロで「伝票履歴」シートと「内訳」シートに分けて正確に転記できるようにする。
3. 分析の種類ごとに分析用ワークシートを作成し，指定した条件（曜日，時間帯など）に当てはまる客人数や売上合計はマクロで計算して分析用シートに書き込む。一方，書き込んだ値を用いてさらなる計算（客単価など）を行うときは，標準の表計算機能を用いる。

13. 1　マクロによる売上分析（1）

この節では，本格的な分析の前に，分析をサポートする道具となるようなユーザ定義関数（→8.1節），引数のあるSubプロシージャ（→8.2節），およびそれらの動作を確認するマクロを作成する。

〈準備13.1〉　図13-1の売上伝票を模した「入力」シート，および図13-2 (a), (b), (c) の「伝票履歴」シート，「内訳」シート，「メニュー」シートを含むブックファイル「大穴軒DB00.xlsx」をダウンロードして開け。そしてすぐに，このブックファイルをマクロ有効ブック「大穴軒DB分析01.xlsm」という名前で保存せよ（→実習1.4）。

※「入力」シートのF8:F20やF22にすでに入力されている計算式の内容を確認せよ。なお，「入力」シートのK列以降に入力されているのは，伝票に対するサンプルデータであり，必要に応じてE, F列にコピー＆貼り付けして用いる。

〈準備13.2〉「開発」タブを確認（ない場合は**準備1.2**）してからVBEを起動せよ（→**準備1.3**）。次に，変数宣言の強制化を確認（未設定の場合は**準備2.2**④）してから，コードウィドウを新規作成せよ（→**準備1.4**）。

【例題13.1】 分析期間の初日と最終日を与えると，「伝票履歴」シートにおける対象レコードの最初の行番号と最後の行番号を返す，引数のあるSubプロシージャ「指定期間最初と最後の行」を作成したい。また，それをテストするためのマクロ「指定期間最初と最後の行テスト」も作成したい。コードウィンドウの最後尾に，次の2つのSubプロシージャを作成せよ。

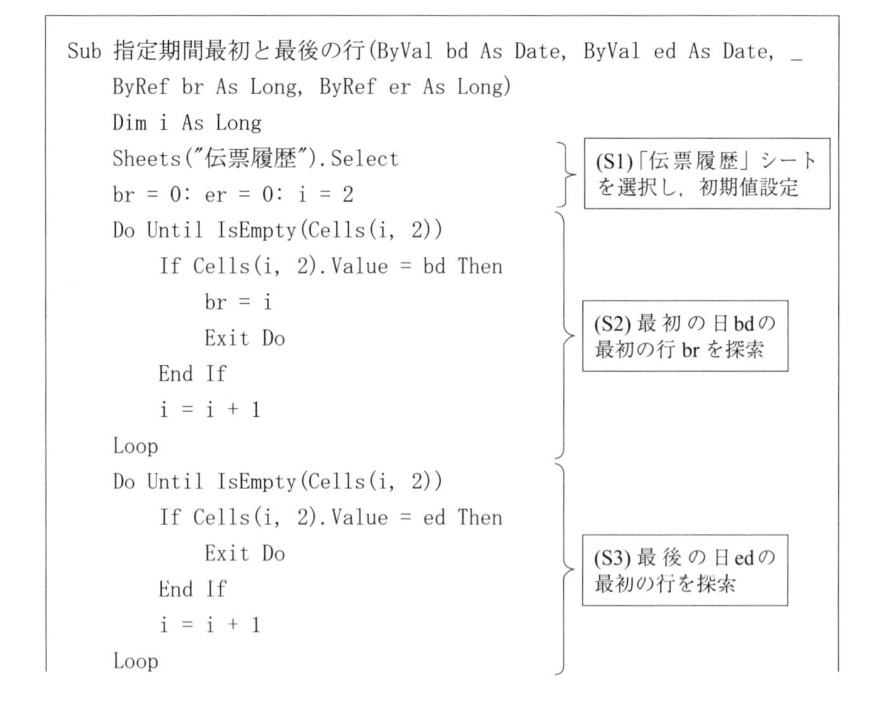

```
Sub 指定期間最初と最後の行(ByVal bd As Date, ByVal ed As Date, _
    ByRef br As Long, ByRef er As Long)
    Dim i As Long
    Sheets("伝票履歴").Select
    br = 0: er = 0: i = 2
    Do Until IsEmpty(Cells(i, 2))
        If Cells(i, 2).Value = bd Then
            br = i
            Exit Do
        End If
        i = i + 1
    Loop
    Do Until IsEmpty(Cells(i, 2))
        If Cells(i, 2).Value = ed Then
            Exit Do
        End If
        i = i + 1
    Loop
```

```
    Do Until Cells(i + 1, 2).Value <> ed  ┐ (S4) 最後の日edの
        i = i + 1                          ├ 最後の行 er の探索
    Loop                                   ┘
    er = i
End Sub

Sub 指定期間最初と最後の行テスト()
    Dim bd As Date, ed As Date
    Dim br As Long, er As Long
    bd = InputBox("期間の最初の日は?")
    ed = InputBox("期間の最後の日は?")
    指定期間最初と最後の行 bd, ed, br, er
    MsgBox "最初の行=" & br & ", 最後の行=" & er
End Sub
```

※マクロ「指定期間最初と最後の行テスト」をVBEで実行し（→**実習1.1**），**図13-3**のように動作するか確かめよ。

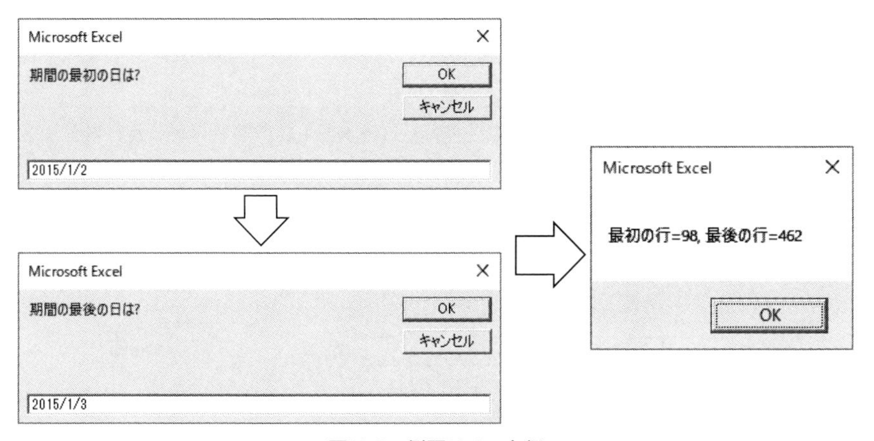

図13-3　例題13.1の実行

【例題 13.2】　シート名（「伝票履歴」または「内訳」）を与えると，そのシートの最上行から下方向に走査して最初に現れる空行（つまり次の入力行）の行番号を返すユーザ定義関数「次入力行」を作成したい。また，それをテストするた

めのマクロ「次入力行テスト」も作成したい。コードウィンドウの最後尾に，次のユーザ定義関数とマクロを作成せよ。

```
Function 次入力行(ByVal sn As String) As Long
    Dim lastcell As Range
    Sheets(sn).Select
    If IsEmpty(Range("A1").Offset(1, 0)) Then
        Set lastcell = Range("A1").Offset(1, 0)
    Else
        Set lastcell = Range("A1").End(xlDown).Offset(1, 0)
    End If
    次入力行 = lastcell.Row
End Function

Sub 次入力行テスト()
    Dim sn As String
    sn = InputBox("シート名は?")
    MsgBox "次入力行=" & 次入力行(sn)
End Sub
```

※マクロ「次入力行テスト」をVBEで実行し（→**実習1.1**），**図13-4**のように動作するか確かめよ。

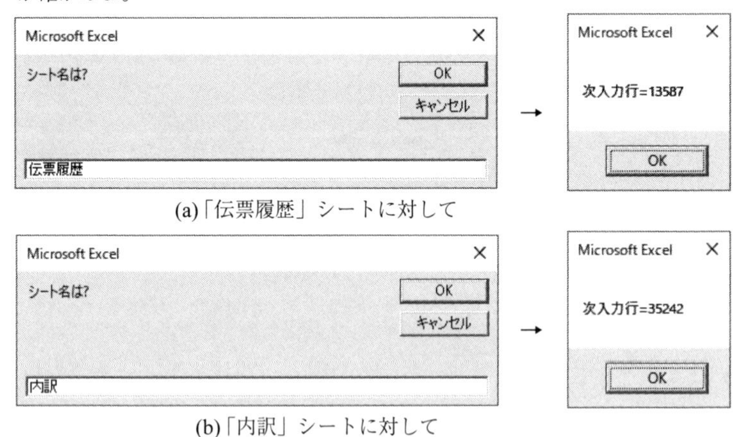

(a)「伝票履歴」シートに対して

(b)「内訳」シートに対して

図13-4　例題13.2の実行

〈ポイント 13.1〉 ユーザ定義関数「次入力行」の下線部にある

```
Range("A1").End(xlDown)
```

は，A1から下方向に連続する非空セル範囲の終端セルを表す。ワークシートで最初にA1を選択し，[Ctrl] を押しながら [↓] を叩くと，その終端セルがアクティブになる。

※「大穴軒DB分析01.xlsm」を上書き保存して閉じよ。

13. 2 マクロによる売上分析 (2)

この節では，「入力」シートでの入力をサポートするマクロを作成する。また，処理の高速化を図るため，「伝票履歴」シート内の各伝票IDに対して，その伝票内に書かれた内訳情報が「内訳」シートのどの範囲に存在するのかを，「伝票履歴」シートのE, F列に書き込むためのマクロを作成する。

〈準備 13.3〉 マクロ有効ブック「大穴軒DB分析01.xlsm」開き（→**準備1.6**），すぐに別名のマクロ有効ブック「大穴軒DB分析02.xlsm」として保存せよ（→**実習1.4**）。次に，「開発」タブを確認（ない場合は**準備1.2**）してからVBEを起動せよ（→**準備1.3**）。

【例題 13.3】 「入力」シート内のセル範囲F3:F5, E8:E20, セルF24の内容をクリアするマクロ「入力クリア」を，次のように作成せよ。

```
Sub 入力クリア()
    Sheets("入力").Select
    Range("F3:F5").ClearContents
    Range("E8:E20").ClearContents
    Range("F24").ClearContents
End Sub
```

※マクロ「入力クリア」をVBEで実行し（→**実習1.1**），「入力」シートを表示してその動作を確認せよ。

【例題13.4】「入力」シートのF3に最新の伝票IDを計算して記入するマクロ「伝票ID取得」を，次のように作成せよ。

```
Sub 伝票ID取得()
    Dim did As Long, i As Long
    i = 次入力行("伝票履歴")
    If i = 2 Then
        did = 1
    Else
        did = Sheets("伝票履歴").Cells(i - 1, 1).Value + 1
    End If
    Sheets("入力").Select
    Range("F3").Value = did
End Sub
```

「伝票履歴」シートの次入力行をiとする。i=2（伝票入力が1枚もない）のときは，伝票ID (did)を1とし，そうでなければ，i−1行目の伝票（最後の伝票）のIDプラス1をdidに代入する

※マクロ「伝票ID取得」をVBEで実行し（→**実習1.1**），「入力」シートのF3セルに「13586」と正しく入力されるか確かめよ。

【例題13.5】「入力」シートのF4に今日の日付，F5に現在の時間帯を記入するマクロ「日付時間帯取得」を，次のように作成せよ。

```
Sub 日付時間帯取得()
    Sheets("入力").Select
    Range("F4").Value = Date
    Range("F5").Value = Hour(Now)
End Sub
```

※マクロ「日付時間帯取得」をVBEで実行し（→**実習1.1**），「入力」シートのF4とF5に正しい値が記入されるか確かめよ。

〈準備13.4〉「伝票履歴」シートのE1セルに「内訳先頭行」，F1セルに「内訳最終行」と，それぞれ直接入力せよ。

【例題13.6】「伝票履歴」シート内の各伝票IDに対して，その伝票内に書かれ

た内訳情報が「内訳」シートのどの範囲に存在するのかを，「伝票履歴」シートのE, F列（左から数えて5, 6列目）に書き込みたい。そのためのマクロ「内訳先頭行と最終行の記入」を，次のように作成せよ。

```
Sub 内訳先頭行と最終行の記入()
    Dim i As Long, k As Long, did As Long
    Sheets("伝票履歴").Select
    i = 2: k = 2
    Do Until IsEmpty(Cells(i, 1))
        did = Cells(i, 1).Value
        Cells(i, 5).Value = k
        Do Until Sheets("内訳").Cells(k + 1, 2).Value <> did
            k = k + 1
        Loop
        Cells(i, 6).Value = k
        k = k + 1
        i = i + 1
    Loop
End Sub
```

変数iは「伝票履歴」シートでの現在参照する行番号，変数kは「内訳」シートでの現在参照する行番号

※マクロ「内訳先頭行と最終行の記入」をVBEで実行し（→**実習1.1**），「伝票履歴」シートに図13.5のように記入されたか確かめよ。

	A	B	C	D	E	F	G
1	伝票ID	日付	時間帯	人数	内訳先頭行	内訳最終行	
2	1	2015/1/1	11	2	2	5	
3	2	2015/1/1	11	4	6	10	
4	3	2015/1/1	11	3	11	15	
5	4	2015/1/1	11	3	16	20	
6	5	2015/1/1	11	3	21	24	
7	6	2015/1/1	11	2	25	27	
⋮							
13582	13581	2015/3/31	19	1	35230	35231	
13583	13582	2015/3/31	19	2	35232	35235	
13584	13583	2015/3/31	19	1	35236	35236	
13585	13584	2015/3/31	19	2	35237	35239	
13586	13585	2015/3/31	19	1	35240	35241	
13587							

図13-5　例題13.6実行後

※「大穴軒DB分析02.xlsm」を上書き保存して閉じよ。

13. 3　マクロによる売上分析（3）

この節では，「入力」シートに入力されたデータのうち，伝票ID，日付，時間帯，客人数については「伝票履歴」シートに，注文されたメニューコードと数量については「内訳」シートに，いずれも最後尾の行に転記するためのマクロを作成する。そしていよいよ，本格的な売上分析に入る。まずは，メニュー別の売上分析を行う。なお，これ以降は例として2015年3月期の分析を行う。

〈準備13.5〉　マクロ有効ブック「大穴軒DB分析02.xlsm」開き（→**準備1.6**），すぐに別名のマクロ有効ブック「大穴軒DB分析03.xlsm」として保存せよ（→実習1.4）。次に，「入力」シートにサンプルデータとして**図13-6**のように入力せよ。

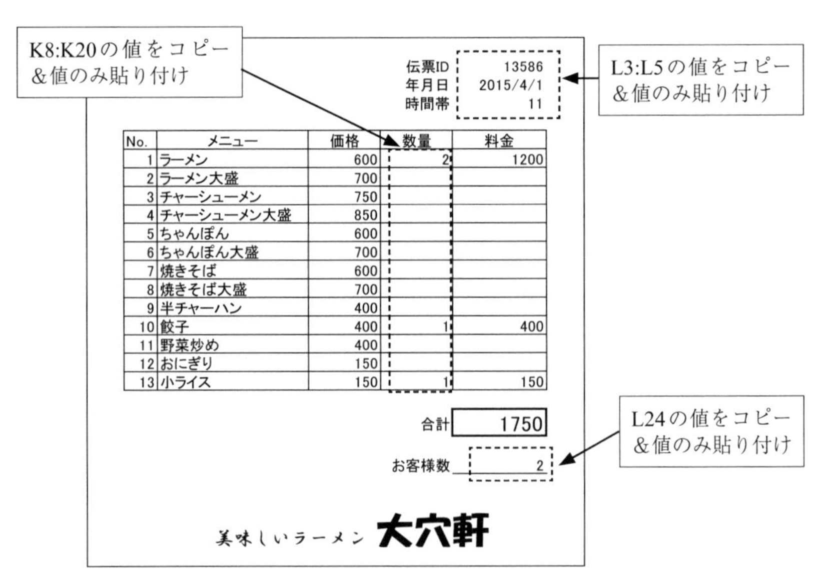

伝票ID　13586
年月日　2015/4/1
時間帯　11

No.	メニュー	価格	数量	料金
1	ラーメン	600	2	1200
2	ラーメン大盛	700		
3	チャーシューメン	750		
4	チャーシューメン大盛	850		
5	ちゃんぽん	600		
6	ちゃんぽん大盛	700		
7	焼きそば	600		
8	焼きそば大盛	700		
9	半チャーハン	400		
10	餃子	400	1	400
11	野菜炒め	400		
12	おにぎり	150		
13	小ライス	150	1	150

合計　1750

お客様数　2

図13-6　「入力」シートへの入力例

さらに，「開発」タブを確認（ない場合は**準備1.2**）してからVBEを起動せよ（→**準備1.3**）。

【例題13.7】「入力」シートに入力されたデータを「伝票履歴」シートと「内訳」シートに分けて転記するマクロ「転記」を，次のように作成せよ。

```
Sub 転記()
    Dim did As Long, d As Date, h As Integer
    Dim suryo As Range, k As Integer
    Dim i As Long, j As Integer, br As Long, er As Long
    Sheets("入力").Select
    did = Range("F3").Value
    d = Range("F4").Value
    h = Range("F5").Value
    k = Range("F24").Value
    Set suryo = Sheets("入力").Range("E8:E20")
    Sheets("内訳").Select
    i = 次入力行("内訳")
    br = i
    For j = 1 To 13
        If suryo.Cells(j).Value > 0 Then
            If i = 2 Then
                Cells(i, 1).Value = 1
            Else
                Cells(i, 1).Value = Cells(i - 1, 1).Value + 1
            End If
            Cells(i, 2).Value = did
            Cells(i, 3).Value = j
            Cells(i, 4).Value = suryo.Cells(j).Value
            i = i + 1
        End If
    Next j
    er = i - 1
```

(S1) didに伝票ID, dに日付, hに時間帯, kに客人数を読み込む

(S2)「内　訳」シートの最後尾に，「入力」シートの内訳情報を転記

```
    Sheets("伝票履歴").Select
    i = 次入力行("伝票履歴")
    Cells(i, 1).Value = did
    Cells(i, 2).Value = d
    Cells(i, 3).Value = h
    Cells(i, 4).Value = k
    Cells(i, 5).Value = br
    Cells(i, 6).Value = er
End Sub
```

(S3)「伝票履歴」シートの最後尾に，伝票ID (did), 日付 (d), 時間帯 (h), 客人数 (k), 内訳先頭行 (br), 内訳最終行 (er) を転記

※マクロ「転記」をVBEで実行し（→**実習1.1**），「伝票履歴」シートには図13-7(a)のように，「内訳」シートには図13-7(b)のようにそれぞれ転記されたか確かめよ。

	A	B	C	D	E	F	G
13583	13582	2015/3/31	19	2	35232	35235	
13584	13583	2015/3/31	19	1	35236	35236	
13585	13584	2015/3/31	19	2	35237	35239	
13586	13585	2015/3/31	19	1	35240	35241	
13587	13586	2015/4/1	11	2	35242	35244	
13588							

(a)「伝票履歴」シートへの転記

	A	B	C	D	E
35240	35239	13585	2	1	
35241	35240	13585	12	1	
35242	35241	13586	1	2	
35243	35242	13586	10	1	
35244	35243	13586	13	1	
35245					

(b)「内訳」シートへの転記

図13-7　例題13.7実行後

〈準備13.6〉　新規ワークシートを追加し，そのシート名を「メニュー別」に変更せよ。そして「メニュー別」シートに図13-8のようなレイアウトを作成せよ。なお，分析期間を2015年3月期とするので，分析の開始日は2015/3/1, 最終日は2015/3/31とする。(※セル範囲C4:E17の内容は，「メニュー」シートからコピー&貼り付けで入力するとよい。)

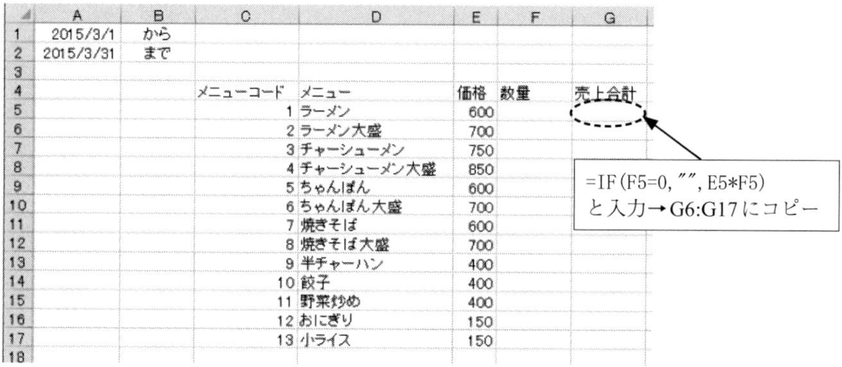

	A	B	C	D	E	F	G
1	2015/3/1	から					
2	2015/3/31	まで					
3							
4			メニューコード	メニュー	価格	数量	売上合計
5			1	ラーメン	600		
6			2	ラーメン大盛	700		
7			3	チャーシューメン	750		
8			4	チャーシューメン大盛	850		
9			5	ちゃんぽん	600		
10			6	ちゃんぽん大盛	700		
11			7	焼きそば	600		
12			8	焼きそば大盛	700		
13			9	半チャーハン	400		
14			10	餃子	400		
15			11	野菜炒め	400		
16			12	おにぎり	150		
17			13	小ライス	150		
18							

=IF(F5=0, "", E5*F5)
と入力→G6:G17にコピー

図13-8 「メニュー別」シートのレイアウト

【例題13.8】 「メニュー別」シートのF5:F17に，指定期間内の各メニューの数量(注文数)を集計して記入するマクロ「メニュー別数量」を，次のように作成せよ。

(作成のコツ) まず(S1)までを入力してから，一旦テスト実行する。うまくいったら(＝F5:F17にすべて0が入力されたら)，続けて(S2)を追加入力するとよい。

```
Sub メニュー別数量()
    Dim bd As Date, ed As Date, suryo As Range, m As Integer
    Dim br As Long, er As Long, i As Long, j As Long
    Sheets("メニュー別").Select
    bd = Range("A1").Value
    ed = Range("A2").Value
    Set suryo = Sheets("メニュー別").Range("F5:F17")
    suryo.Value = 0
    Sheets("伝票履歴").Select
    指定期間最初と最後の行 bd, ed, br, er
    For i = br To er
        For j = Cells(i, 5).Value To Cells(i, 6).Value
            m = Sheets("内訳").Cells(j, 3).Value
            suryo.Cells(m).Value = suryo.Cells(m).Value + _
                Sheets("内訳").Cells(j, 4).Value
        Next j
    Next i
```

(S1)「メニュー別」シートの分析期間を読み込み，数量入力欄suryoのセルをすべて0にリセット

(S2)「伝票履歴」シートで分析期間に当てはまる各伝票に対する内訳情報をすべて調べる。各内訳情報から，メニューコードmを読み込み，suryoのm番目のセルに注文数を加算する

```
    Sheets("メニュー別").Select
End Sub
```

※マクロ「メニュー別数量」をVBEで実行し（→実習1.1），図13-9のような結果が得られたか確かめよ。なお，G5:G17の売上合計は，各セルに入力済みの式より自動計算される。

	A	B	C	D	E	F	G
1	2015/3/1	から					
2	2015/3/31	まで					
3							
4			メニューコード	メニュー	価格	数量	売上合計
5			1	ラーメン	600	3230	1938000
6			2	ラーメン大盛	700	477	333900
7			3	チャーシューメン	750	2246	1684500
8			4	チャーシューメン大盛	850	444	377400
9			5	ちゃんぽん	600	1326	795600
10			6	ちゃんぽん大盛	700	244	170800
11			7	焼きそば	600	954	572400
12			8	焼きそば大盛	700	190	133000
13			9	半チャーハン	400	897	358800
14			10	餃子	400	1353	541200
15			11	野菜炒め	400	471	188400
16			12	おにぎり	150	922	138300
17			13	小ライス	150	888	133200
18							

図13-9　例題13.8実行後

※「大穴軒DB分析03.xlsm」を上書き保存して閉じよ。

13.4　マクロによる売上分析（4）

次に，曜日（日，月，…，土曜日）と時間帯（11, 12, … , 19時台）の組合せごとに売上データの集計（クロス集計）を行う。この節では，曜日・時間帯別分析を行うための分析シートを作成する。そして，曜日と時間帯の組合せごとの客人数をカウントして分析シートに記入するマクロを作成する。

〈準備13.7〉　マクロ有効ブック「大穴軒DB分析03.xlsm」開き（→**準備1.6**），すぐに別名のマクロ有効ブック「大穴軒DB分析04.xlsm」として保存せよ（→**実習1.4**）。

〈準備13.8〉 新規ワークシートを追加し，そのシート名を「曜日時間帯別」に変更せよ。そして「曜日時間帯別」シートに**図13-10**のようなレイアウトを作成せよ。

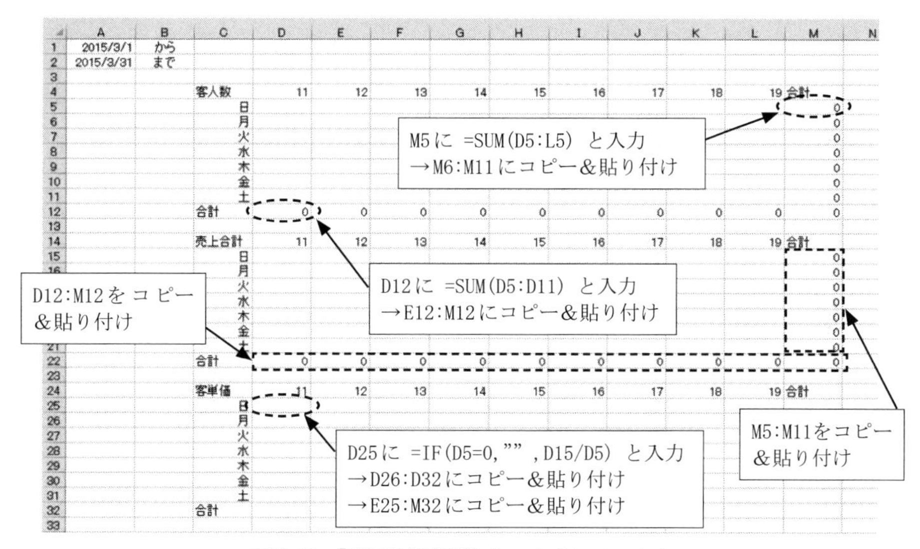

図13-10 「曜日時間帯別」シートのレイアウト

【例題13.9】 「曜日時間帯別」シートのD5:L11に，指定期間内の曜日・時間帯ごとの客人数を集計して記入するマクロ「曜日時間帯別人数」を，次のように作成せよ。

（作成のコツ）まず(S1)までを入力してから，一旦テスト実行する。うまくいったら（= D5:L11にすべて0が入力されたら），続けて(S2)以降を追加入力するとよい。

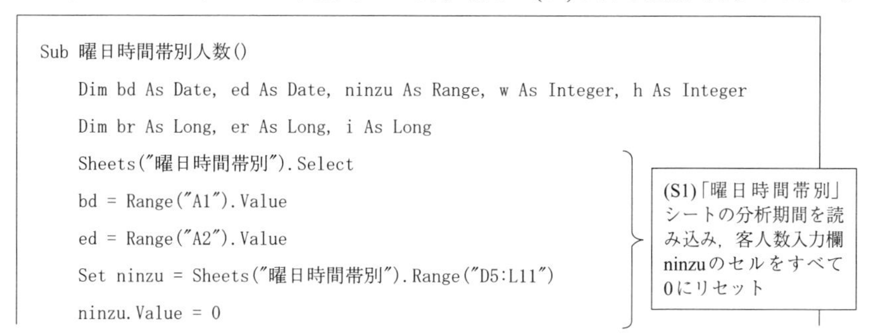

```
Sub 曜日時間帯別人数()
    Dim bd As Date, ed As Date, ninzu As Range, w As Integer, h As Integer
    Dim br As Long, er As Long, i As Long
    Sheets("曜日時間帯別").Select
    bd = Range("A1").Value
    ed = Range("A2").Value
    Set ninzu = Sheets("曜日時間帯別").Range("D5:L11")
    ninzu.Value = 0
```

```
    Sheets("伝票履歴").Select
    指定期間最初と最後の行 bd, ed, br, er
    For i = br To er
        w = Weekday(Cells(i, 2).Value)
        h = Cells(i, 3).Value
        ninzu.Cells(w, h - 10).Value = ninzu.Cells(w, h - 10).Value + _
            Cells(i, 4).Value
    Next i
    Sheets("曜日時間帯別").Select
End Sub
```

(S2)「伝票履歴」シートで分析期間に当てはまる各伝票に対する曜日番号wと時間帯hを読み込む。ninzuのw行h－10列のセルに客人数を加算する

※マクロ「曜日時間帯別人数」をVBEで実行し（→**実習1.1**），図13.11のような結果が得られたか確かめよ。

	A	B	C	D	E	F	G	H	I	J	K	L	M
1	2015/3/1	から											
2	2015/3/31	まで											
3													
4			客人数	11	12	13	14	15	16	17	18	19	合計
5			日	238	372	159	96	79	101	242	451	412	2150
6			月	144	181	80	38	68	110	114	206	278	1219
7			火	106	204	87	82	75	91	128	216	233	1222
8			水	77	155	96	59	72	98	99	167	151	974
9			木	113	153	62	66	60	87	118	163	194	1016
10			金	76	138	60	47	30	89	74	188	156	858
11			土	211	268	150	57	59	70	161	344	352	1672
12			合計	965	1471	694	445	443	646	936	1735	1776	9111

図13-11　例題13.9実行後

〈ポイント13.2〉　下線部のninzu.Cells(w, h - 10)において範囲名ninzuの列番号をh－10としているが，なぜだろう？大穴軒の営業時間は11時台から19時台の9つの時間帯に分けられる。11時台の結果はninzu内の1列目に，12時台は2列目に，……と考えると，h時台はninzu内のh－10列目に集計されるのである。

※「大穴軒DB分析04.xlsm」を上書き保存して閉じよ。

13.5 マクロによる売上分析（5）

前節の続きとして，曜日と時間帯の組合せごとの売上合計を集計して分析シートに記入するマクロを作成する。なお，**準備13.8**で客単価（＝売上合計÷客人数）を計算する式は入力済みなので，このマクロを実行すると客単価は同時に自動計算される。

〈準備13.9〉 マクロ有効ブック「大穴軒DB分析04.xlsm」開き（→**準備1.6**），すぐに別名のマクロ有効ブック「大穴軒DB分析05.xlsm」として保存せよ（→**実習1.4**）。

【例題13.10】 「曜日時間帯別」シートのD15:L21に，指定期間内の曜日・時間帯ごとの売上合計を集計して記入するマクロ「曜日時間帯別売上合計」を，次のように作成せよ。

（作成のコツ）まず(S1)までを入力してから，一旦テスト実行する。うまくいったら（＝D15:L21にすべて0が入力されたら），続けて(S2)以降を追加入力するとよい。

```
Sub 曜日時間帯別売上合計()
    Dim bd As Date, ed As Date, uriage As Range, w As Integer, h As Integer
    Dim br As Long, er As Long, i As Long, j As Long
    Dim pr As Range, m As Integer, suryo As Integer
    Sheets("曜日時間帯別").Select
    bd = Range("A1").Value
    ed = Range("A2").Value
    Set uriage = Sheets("曜日時間帯別").Range("D15:L21")
    uriage.Value = 0
    Sheets("メニュー").Select
    Set pr = Sheets("メニュー").Range("C2:C14")
```

(S1)「曜日時間帯別」シートの分析期間を読み込み，売上合計入力欄uriageのセルをすべて0にリセット

(S2)「メニュー」シートの単価表の範囲名をprとする

```
    Sheets("伝票履歴").Select
    指定期間最初と最後の行 bd, ed, br, er
    For i = br To er
        w = Weekday(Cells(i, 2).Value)
        h = Cells(i, 3).Value
        For j = Cells(i, 5).Value To Cells(i, 6).Value
            m = Sheets("内訳").Cells(j, 3).Value
            suryo = Sheets("内訳").Cells(j, 4).Value
            uriage.Cells(w, h - 10).Value = uriage.Cells(w, h - 10).Value + _
                pr.Cells(m) * suryo
        Next j
    Next i
    Sheets("曜日時間帯別").Select
End Sub
```

(S3)「伝票履歴」シートで分析期間に当てはまる各伝票に対して，曜日番号wと時間帯hを読み込み，内訳情報をすべて調べる。各内訳情報から，メニューコードmと注文数suryoを読み込み，uriageのw行h－10列にメニューmの単価×数量を加算する

※マクロ「曜日時間帯別売上合計」をVBEで実行し（→実習1.1），図13-12のような結果が得られたか確かめよ。なお，D25:M32の客単価は，各セルに入力済みの式より自動計算される。

	B	C	D	E	F	G	H	I	J	K	L	M	N
13													
14		売上合計	11	12	13	14	15	16	17	18	19	合計	
15		日	195950	297500	127300	76150	64050	78950	195500	372650	336700	1744750	
16		月	120000	147450	63700	29450	55150	86950	91550	167200	223200	984650	
17		火	88400	168850	72050	65200	60500	71600	105000	173550	189050	994200	
18		水	62200	123550	76350	48300	60800	77600	80200	128200	120350	777550	
19		木	91550	121650	49700	53700	48050	69050	93850	135850	159450	822850	
20		金	63100	111450	47650	36800	24350	73450	55800	157550	127750	697900	
21		土	169100	211750	120900	46700	47150	55450	128800	280350	283400	1343600	
22		合計	790300	1182200	557650	356300	360050	513050	750700	1415350	1439900	7365500	
23													
24		客単価	11	12	13	14	15	16	17	18	19	合計	
25		日	823.3193	799.7312	800.6289	793.2292	810.7595	781.6832	807.8512	826.2749	817.233	811.5116	
26		月	833.3333	814.6409	796.25	775	811.0294	790.4545	803.0702	811.6505	802.8777	807.7523	
27		火	833.9623	827.6961	828.1609	795.122	806.6667	786.8132	820.3125	803.4722	811.3734	813.5843	
28		水	807.7922	797.0968	795.3125	818.6441	844.4444	791.8367	810.101	767.6647	797.0199	798.306	
29		木	810.177	795.098	801.6129	813.6364	800.8333	793.6782	795.339	833.4356	821.9072	809.8917	
30		金	830.2632	807.6087	794.1667	782.9787	811.6667	825.2809	754.0541	838.0319	818.9103	813.4033	
31		土	801.4218	790.1119	806	819.2982	799.1525	792.1429	800	814.9709	805.1136	803.5885	
32		合計	818.9637	803.671	803.5303	800.6742	812.754	794.195	802.0299	815.7637	810.7545	808.4184	
33													

図13-12　例題13.10実行後

※「大穴軒DB分析05.xlsm」を上書き保存して閉じよ。

13.6 マクロによる売上分析（6）

このシステムをより使いやすくするために，まず「入力」シートにおいてデータのクリアと伝票ID等の記入を一気に行うマクロを作成する。また，このシステムは分析期間を様々に変えて分析することができるので，分析の直前に「この分析期間でよいか？」確認ができるようなマクロを作成する。さらに，ワークシートでマクロを実行（「開発」タブ→「マクロ」）しようとすると，マクロ一覧にはすでに使用する機会が失われたマクロ（テストマクロなど）まで表示されて，どれを選択してよいかわかりにくい。そこで，実際に実行するマクロだけを表示し，それ以外は非表示（削除してはいけない！）にする方法を習得する。

〈準備13.10〉 マクロ有効ブック「大穴軒DB分析05.xlsm」開き（→**準備1.6**），すぐに別名のマクロ有効ブック「大穴軒DB分析06.xlsm」として保存せよ（→**実習1.4**）。

【例題13.11】 「入力」シートにおいて，データのクリアと伝票ID，日付，時間帯の入力を一気に行うマクロ「入力」を，次のように作成せよ。

```
Sub 入力()
    入力クリア
    伝票ID取得
    日付時間帯取得
End Sub
```

※入力が終わったら，マクロ「入力」を**「入力」シート**で実行し（→**実習1.2**），マクロが目的どおり動作したか確かめよ。

【例題13.12】 「メニュー別」シートにおいて，分析期間を確認した上で，「はい」を選択したときだけマクロ「メニュー別数量」を呼び出すマクロ「メニュー別集計」を，次のように作成せよ。

```
Sub メニュー別集計()
    Dim bd As Date, ed As Date, ans As Integer
    Sheets("メニュー別").Select
    bd = Range("A1").Value
    ed = Range("A2").Value
    ans = MsgBox("分析期間は" & bd & "から" & ed & "でいいですか？", vbYesNo)
    If ans = vbYes Then
        メニュー別数量
    End If
End Sub
```

※入力が終わったら，マクロ「メニュー別集計」を「**メニュー別**」シートで実行し（→**実習1.2**），**図13-13**のような確認ウィンドウが表示されるか確かめよ。

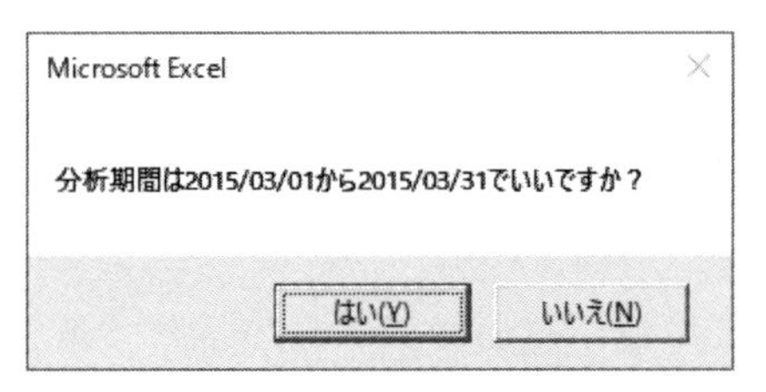

図13-13　分析期間の確認

【例題13.13】「曜日時間帯別」シートにおいて，分析期間を確認した上で，「はい」を選択したときだけマクロ「曜日時間帯別人数」と「曜日時間帯別売上合計」を呼び出すマクロ「曜日時間帯別集計」を，次のように作成せよ。

```
Sub 曜日時間帯別集計()
    Dim bd As Date, ed As Date, ans As Integer
    Sheets("曜日時間帯別").Select
    bd = Range("A1").Value
    ed = Range("A2").Value
    ans = MsgBox("分析期間は" & bd & "から" & ed & "でいいですか？", vbYesNo)
    If ans = vbYes Then
```

```
            曜日時間帯別人数
            曜日時間帯別売上合計
        End If
    End Sub
```

※入力が終わったら，マクロ「曜日時間帯別集計」を**「曜日時間帯別」シート**で実行し（**→実習1.2**），**図13-3**のような確認ウィンドウが表示されるか確かめよ。

【例題13.14】 ワークシートでマクロを実行（「開発」タブ→「マクロ」）するとき，マクロ一覧に「入力」，「転記」，「メニュー別集計」，「曜日時間帯別集計」の4つだけが表示されるようにしたい。VBEのコードウィンドウで，この4つ以外の引数のないSubプロシージャに対して，Subの前にPrivateという語句を挿入せよ。例えば，

（挿入前）Sub 指定期間最初と最後の行テスト()

↓

（挿入後）Private Sub 指定期間最初と最後の行テスト()

とせよ。（※ユーザ定義関数と引数のあるSubプロシージャは，最初からマクロ一覧に表示されないので，挿入の必要はない。）

※任意のワークシートで「開発」タブ→「マクロ」と操作し，**図13-14**のようにマクロ一覧に「入力」，「転記」，「メニュー別集計」，「曜日時間帯別集計」だけが表示されたか確かめよ。

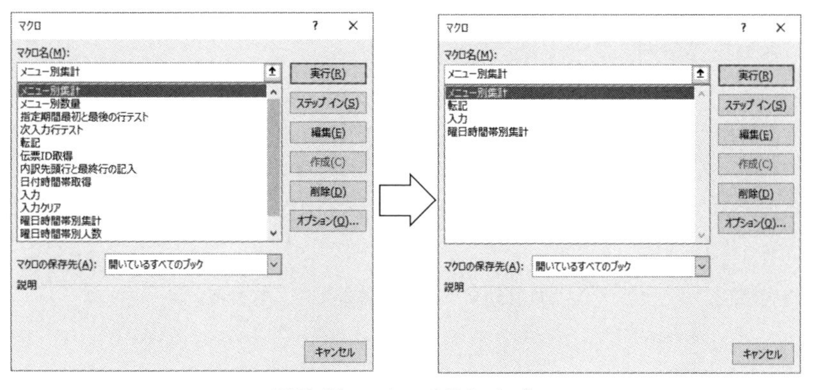

図13-14　マクロのPrivate化

〈ポイント13.3〉 マクロには，そのマクロを使用できる範囲（スコープ）を設定できる。SubやFunctionの前にPublicを挿入すると，そのマクロはモジュール（コードウィンドウ）の外から呼び出すことができる。一方，Privateを挿入すると，そのマクロはモジュール内でのみ呼び出すことができる。省略時はPublicが設定されたと見なす。引数のないSubプロシージャにPrivateを挿入することには，そのマクロをマクロ一覧から非表示にする効果がある。

※「大穴軒DB分析06.xlsm」を上書き保存して閉じよ。

演習課題

【課題13.1】 マクロ有効ブック「大穴軒DB分析03.xlsm」（バージョンは03以上）を開け（→準備1.6）。2015年1月期のメニュー別の売上合計を「メニュー別」シートに求めよ。

※例えば，ラーメンの売上合計は1,913,400円，ちゃんぽんの売上合計は805,200円となるはずである。

※課題13.1で使用したマクロ有効ブックを上書き保存して閉じよ。

【課題13.2】 マクロ有効ブック「大穴軒DB分析05.xlsm」（バージョンは05以上）を開け（→準備1.6）。2015年1月期の曜日と時間帯の組合せごとの客単価を「曜日時間帯別」シートに求めよ。

《ヒント》 バージョン05であれば，分析期間を変更後，2つのマクロ「曜日時間帯別人数」と「曜日時間帯別売上合計」を両方実行する必要がある。バージョン06であれば，マクロ「曜日時間帯別集計」だけを実行すればよい。

※例えば，日曜日の11時台ならば約807.22円，土曜日の19時台ならば約830.36円となるはずである。

※課題13.2で使用したマクロ有効ブックを上書き保存して閉じよ。

付録A ——Excelのデータベース機能

この付録の章では，VBAプログラミングから一旦離れて，Excelのデータベース機能を概観しよう。Excelはあくまでも「表計算ソフト」であって，Accessのようなデータベース専用のソフトではない。しかし，小規模なデータベースであれば，そこから様々な情報を得るための機能が揃っているので，使い勝手は悪くはない。むしろ，複雑なデータ処理を行う場合には小回りが利くという利点もある。

まず，A.1, A.2節で，成績処理を題材に，Excelが持っている主なデータベース機能を体験する。次に，A.3, A.4節で，データベース機能の応用として，あるバーチャル・ラーメン店の売上分析を試みる。これらを通じて，Excelのデータベース機能の特長と限界について考える。

A. 1　並べ替え・抽出・集計

例として，K大学商学部の1年次必修科目（5科目）の期末試験について得られた300人分のデータを，多角的に分析してみたい。

〈準備A.1〉 図A-1のようにすでに入力されているブックファイル「成績処理00.xlsx」をダウンロードして開け。次に，このファイルに「成績処理01.xlsx」という名前を付けて保存せよ。（※これは，作業前のファイルをバックアップとして残しておく目的がある。）

フィールド名

レコード

フィールド

	A	B	C	D	E	F	G	H	I	J
1	学籍番号	クラス	性別	氏名	簿記原理	商学入門	経営学入門	会計学入門	経済学入門	
2	215CU01	U	男	金子　拓海	59	74	68	69	67	
3	215CU02	U	男	村田　陽大	68	73	70	67	66	
4	215CU03	U	男	高田　奏汰	62	46	62	63	52	
5	215CU04	U	男	坂本　陽向	60	66	79	68	59	
6	215CU05	U	男	川崎　大雅	81	64	71	88	84	
7	215CU06	U	男	太田　樹	68	72	67	71	56	
8	215CU07	U	女	岩本　結菜	67	75	64	68	69	
9	215CU08	U	男	早川　樹	74	81	71	75	75	
10	215CU09	U	男	久保　悠人	77	70	59	75	95	

成績データ

図A-1　準備A.1の入力済みデータ（テーブル）

※氏名や得点はすべてランダムに生成したものである。

〈ポイントA.1〉 Excelのデータベース機能を利用するためには，データが図A-1の形式で格納されている必要がある。つまり，一番上の行には「学籍番号」，「クラス」，……といった見出しが並び，各見出しの下には同種のデータ（「氏名」に対しては全角文字列，「簿記原理」などの科目名に対しては数値データ，など）が格納される。各見出しを**フィールド名**といい，フィールド名とその下の同種のデータを格納した列を**フィールド**という。一方，見出し行以外の各行には，同一人物に関する様々なデータが並んでいる。このように，一人の人物（または一つの物件）に関するデータを格納した行を**レコード**という。そして，このような形式で格納された表全体を**テーブル**という。

〈実習A.1〉（基本的な集計関数） J列に各学生の5科目平均を計算するには

① J1セルに新たなフィールド名として「5科目平均」と入力

② J2セルに =AVERAGE(E2:I2) と入力

③ J2セルに入力した式をJ3:J301にコピー・貼り付け

※図A-2のように計算されたか？

	G	H	I	J	K
1	経営学入門	会計学入門	経済学入門	5科目平均	
2	68	69	67	67.4	
3	70	67	66	68.8	
4	62	63	52	57	
5	79	68	59	66.4	
6	71	88	84	77.6	
7	67	71	56	66.8	
8	64	68	69	68.6	
9	71	75	75	75.2	
10	59	75	95	75.2	

成績データ

図A-2　実習A.1実行後

〈ポイントA.2〉 **実習A.1**で入力したAVERAGE関数のように，Excelのワークシートでは基本的な集計をするための関数を利用できる。基本的な書式は

=関数名（処理範囲）

となる。但し，関数によって引数（カッコ（）の中の指定項目）の数が2つ以上になることがある。**表A-1**に使用頻度が高いと思われる集計関数を挙げておく。

表A-1　よく使う集計関数

関数名	機　能
MIN	最小値を求める
MAX	最大値を求める
SUM	合計値を求める
AVERAGE	平均値を求める
STDEV	標準偏差の値を求める

〈実習A.2〉（**並べ替え**）テーブル全体を5科目平均の高い順（降順）に並べ替えるには

①テーブル内の1つのセル（例えばA1）をクリック

②「データ」タブ→「並べ替え」

③**図A-3**のように指定して「OK」

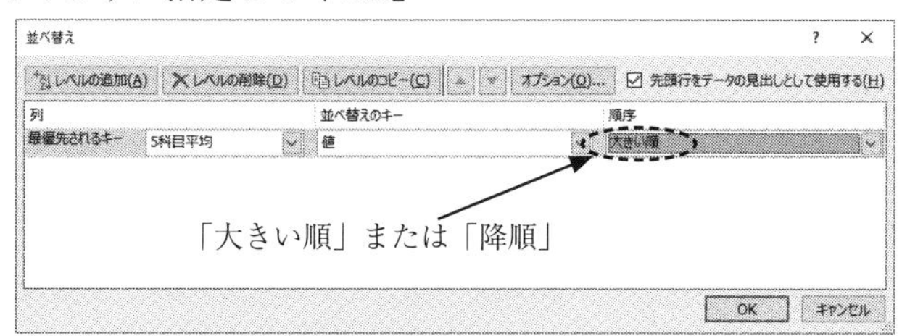

図A-3　「5科目平均」の高い順に並べ替え

※**図A-4**のように並べ替えられたか？

	A	B	C	D	E	F	G	H	I	J
1	学籍番号	クラス	性別	氏名	簿記原理	商学入門	経営学入門	会計学入門	経済学入門	5科目平均
2	215CU17	U	女	桑原　ひなた	92	82	74	95	97	88
3	215CY04	Y	男	小島　大雅	97	82	69	91	89	85.6
4	215CZ07	Z	女	高山　優花	90	80	76	93	87	85.2
5	215CX18	X	女	星野　紬	85	84	67	91	93	84
6	215CX11	X	女	土屋　愛梨	87	79	71	88	94	83.8
7	215CZ25	Z	男	遠藤　悠生	80	98	70	82	89	83.8

図A-4　実習A.2実行後

〈ポイントA.3〉　並べ替えは**ソート**とも呼ばれる。数値データについては，小さい順のことを**昇順**，大きい順のことを**降順**という。文字列データについては，辞書に載せたときと同じ順番（五十音順，アルファベット順など）を昇順，その逆順を降順という。

〈実習A.3〉　テーブル全体を学籍番号順に並べ替えるには

①テーブル内の1つのセル（例えばA1）をクリック

②「データ」タブ→「並べ替え」

③図A-5のように指定して「OK」

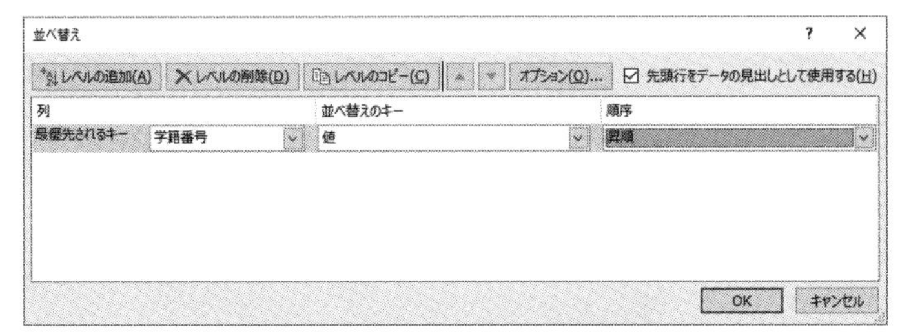

図A-5　「学籍番号」の昇順に並べ替え

※元の順番（図A-1）に戻ったか？

〈実習A.4〉　（抽出）Wクラスの学生を抽出するには

①テーブル内の1つのセル（例えばA1）をクリック

②「データ」タブ→「フィルタ」（図A-6のようにオートフィルタがONに）

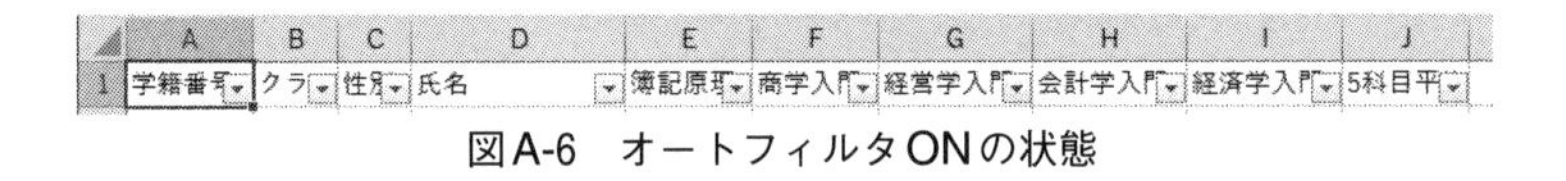

図A-6　オートフィルタONの状態

③フィールド名「クラス」（B1セル）のプルダウンボタン ▼ をクリック

④「(すべて選択)」をクリック（全部のチェックを外す）→「W」をクリック（チェックを付ける）→「OK」

※図A-7のように抽出されたか？

	A	B	C	D	E	F	G	H	I	J
1	学籍番号	クラ	性別	氏名	簿記原理	商学入門	経営学入門	会計学入門	経済学入門	5科目平
102	215CW01	W	男	菅野　陽	82	78	60	91	76	77.4
103	215CW02	W	女	山中　美咲	60	68	81	64	63	67.2
104	215CW03	W	女	西田　明莉	58	66	66	68	54	62.4
105	215CW04	W	男	広瀬　海斗	86	64	52	86	74	72.4
106	215CW05	W	男	岩崎　新	73	66	77	74	95	77

図A-7　実習A.4実行後

〈ポイントA.4〉 Excelには，条件に合うレコードを抽出するためのツールとして**オートフィルタ**と**フィルタオプション**がある。オートフィルタは，**図A-6**のように各フィールド名にプルダウンボタン ▼ を表示させた状態で，▼ のクリックから様々な条件を設定できる機能である。とても手軽なツールだが，万能とは言えない。一方，フィルタオプションはとても柔軟な条件設定ができる反面，操作がやや複雑である（本書は前者のみ紹介する）。条件設定されたフィールド名のプルダウンボタンはと表示される。

〈実習A.5〉 実習A.4で設定した条件を解除するには

① フィールド名「クラス」のプルダウンボタンをクリック

②「(すべて選択)」をクリック（全部にチェックが入る）→「OK」

〈実習A.6〉 姓が「小林」である学生を抽出するには

① フィールド名「氏名」のプルダウンボタン ▼ をクリック

②「テキストフィルタ」→「指定の値で始まる」の順にクリック

③ **図A-8**のように指定して「OK」

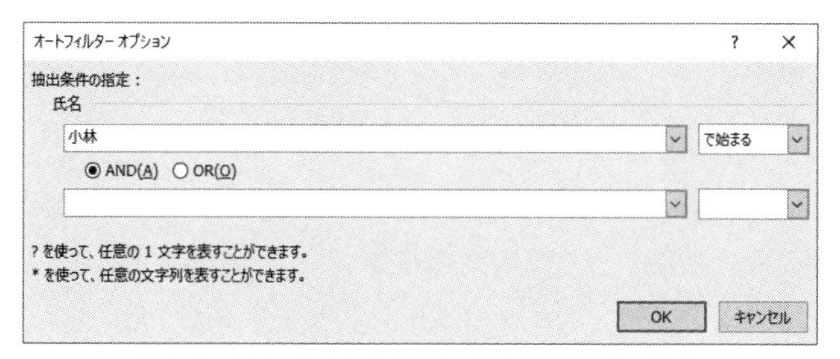

図A-8　氏名が「小林」で始まるレコードの抽出

※図A-9のように抽出されたか？（300人中2人が該当）

	A	B	C	D	E	F	G	H	I	J
1	学籍番号	クラ	性別	氏名	簿記原理	商学入門	経営学入門	会計学入門	経済学入門	5科目平
68	215CV17	V	男	小林　碧	49	90	67	59	39	60.8
252	215CZ01	Z	女	小林　芽依	70	77	70	75	69	72.2
302										

図A-9　実習A.6実行後

※実習A.6で設定した条件を解除せよ（→実習A.5）。

〈実習A.7〉　5科目平均が60点以上の学生を抽出するには

① フィールド名「5科目平均」のプルダウンボタン ▼ をクリック

②「数値フィルタ」→「指定の値以上」の順にクリック

③ 図A-10のように指定して「OK」

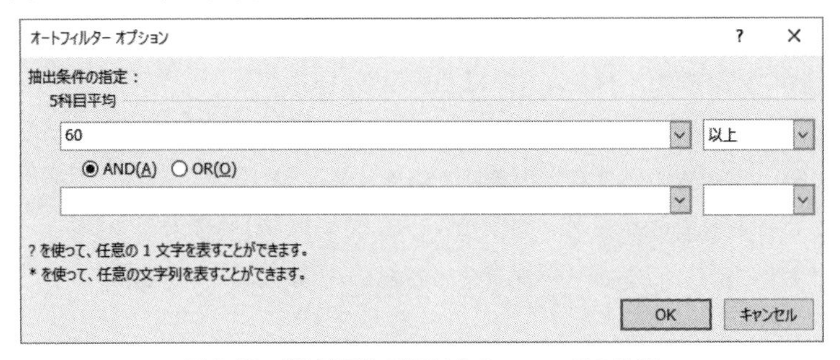

図A-10　5科目平均が60以上のレコードの抽出

※図A-11のように抽出されたか？（300人中280人が該当）

	A	B	C	D	E	F	G	H	I	J
1	学籍番号	クラ	性別	氏名	簿記原理	商学入門	経営学入門	会計学入門	経済学入門	5科目平
2	215CU01	U	男	金子　拓海	59	74	68	69	67	67.4
3	215CU02	U	男	村田　陽大	68	73	70	67	66	68.8
5	215CU04	U	男	坂本　陽向	60	66	79	68	59	66.4
6	215CU05	U	男	川崎　大雅	81	64	71	88	84	77.6

図A-11　実習A.7実行後

〈ポイントA.5〉　実習A.6のように文字列データに対する曖昧な条件の設定や，実習A.7のように数値データに対する幅を持たせた条件の設定には，図A-8，A-10のような「オートフィルタオプション」ウィンドウを用いる。

〈実習A.8〉 オートフィルタをOFFにするには

①「データ」タブ→「フィルタ」の順にクリック

※図A-12のように各フィールド名のプルダウンボタン ▼ が消え，全レコードが表示されたか？

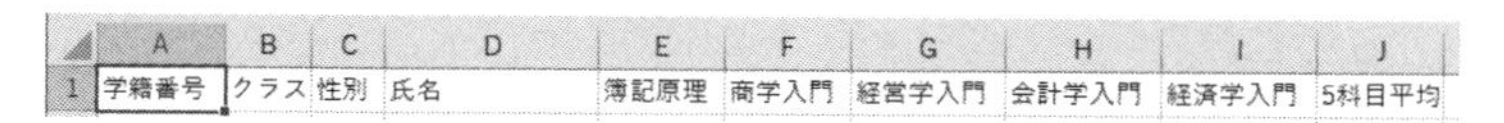

	A	B	C	D	E	F	G	H	I	J
1	学籍番号	クラス	性別	氏名	簿記原理	商学入門	経営学入門	会計学入門	経済学入門	5科目平均

図A-12 オートフィルタOFFの状態

〈実習A.9〉（集計）多角的な集計をするためのピボットテーブルを新規ワークシートに作成するには

① テーブル内の1つのセル（例えばA1）をクリック

②「挿入」タブ→「ピボットテーブル」の順にクリック

③ 図A-13のように設定されていることを確認して「OK」

④ 新規ワークシート「Sheet1」のシート名を「ピボット」に変更

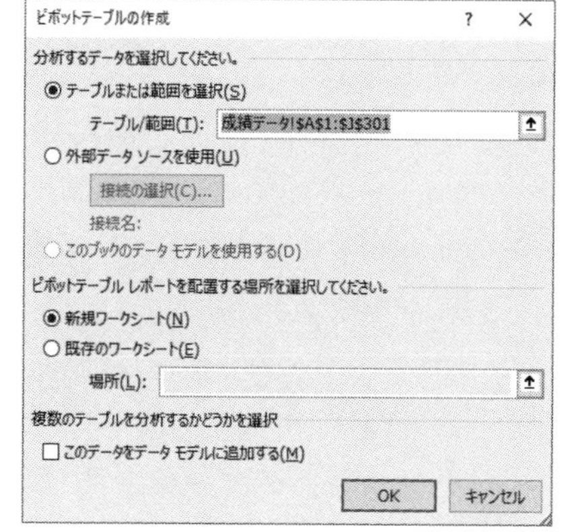

図A-13 ピボットテーブルの作成

※図A-14のような（空の）ピボットテーブルが作成されたか？

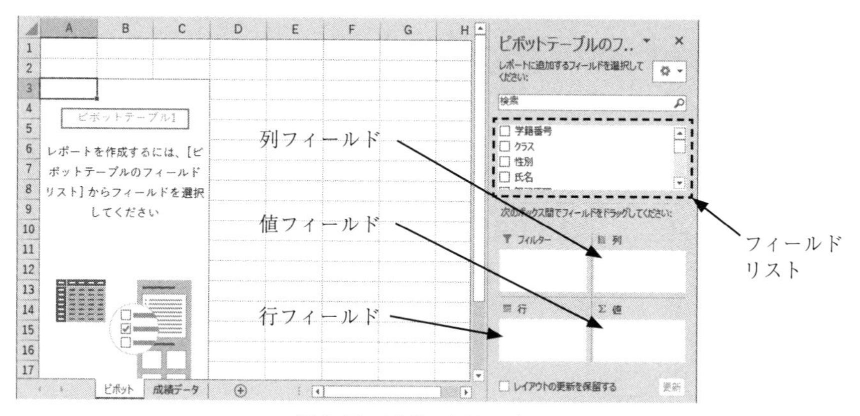

図A-14 ピボットテーブル

〈ポイントA.6〉 Excelの集計ツールとして，**ピボットテーブル**とアウトラインがある。ピボットテーブルは，**実習A.9**で作成したレイアウトの上で，マウスを用いてフィールドを行フィールド・列フィールド・値フィールドに配置し，単純集計やクロス集計（→**ポイントA.7**）を手軽に実行するためのツールである。但し，内訳の表示ができない。一方，アウトラインは内訳の表示・非表示の切り替えができる単純集計用のツールである（本書は前者のみ紹介する）。

〈実習A.10〉 クラス別に「簿記原理」の平均点を計算するには

①「ピボット」シートで，**図A-15**のようにフィールドリスト内の「クラス」フィールドを行フィールドまでドラッグ→「簿記原理」フィールドを値フィールドまでドラッグ

② 値フィールドの「合計/簿記原理」をクリック→「値フィールドの設定」をクリック

③「集計方法」タブ→集計方法：平均として「OK」

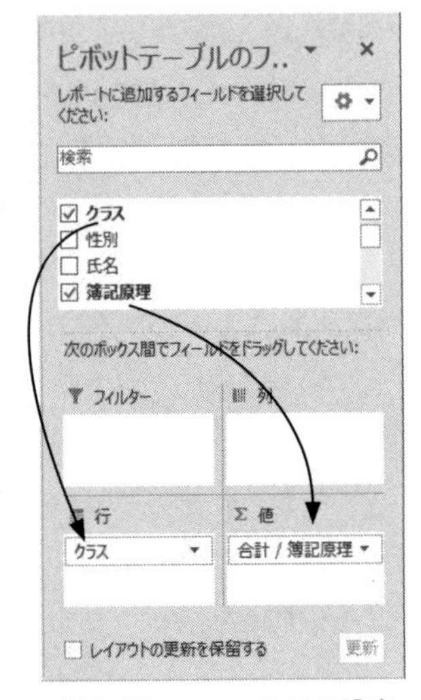

図A-15　フィールドの設定

※図A-16のように得られたか？

図A-16　実習A.10実行後

〈実習A.11〉 クラス別に「5科目平均」の平均点を計算するには

① 値フィールドの「平均/簿記原理」をクリック→「フィールドの削除」をクリック
② 図A-17のようにフィールドリスト内の「5科目平均」フィールドを値フィールドまでドラッグ
③ 値フィールドの「合計/5科目平均」をクリック→「値フィールドの設定」をクリック
④「集計方法」タブ→集計方法：平均として「OK」

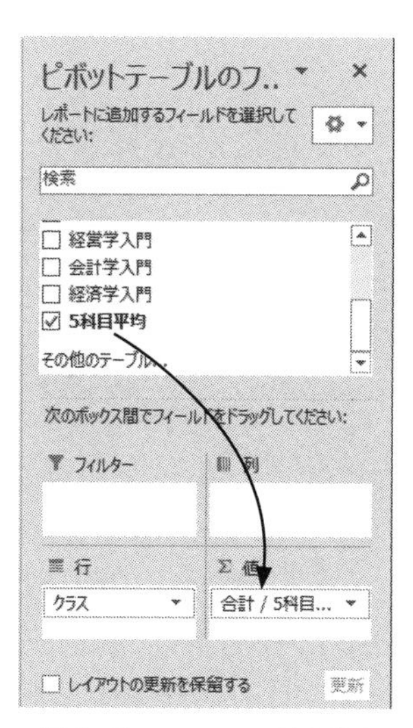

図A-17 フィールドの設定

※図A-18のように得られたか？

図A-18 実習A.11実行後

〈実習A.12〉 クラス別・性別に「5科目平均」の平均点を計算するには

① 図A-19のようにフィールドリスト内の「性別」フィールドを列フィールドまでドラッグ

※図1-19のように得られたか？

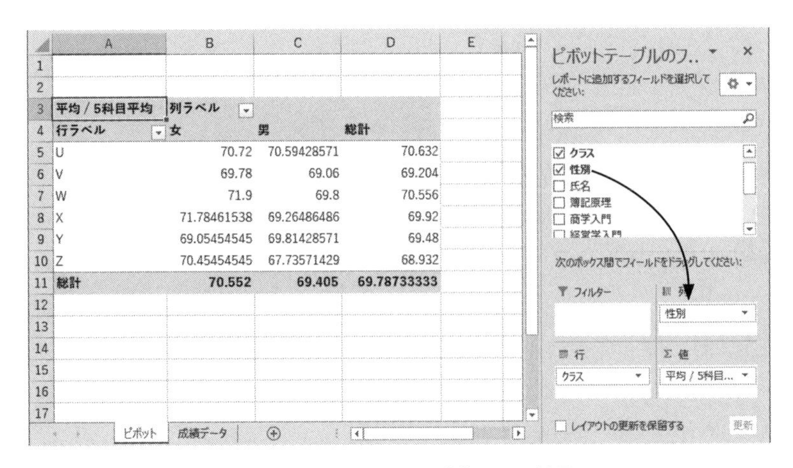

平均 / 5科目平均	列ラベル		
行ラベル	女	男	総計
U	70.72	70.59428571	70.632
V	69.78	69.06	69.204
W	71.9	69.8	70.556
X	71.78461538	69.26486486	69.92
Y	69.05454545	69.81428571	69.48
Z	70.45454545	67.73571429	68.932
総計	70.552	69.405	69.78733333

図A-19　フィールドの設定とその結果

〈ポイントA.7〉　実習A.10, A.11はいずれも「クラス」という1つのフィールドの値ごとに点数（簿記原理または5科目平均）の集計をした。このような集計を**単純集計**という。一方，実習A.12は「クラス」と「性別」という2つのフィールドの値の組合せごとに点数（5科目平均）の集計をした。このような集計を**クロス集計**という。ピボットテーブルはクロス集計を手軽に実行できるツールともいえる。

※ブックファイル「成績処理01.xlsx」を上書き保存して閉じよ。

A. 2　条件付き集計関数

〈準備A.2〉　ブックファイル「成績処理01.xlsx」を（閉じた状態ならば）開け。次に，このファイルに「成績処理02.xlsx」という名前を付けて保存せよ。さらに，「成績データ」シートのL列から右側に図A-20のようなレイアウトを作成せよ。

	J	K	L	M	N	O	P	Q	R	S
1	5科目平均			人数	簿記原理	商学入門	経営学入門	会計学入門	経済学入門	5科目平均
2	67.4		U							
3	68.8		V							
4	57		W							
5	66.4		X							
6	77.6		Y							
7	66.8		Z							
8	68.6		女							
9	75.2		男							
10	75.2									

図A-20　準備A.2で作成するレイアウト

〈実習A.13〉　クラスごとの学生数をM2:M7に計算するには

①M2セルに =COUNTIF($B$2:$B$301,L2) と入力

②M2の式をコピーしてM3:M7に数式のみ貼り付け

※どのクラスも50人と得られたか？

〈ポイントA.8〉　条件に合うデータの個数を数えるには**COUNTIF**関数を用いる。その一般的な書式は次の通りである。

=COUNTIF(範囲, 検索条件)

ここで,「範囲」では条件に合うデータを探すセル範囲を指定し,「検索条件」では条件式を指定する。条件式としてセル番地を指定した場合は,「そのセルの値に等しい」という条件になる。なお,「範囲」を$B$2:$B$301としたのは,手順①の式を下方向にコピーしたとき，セル範囲を固定したいからである。

〈実習A.14〉　性別の学生数をM8:M9に計算するには

①M8セルに =COUNTIF($C$2:$C$301,L8) と入力

②M8の式をコピーしてM9に数式のみ貼り付け

※女子100人，男子200人と得られたか？

〈実習A.15〉　クラスごとの各必修科目と「5科目平均」の平均をN2:S7に計算するには

①N2セルに =AVERAGEIF($B$2:$B$301,$L2,E$2:E$301) と入力

② N2の式をコピーしてN3:N7に数式のみ貼り付け

③ N2:N7の式をコピーしてO2:S7に数式のみ貼り付け

※図A-21のように得られたか？

	J	K	L	M	N	O	P	Q	R	S
1	5科目平均			人数	簿記原理	商学入門	経営学入門	会計学入門	経済学入門	5科目平均
2	67.4		U	50	71.56	71.6	67.56	74.8	67.64	70.632
3	68.8		V	50	69.98	70.72	67.98	73.94	63.4	69.204
4	57		W	50	71.26	69.8	67.8	75.98	67.94	70.556
5	66.4		X	50	70.32	71	68.6	74.3	65.38	69.92
6	77.6		Y	50	69.84	70.22	67.8	74.18	65.36	69.48
7	66.8		Z	50	68.96	72.7	67.48	73.76	61.76	68.932
8	68.6		女	100						
9	75.2		男	200						
10	75.2									

図A-21　実習A.15実行後

〈ポイントA.9〉 数値データを格納したフィールドについて，条件に合うレコードだけ平均を求めるには**AVERAGEIF**関数を用いる。その一般的な書式は以下の通りである。

=AVERAGEIF(範囲，条件，平均対象範囲)

ここで，「範囲」では条件を設定するフィールドの（フィールド名を除く）セル範囲を指定し，「条件」でその条件を指定する。そして「平均対象範囲」で平均を計算すべきフィールドの（フィールド名を除く）セル範囲を指定する。また，AVERAGEIF関数に類似する関数として，条件に合うレコードだけ合計を求める**SUMIF**関数がある。その使い方はAVERAGEIF関数とほぼ同じで，次のような書式である。

=SUMIF(範囲，条件，合計対象範囲)

なお，実習A.15の手順①では，「条件」と「平均対象範囲」のセル参照に工夫を凝らしている。「条件」を $L2 としたのは，手順①の式を右方向にコピーしたとき，クラス名がある列番号のLを固定したいからである。一方，「平均対象範囲」をE$2:E$301としたのは，手順①の式を下方向にコピーしたとき，データの開始行番号2と終了行番号301を固定したいからである。こうすることで，式の入力をたった一つのセル（N2）だけで済ますことができる。

※ブックファイル「成績処理02.xlsx」を上書き保存して閉じよ。

A. 3　応用・売上分析（1）

【例題A.1】　ラーメン店「大穴軒」は2015年1月1日に開店した。年中無休で毎日11～20時に営業している。この店の店主は，開業前から図A-22(a), (b)のような売上伝票に基づいて，売上分析を行う予定でいた。

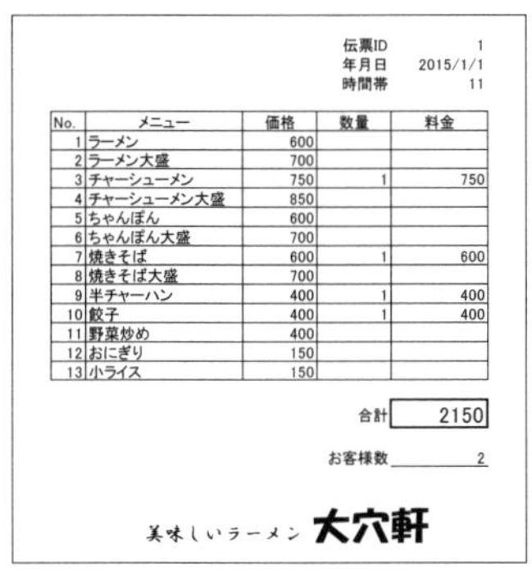

伝票ID 1
年月日 2015/1/1
時間帯 11

No.	メニュー	価格	数量	料金
1	ラーメン	600		
2	ラーメン大盛	700		
3	チャーシューメン	750	1	750
4	チャーシューメン大盛	850		
5	ちゃんぽん	600		
6	ちゃんぽん大盛	700		
7	焼きそば	600	1	600
8	焼きそば大盛	700		
9	半チャーハン	400	1	400
10	餃子	400	1	400
11	野菜炒め	400		
12	おにぎり	150		
13	小ライス	150		

合計 2150

お客様数 2

美味しいラーメン 大穴軒

(a) 開店直後の1枚目の伝票

伝票ID 2
年月日 2015/1/1
時間帯 11

No.	メニュー	価格	数量	料金
1	ラーメン	600	2	1200
2	ラーメン大盛	700		
3	チャーシューメン	750	1	750
4	チャーシューメン大盛	850		
5	ちゃんぽん	600		
6	ちゃんぽん大盛	700		
7	焼きそば	600	1	600
8	焼きそば大盛	700		
9	半チャーハン	400		
10	餃子	400	1	400
11	野菜炒め	400		
12	おにぎり	150		
13	小ライス	150	1	150

合計 3100

お客様数 4

美味しいラーメン 大穴軒

(b) 開店直後の2枚目の伝票

……

図A-22　大穴軒の売上伝票

3か月たった2015年3月31日時点で，伝票の枚数は13585枚に達した。根が真面目な店主は，伝票に記録されたデータをExcelのブックファイルに転記し続けた。その際，彼はデータベースの心得があったので，図A-23のように3枚のワークシートに分割してデータを格納した。

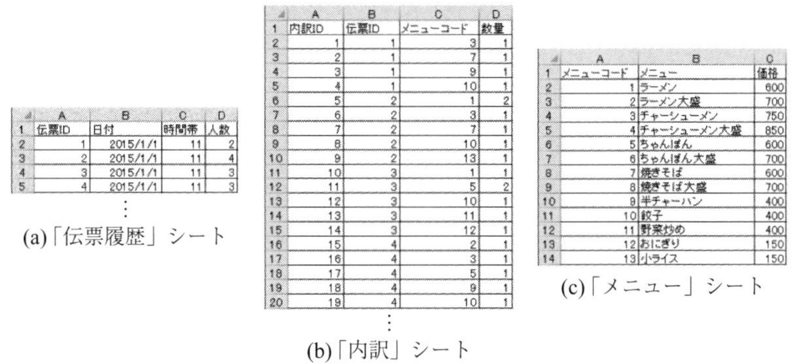

	A	B	C	D
1	伝票ID	日付	時間帯	人数
2	1	2015/1/1	11	2
3	2	2015/1/1	11	4
4	3	2015/1/1	11	3
5	4	2015/1/1	11	3

⋮

(a)「伝票履歴」シート

	A	B	C	D
1	内訳ID	伝票ID	メニューコード	数量
2	1	1	3	1
3	2	1	7	1
4	3	1	9	1
5	4	1	10	1
6	5	2	1	2
7	6	2	3	1
8	7	2	7	1
9	8	2	10	1
10	9	2	13	1
11	10	3	1	1
12	11	3	5	2
13	12	3	10	1
14	13	3	11	1
15	14	3	12	1
16	15	4	2	1
17	16	4	3	1
18	17	4	5	1
19	18	4	9	1
20	19	4	10	1

⋮

(b)「内訳」シート

	A	B	C
1	メニューコード	メニュー	価格
2	1	ラーメン	600
3	2	ラーメン大盛	700
4	3	チャーシューメン	750
5	4	チャーシューメン大盛	850
6	5	ちゃんぽん	600
7	6	ちゃんぽん大盛	700
8	7	焼きそば	600
9	8	焼きそば大盛	700
10	9	半チャーハン	400
11	10	餃子	400
12	11	野菜炒め	400
13	12	おにぎり	150
14	13	小ライス	150

(c)「メニュー」シート

図A-23　分割格納されたデータ

これらのデータを用いて，売上を多角的に分析したい。まずは，VLOOKUP関数（後述）やExcelのデータベース機能などを駆使して，メニューごとの売上合計を計算したい。

〈ポイントA.10〉　ここで，なぜ**図A-23**のような分割格納をしたのか，考えてみよう。もし店主にデータベースの心得がなかったら，おそらくExcelのワークシートに**図A-24**のように入力したであろう。

1枚目の伝票の情報

2枚目の伝票の情報

	A	B	C	D	E	F	G	H
1	伝票ID	日付	時間帯	人数	メニューコード	メニュー	価格	数量
2					3	チャーシューメン	750	1
3	1	2015/1/1	11	2	7	焼きそば	600	1
4					9	半チャーハン	400	1
5					10	餃子	400	1
6					1	ラーメン	600	2
7					3	チャーシューメン	750	1
8	2	2015/1/1	11	4	7	焼きそば	600	1
9					10	餃子	400	1
10					13	小ライス	150	1
11					1	ラーメン	600	1
12					5	ちゃんぽん	600	2
13	3	2015/1/1	11	3	10	餃子	400	1
14					11	野菜炒め	400	1
15					12	おにぎり	150	1
16					2	ラーメン大盛	700	1
17					3	チャーシューメン	750	1
18	4	2015/1/1	11	3	5	ちゃんぽん	600	1
19					9	半チャーハン	400	1
20					10	餃子	400	1

図A-24　全情報が網羅された形式

この形式は一見見やすいのだが，結合されたセル（A2:A5, B2:B5など）があるとExcelのデータベース機能を活用できない。そこで，次の手順でデータを分割・整理していく。まず，「伝票ID」に対して値が一通りに決まるフィールド（「日付」，「時間帯」，「人数」）を，**図A-23(a)**のように「伝票履歴」シートへ切り離す。その結果，**図A-25(a)**のような表が残るが，これにも結合セルが残っている。そこで，やや冗長だが「伝票ID」に同じ値が繰り返し現れる図**A-25(b)**の形式に修正する（さらに各レコードを識別するための「内訳ID」を加える）。

	A	B	C	D	E
1	伝票ID	メニューコード	メニュー	価格	数量
2		3	チャーシューメン	750	1
3	1	7	焼きそば	600	1
4		9	半チャーハン	400	1
5		10	餃子	400	1
6		1	ラーメン	600	2
7		3	チャーシューメン	750	1
8	2	7	焼きそば	600	1
9		10	餃子	400	1
10		13	小ライス	150	1
11		1	ラーメン	600	1
12		5	ちゃんぽん	600	2
13	3	10	餃子	400	1
14		11	野菜炒め	400	1
15		12	おにぎり	150	1
16		2	ラーメン大盛	700	1
17		3	チャーシューメン	750	1
18	4	5	ちゃんぽん	600	1
19		9	半チャーハン	400	1
20		10	餃子	400	1

(a) 結合されたセルあり

→

	A	B	C	D	E	F
1	内訳ID	伝票ID	メニューコード	メニュー	価格	数量
2	1	1	3	チャーシューメン	750	1
3	2	1	7	焼きそば	600	1
4	3	1	9	半チャーハン	400	1
5	4	1	10	餃子	400	1
6	5	2	1	ラーメン	600	2
7	6	2	3	チャーシューメン	750	1
8	7	2	7	焼きそば	600	1
9	8	2	10	餃子	400	1
10	9	2	13	小ライス	150	1
11	10	3	1	ラーメン	600	1
12	11	3	5	ちゃんぽん	600	2
13	12	3	10	餃子	400	1
14	13	3	11	野菜炒め	400	1
15	14	3	12	おにぎり	150	1
16	15	4	2	ラーメン大盛	700	1
17	16	4	3	チャーシューメン	750	1
18	17	4	5	ちゃんぽん	600	1
19	18	4	9	半チャーハン	400	1
20	19	4	10	餃子	400	1

(b) 結合されたセルなし

図A-25　内訳情報が集約された形式

さらに，図A-25(b)の形式のまま入力を繰り返すと，例えば「餃子」を「ギョウザ」,「半チャーハン」を「半炒飯」といった誤記入が誘発される。そこで，図A-25(b)の表から，「メニューコード」に対して値が一通りに決まるフィールド（「メニュー」,「価格」）を，図A-23(c)のように「メニュー」シートへ切り離し，残った情報を図A-23(b)の「内訳」シートにおく。このようなデータの分割を，データベースの**正規化**という。

〈準備A.3〉　図A-23(a), (b), (c)のようなワークシートを含むブックファイル「大穴軒DB00.xlsx」をダウンロードして開け。次に，このファイルに「大穴軒DB01.xlsx」という名前を付けて保存せよ。（※これは，作業前のファイルをバックアップとして残しておく目的がある。）

※ブックファイルには売上伝票の形式を模した「入力」シートも含まれるが，この章では利用しない。なお，「大穴軒DB01.xlsx」のファイルサイズが約1MBであることを確認せよ。

〈実習A.16〉「内訳」シートのE列に，各メニューコードに対応する「メニュー」の値を表示するには

① E1セルに直接「メニュー」と入力

② E2セルに =VLOOKUP(C2, メニュー!$A$2:$C$14, 2, FALSE) と入力して [Enter]

③ 再びE2セルを選択し，図A-26のハンドルをダブルクリックしてコピー&貼り付け

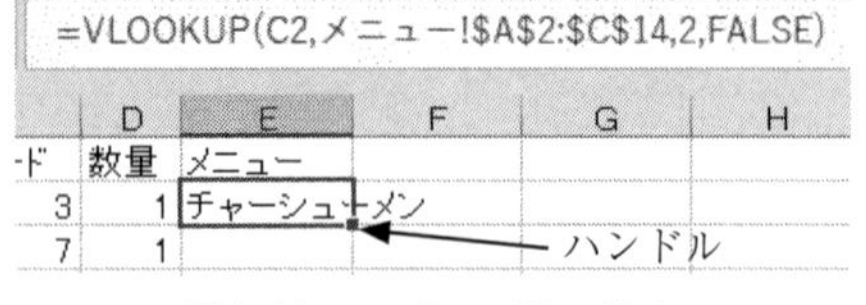

図A-26　コピー&貼り付け

※Excelが最終レコードの行を自動検出して，その位置までE2の式をコピー&貼り付けする。

〈ポイントA.11〉　VLOOKUP関数は

=VLOOKUP(検索値, 元テーブル, 列番号, FALSE)

という書式で，検索値を元テーブルの一番左の列から探し，あればその行の左から「列番号」番目のデータを返す。

〈実習A.17〉 「内訳」シートのF列に，各メニューコードに対応する「価格」(メニューの単価) の値を表示するには

① F1セルに直接「価格」と入力

② F2セルに =VLOOKUP(C2, メニュー!$A$2:$C$14, 3, FALSE) と入力して [Enter]

③ 再びF2セルを選択し，図A-27のハンドルをダブルクリックしてコピー&貼り付け

=VLOOKUP(C2,メニュー!$A$2:$C$14,3,FALSE)

ド	D	E	F	G	H
	数量	メニュー	価格		
3	1	チャーシュ	750		
7	1	焼きそば			

ハンドル

図A-27　コピー&貼り付け

※Excelが最終レコードの行を自動検出して，その位置までF2の式をコピー&貼り付けする。

〈実習A.18〉「内訳」シートのG列に，各レコードの「売上合計」（＝価格×数量）を計算するには

① G1セルに直接「売上合計」と入力

② G2セルに =F2*D2 と入力して[Enter]

③ 再びG2セルを選択し，ハンドルをダブルクリックしてコピー＆貼り付け

※列幅を調整して，**図A-28**のように整えよ。

	A	B	C	D	E	F	G
1	内訳ID	伝票ID	メニューコード	数量	メニュー	価格	売上合計
2	1	1	3	1	チャーシューメン	750	750
3	2	1	7	1	焼きそば	600	600
4	3	1	9	1	半チャーハン	400	400
5	4	1	10	1	餃子	400	400
6	5	2	1	2	ラーメン	600	1200
7	6	2	3	1	チャーシューメン	750	750
8	7	2	7	1	焼きそば	600	600
9	8	2	10	1	餃子	400	400
10	9	2	13	1	小ライス	150	150

図A-28　実習A.18実行後の「内訳」シート

〈準備A.4〉「内訳」シートのテーブルを元に，新規ワークシートにピボットテーブルを作成し，そのシート名を「ピボット1」とせよ（**→実習A.9**）。

〈実習A.19〉「ピボット1」シートで，「メニューコード」の値ごとに「売上合計」の合計を求めるには

①「ピボット1」シートで，**図A-29**のようにフィールドリスト内の「メニューコード」フィールドを行フィールドまでドラッグ→「売上合計」フィールドを値フィールドまでドラッグ

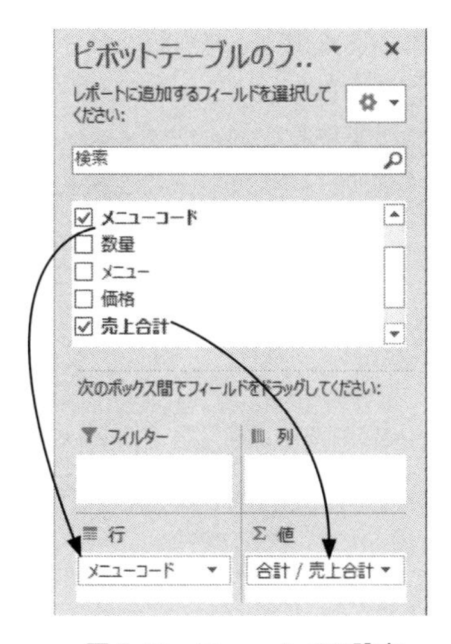

図A-29　フィールドの設定

※図A-30のように得られたか？　しかし，これではメニューコードがどのメニューに対応するかわからない。そこで，次の実習A.20を試みる。

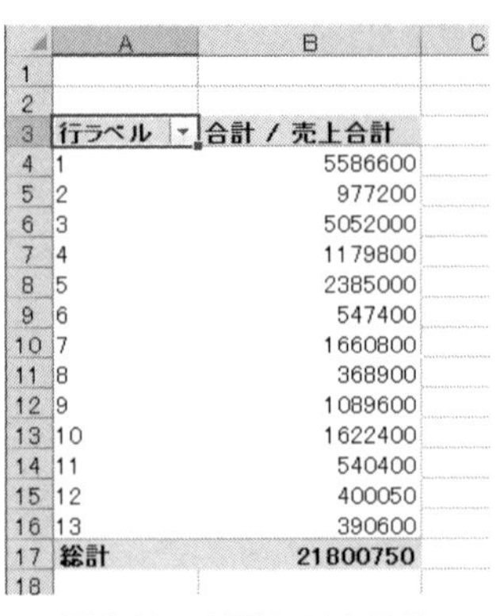

行ラベル	合計 / 売上合計
1	5586600
2	977200
3	5052000
4	1179800
5	2385000
6	547400
7	1660800
8	368900
9	1089600
10	1622400
11	540400
12	400050
13	390600
総計	21800750

図A-30　実習A.19実行後

〈実習A.20〉　実習A.19で求めたピボットテーブルにおいて，「メニューコード」と「メニュー」を併記して表示するには

①「ピボット1」シートで，フィールドリスト内の「メニュー」を行フィールドまでドラッグして追加

②「ピボットテーブルツール」内の「デザイン」タブをクリック

③「レポートのレイアウト」→「表形式で表示」の順にクリック

④「小計」→「小計を表示しない」の順にクリック

※図A-31のように得られたか？　なお，行フィールドに「メニュー」だけを置く方法もあるが，それではメニューの昇順で表示されて結果が読みにくくなる。よって，実習A.20のようにメニューコードとメニューを併記するのが望ましい。

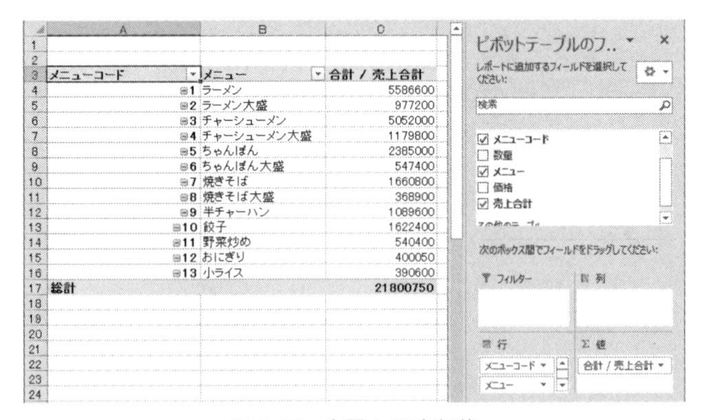

メニューコード	メニュー	合計 / 売上合計
1	ラーメン	5586600
2	ラーメン大盛	977200
3	チャーシューメン	5052000
4	チャーシューメン大盛	1179800
5	ちゃんぽん	2385000
6	ちゃんぽん大盛	547400
7	焼きそば	1660800
8	焼きそば大盛	368900
9	半チャーハン	1089600
10	餃子	1622400
11	野菜炒め	540400
12	おにぎり	400050
13	小ライス	390600
総計		21800750

図A-31　実習A.20実行後

※ブックファイル「大穴軒DB01.xlsx」を上書き保存して閉じよ。なお，この時点でファイルサイズが約2.3MBであることを確認せよ。

A. 4　応用・売上分析（2）

【例題A.2】 例題A.1で述べたように，ラーメン店「大穴軒」は2015年1月1日から2015年3月31日までのデータを，図A.23のような形式で格納している。例題A.1ではメニューごとの売上合計を計算したが，今度は曜日別，時間帯別の売上合計や客単価（＝売上合計÷客人数）を計算したい。

〈準備A.5〉 前節で使用したブックファイル「大穴軒DB01.xlsx」を開き，すぐに「大穴軒DB02.xlsx」という名前を付けて保存せよ。

〈実習A.21〉「伝票履歴」シートのE列に，各日付に対する「曜日」を計算するには

①E1セルに直接「曜日」と入力

②E2セルに =WEEKDAY(B2, 1) と入力

③再びE2を選択し，「ホーム」タブ→「書式」→「セルの書式設定」の順にクリック

④「表示形式」タブで分類：ユーザ定義を選択

⑤図A-32のように種類：aaaと（半角で）入力して「OK」

⑥E2セルのハンドルをダブルクリックしてコピー＆貼り付け

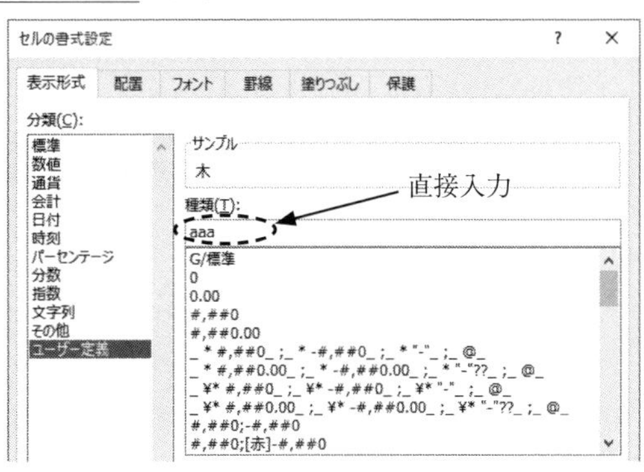

図A-32　セル書式の設定

〈ポイントA.12〉 日付データ（シリアル値）を曜日番号（日曜は1, 月曜は2, …, 土曜は7）に変換する関数として**WEEKDAY**関数がある。その書式は次の通りである。

=WEEKDAY(シリアル値, 種類)

ここで,「種類」は曜日と番号の対応方法の指定であり

種類=1ならば, 日曜日 : 1, 月曜日 : 2, …, 土曜日 : 7

種類=2ならば, 月曜日 : 1, 火曜日 : 2, …, 日曜日 : 7

となる。通常は種類=1と設定する。曜日番号を「日」「月」……「土」という漢字で表示するには, 図A-32のように書式文字列aaa（半角）を入力する。

〈実習A.22〉 「伝票履歴」シートのF列に, 各伝票IDに対する「売上合計」を,「内訳」シートの「売上合計」を集計して求めるには

① F1セルに直接「売上合計」と入力

② F2セルに次の式を入力（下線部は《入力のコツ》のようにせよ）

=SUMIF(内訳!$B$2:$B$35241,伝票履歴!A2,内訳!$G$2:$G$35241)

《入力のコツ》
(1)「内訳」シートを選択
(2) B2セルをクリック
(3) [Ctrl]と[Shift]を押しながら[↓]を叩く
(4) [F4] を1回叩く

《入力のコツ》
(1)「内訳」シートを選択
(2) G2セルをクリック
(3) [Ctrl]と[Shift]を押しながら[↓]を叩く
(4) [F4] を1回叩く

③再びF2を選択し, ハンドルをダブルクリックしてコピー&貼り付け

※図A-33のように得られたか？

	A	B	C	D	E	F	G
1	伝票ID	日付	時間帯	人数	曜日	売上合計	
2	1	2015/1/1	11	2	木	2150	
3	2	2015/1/1	11	4	木	3100	
4	3	2015/1/1	11	3	木	2750	
5	4	2015/1/1	11	3	木	2850	
6	5	2015/1/1	11	3	木	2750	
7	6	2015/1/1	11	2	木	1750	
8	7	2015/1/1	11	2	木	1750	
9	8	2015/1/1	11	1	木	600	

図A-33　実習A.22実行後

〈準備A.6〉「伝票履歴」シートのテーブルを元に，新規ワークシートにピボットテーブルを作成し，そのシート名を「ピボット2」とせよ（**→実習A.9**）。

〈実習A.23〉「ピボット2」シートで，「曜日」の値ごとに「売上合計」の合計を求めるには

①「ピボット2」シートで，**図A-34**のようにフィールドリスト内の「曜日」フィールドを行フィールドまでドラッグ→「売上合計」フィールドを値フィールドまでドラッグ

※図A-35のように得られたか？

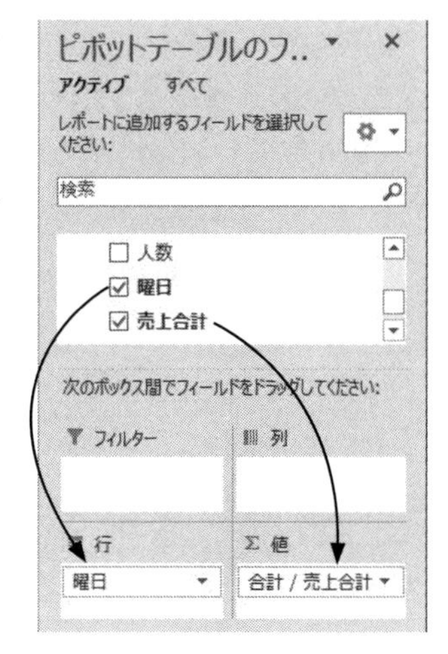

図A-34　フィールドの設定

	A	B	C
1			
2			
3	行ラベル	合計 / 売上合計	
4	日	4631750	
5	月	2670950	
6	火	2609950	
7	水	2360050	
8	木	2470550	
9	金	2585400	
10	土	4472100	
11	総計	21800750	
12			

図A-35　実習A.23実行後

〈実習A.24〉「ピボット2」シートで，「曜日」の値と「時間帯」の値の組合せごとに「売上合計」の合計を求めるには

① フィールドリスト内の「時間帯」フィールドを列フィールドまでドラッグ

※図A-36のように得られたか？

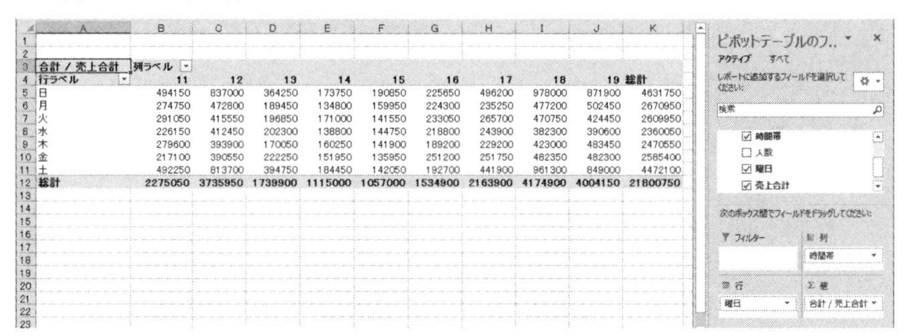

	A	B	C	D	E	F	G	H	I	J	K
1											
2											
3	合計 / 売上合計	列ラベル									
4	行ラベル	11	12	13	14	15	16	17	18	19	総計
5	日	494150	837000	364250	173750	190850	225650	496200	978000	871900	4631750
6	月	274750	472800	189450	134800	159950	224300	235250	477200	502450	2670950
7	火	291050	415550	196850	171000	141550	233050	265700	470750	424450	2609950
8	水	226150	412450	202300	138800	144750	218800	243900	382300	390600	2360050
9	木	279600	393900	170050	160250	141900	189200	229200	423000	483450	2470550
10	金	217100	390550	222250	151950	135950	251200	251750	482350	482300	2585400
11	土	492250	813700	394750	184450	142050	192700	441900	961300	849000	4472100
12	総計	2275050	3735950	1739900	1115000	1057000	1534900	2163900	4174900	4004150	21800750

図A-36　実習A.24実行後

〈実習A.25〉　「ピボット2」シートで，「曜日」の値ごとに「売上合計」の合計と「人数」（客数）の合計を同時に求めるには

① 列フィールドの「時間帯」フィールドをクリック→「フィールドの削除」をクリック

② フィールドリスト内の「人数」フィールドを値フィールドに追加

※図A-37のように得られたか？

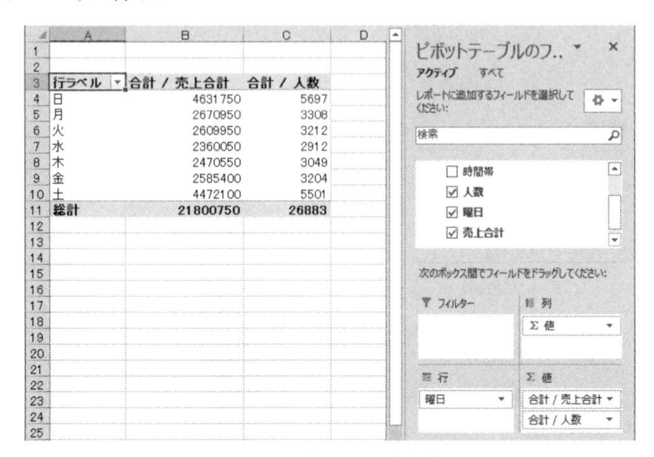

図A-37　実習A.25実行後

〈実習A.26〉　実習A.25で求めたピボットテーブルに，「客単価」（＝売上合計÷人数）を計算するフィールドを追加するには

①「ピボットテーブルツール」内の「ピボットテーブル分析」タブをクリック

②「フィールド/アイテム/セット」→「集計フィールド」の順にクリック

③ 名前：客単価と入力

④ 数式欄は＝だけ残して消去

⑤ フィールド欄の「売上合計」を選択して「フィールドの挿入」をクリック

⑥ 数式欄で「売上合計」の右に半角スラッシュ / を手入力

⑦ フィールド欄の「人数」を選択して「フィールドの挿入」をクリック

⑧「OK」をクリック

※図A-38のように得られたか？

行ラベル	合計 / 売上合計	合計 / 人数	合計 / 客単価
日	4631750	5697	813.0156223
月	2670950	3308	807.4214027
火	2609950	3212	812.5622665
水	2360050	2912	810.4567308
木	2470550	3049	810.2820597
金	2585400	3204	806.928839
土	4472100	5501	812.9612798
総計	**21800750**	**26883**	**810.9492988**

図A-38　実習A.26実行後

〈実習A.27〉「ピボット2」シートで,「曜日」の値と「時間帯」の値の組合せごとに「客単価」を求めるには

① 値フィールドの「合計/売上合計」をクリック→「フィールドの削除」をクリック

② 値フィールドの「合計/人数」をクリック→「フィールドの削除」をクリック

③ フィールドリスト内の「時間帯」フィールドを列フィールドへドラッグ

④（小数点以下桁数の統一）値フィールドの「合計/客単価」→「値フィールの設定」の順にクリック

⑤「集計方法」タブの「表示形式」をクリック

⑥ 分類：数値，小数点以下の桁数：（例えば）2として「OK」

⑦「集計方法」タブで「OK」

※図A-39のように得られたか？

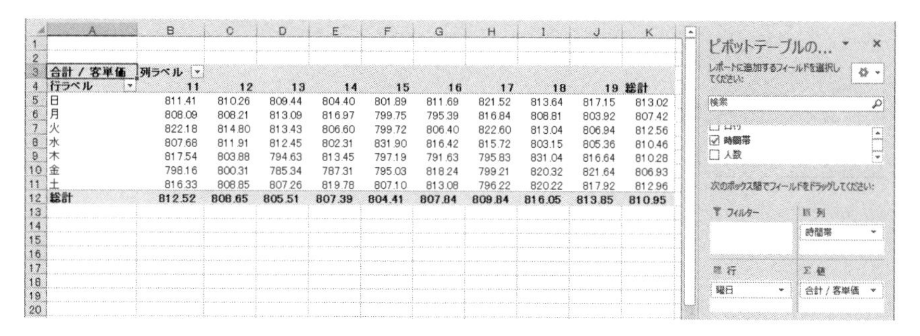

合計 / 客単価	列ラベル									
行ラベル	11	12	13	14	15	16	17	18	19	総計
日	811.41	810.26	809.44	804.40	801.89	811.69	821.52	813.64	817.15	813.02
月	808.09	808.21	813.09	816.97	799.75	795.39	816.84	808.81	803.92	807.42
火	822.18	814.80	813.43	806.60	799.72	806.40	822.60	813.04	806.94	812.56
水	807.68	811.91	812.45	802.31	831.90	816.42	815.72	803.15	805.36	810.46
木	817.54	803.88	794.63	813.45	797.19	791.63	795.83	831.04	816.64	810.28
金	798.16	800.31	785.34	787.31	795.03	818.24	799.21	820.32	821.64	806.93
土	816.33	808.85	807.26	819.78	807.10	813.08	796.22	820.22	817.92	812.96
総計	**812.52**	**808.65**	**805.51**	**807.39**	**804.41**	**807.84**	**809.84**	**816.05**	**813.85**	**810.95**

図A-39　実習A.27実行後

※ブックファイル「大穴軒DB02.xlsx」を上書き保存して閉じよ。なお，この時点でファイルサイズが約2.6MBであることを確認せよ。

〈ポイントA.13〉　この章で紹介した方法では，VLOOKUP関数やSUMIF関数を膨大な数のセルに書き込んだため，ファイルのサイズが当初の約2.5倍に膨れ上がった。このようなファイルは，修正を加えるたびに再計算が行われるため，パフォーマンスが著しく悪くなる。それだけではない。

1. 売上伝票の情報を「伝票履歴」シートと「内訳」シートに書き分けるのは大変面倒な作業である。
2. データを書く加えるごとに，計算フィールドのコピー&貼り付けを行う必要があるばかりでなく，計算式内のセル範囲も変更する必要がある。
3. ピボットテーブルのデータソース（計算元となるテーブル）の範囲も逐次変更する必要がある。

このように，Excelのデータベース機能だけでは，多面的なデータ分析を行うのに限界がある。どうすればよいか？　一つの解決法は，VBAマクロの活用である。VBAを用いて，売上伝票の情報を素早く正確に，「伝票履歴」シートと「内訳」シートに転記することができる。また，元になるテーブルにはできるだけ手を加えずに，分析シートを別途追加して，そこにVBAマクロで集計結果を書き込むようにできる。こうして，上記のような不都合を解消することができる。VBAマクロによる売上分析については第13章を見よ。

演習課題

【課題A.1】　ブックファイル「成績処理01.xlsx」を開け。氏名で下の名前が「あかり」か「ひかり」の学生を抽出せよ。

【課題A.2】　「5科目平均」が70点以上80点未満の学生を抽出せよ。

※ブックファイル「成績処理01.xlsx」を上書き保存して閉じよ。

【課題A.3】 ブックファイル「成績処理02.xlsx」を開け。性別の各必修科目と「5科目平均」の平均をN8:S9に計算せよ。

《ヒント》 AVERAGEIF関数を用いる。実習A.15の方法を参考にすると良い。

【課題A.4】 (やや難) インターネット等で，COUNTIFS関数について調べよ（下線部のように複数形の‘s’が付いていることに注意)。その上で，「成績データ」シートのL11:N17に図A-40のようなレイアウトを作成せよ。そして，性別・クラス別の学生数をM12:N17に計算せよ。

	K	L	M	N	O
10					
11		人数	女	男	
12		U			
13		V			
14		W			
15		X			
16		Y			
17		Z			
18					

図A-40　課題A.4のレイアウト

【課題A.5】 (やや難) インターネット等で，AVERAGEIFS関数について調べよ（下線部のように複数形の‘s’が付いていることに注意)。その上で，「成績データ」シートのL19:N25に図A-41のようなレイアウトを作成せよ。そして，性別・クラス別の「5科目平均」の平均点をM20:N25に計算せよ。

	K	L	M	N	O
18					
19		5科目平均	女	男	
20		U			
21		V			
22		W			
23		X			
24		Y			
25		Z			
26					

図A-41　課題A.5のレイアウト

※ブックファイル「成績処理02.xlsx」を上書き保存して閉じよ。

【課題A.6】 ブックファイル「大穴軒DB01.xlsx」を開け。「ピボット1」シートのピボットテーブルで，各メニュー（「メニューコード」と「メニュー」）に対する「数量」（注文数）の合計を求めよ。

※ブックファイル「大穴軒DB01.xlsx」を上書き保存して閉じよ。

【課題A.7】（やや難）ブックファイル「大穴軒DB02.xlsx」を開け。メニューと時間帯の組合せごとに，「売上合計」の合計を求めよ。

《ヒント》「内訳」シートに「時間帯」の情報はないので，VLOOKUP関数を用いて「内訳」シートに各伝票IDに対する「時間帯」を求めるフィールドを追加する。そして，更新された「内訳」シートを元に，第3のピボットテーブルを作成し，「メニューコード」と「時間帯」によるクロス集計を行う（→実習A.12）。「メニューコード」と「メニュー」の併記（→実習A.20）も試みよ。

※図A-42を目標とせよ。

	A	B	C	D	E	F	G	H	I	J	K	L
1												
2												
3	合計 / 売上合計		時間帯									
4	メニューコード	メニュー	11	12	13	14	15	16	17	18	19	総計
5	⊟1	ラーメン	588000	998400	442200	279600	282600	399600	536400	1068000	991800	5586600
6	⊟2	ラーメン大盛	95900	163100	81900	51100	42700	65800	114100	172200	190400	977200
7	⊟3	チャーシューメン	537000	831750	404250	255750	233250	343500	520500	993750	932250	5052000
8	⊟4	チャーシューメン大盛	122400	204000	102850	59500	53550	86700	102000	222700	226100	1179800
9	⊟5	ちゃんぽん	232200	402000	195600	130200	130200	164400	230400	444600	455400	2385000
10	⊟6	ちゃんぽん大盛	67900	100800	43400	32200	22400	38500	50400	98000	93800	547400
11	⊟7	焼きそば	170400	281400	130200	80400	78600	132600	172200	316200	298800	1660800
12	⊟8	焼きそば大盛	38500	63700	28700	23800	19600	21000	40600	66500	66500	368900
13	⊟9	半チャーハン	108000	189600	84400	48400	52800	72800	99600	226000	208000	1089600
14	⊟10	餃子	170800	277600	123600	80400	74800	112000	169600	315200	298400	1622400
15	⊟11	野菜炒め	60400	86800	39200	30000	27200	44000	54000	101600	97200	540400
16	⊟12	おにぎり	43500	69600	32100	22650	19050	28050	36900	75900	72300	400050
17	⊟13	小ライス	40050	67200	31500	21000	20250	25950	37200	74250	73200	390600
18	総計		2275050	3735950	1739900	1115000	1057000	1534900	2163900	4174900	4004150	21800750
19												

図A-42　課題A.7の目標

※ブックファイル「大穴軒DB02.xlsx」を上書き保存して閉じよ。なお，この時点でファイルサイズが約3.3MBであることを確認せよ（→ポイントA.13）。

あとがき

学生のモチベーションを保ちながらVBAの基礎を習得し、誰もが容易にプログラムを作成できることを目的として、学生が興味の覚えそうな例題や課題を中心に、できるだけ分かり易いテキストを作成したつもりである。しかし、我々の目標は達成できただろうか？　そもそも本書を手に取って読んでくれるだろうか？　数十冊以上ある市販のVBAプログラミングの本の中から本書を選んでもらう方法をこれから考えなければならない。本書を読んで「VBAプログラミングが好きになった」という人からの口コミ、著者らのWebページなどでの啓蒙活動、あるいは、「本書を手に取ってもらうための本」が必要かもしれない。

いったん手に取ってもらえば、豊富な興味のある例題と課題を解き、あるいは分かりやすい説明を読むことによりモチベーションは上がり、楽しくリラックスしてVBAプログラミングを学ぶことができると確信する。是非、本書を読んで一人でもVBAやプログラミングが好きな学生が現れることを切に願っている。

今、小樽は観光真っ盛りという時期である。「北の商都」として栄え「北のウォール街」と呼ばれた小樽。観光客に一番人気の小樽運河近くのカフェーでスイーツを食べながら本稿を書いている。

小樽運河近くにて

編者　加地太一

2018年7月

参 考 文 献

- 五十嵐貴之：『いちばんやさしいデータベースの本』，技術評論社，2010.
- 石田清：『アルゴリズムとデータ構造』，岩波書店，1989.
- 大内東、岡部成玄、栗原正仁（編）：『情報学入門』，コロナ社，2006.
- 大堀隆文・深井裕二・西川孝二：『例題で学ぶExcel入門』，コロナ社，2014.
- 加藤潔：『Excel環境におけるVisual Basicプログラミング』，共立出版，2001.
- 草薙信照：『コンピュータと情報システム［第2版］』，サイエンス社，2015.
- 小舘由典＆できるシリーズ編集部：『できるExcelマクロ＆VBA』，インプレス，2013.
- 土屋和人：『Excel VBAパーフェクトマスター（Excel2016完全対応 Excel2013/2010/2007対応）』，秀和システム，2016.
- 早坂清志＆できるシリーズ編集部：『できるExcelデータベース データ活用・業務効率化に役立つ本 2013/2010/2007対応』，インプレス，2014.
- 森口繁一：『Excel/Basic基礎指南―知らないことを知りたい人へ―』，日本規格協会，2000.

索　引

【あ行】

【か行】

【さ行】

【た行】

著者略歴

加地　太一（かじ　たいち）

1986 年　北海道大学水産学部増殖学科卒業
1988 年　北海道大学大学院工学研究科修士課程修了（情報工学専攻）
1988 年　株式会社東芝入社
1989 年　北海道情報大学助手
1994 年　小樽商科大学助教授
1997 年　博士（工学）（北海道大学）
2003 年　小樽商科大学教授
現在に至る

大堀　隆文（おおほり　たかふみ）

1973 年　北海道大学工学部電気工学科卒業
1975 年　北海道大学大学院工学研究科修士課程修了（電気工学専攻）
1978 年　北海道大学大学院工学研究科博士後期課程修了（電気工学専攻）
工学博士
1978 年　北海道工業大学講師
1981 年　北海道工業大学助教授
1993 年　北海道工業大学教授
2014 年　北海道科学大学教授（名称変更）
2016 年　北海道科学大学名誉教授

穴沢　務（あなざわ　つとむ）

1987 年　埼玉大学教養学部教養学科卒業
1989 年　筑波大学大学院経営・政策科学研究科修士課程修了
1989 年　小樽商科大学助手
1997 年　札幌大学専任講師
2000 年　札幌大学助教授
2001 年　博士（理学）（慶應義塾大学）
2002 年　北海学園大学助教授
2005 年　北海学園大学教授
2007 年　久留米大学教授
現在に至る

【改訂版】
例題で学ぶ Excel VBA 入門

2019年 3 月30日　初　版第 1 刷発行
2023年 6 月30日　改訂版第 1 刷発行

編著者　加地太一
著　者　大堀隆文、穴沢務
発行所　国立大学法人 小樽商科大学出版会
〒047-8501 北海道小樽市緑 3 丁目 5 番 21 号
tel. 0134 (27) 5210　fax. 0134 (27) 5275
発売元　論 創 社
〒101-0051 東京都千代田区神田神保町 2-23　北井ビル
tel. 03 (3264) 5254　fax. 03 (3264) 5232
https://www.ronso.co.jp　振替口座 00160-1-155266
装　幀　野村浩
組　版　中野浩輝
印刷・製本　中央精版印刷
ISBN978-4-8460-2287-7